W9-CII-744
MånPocket

*En miljövänlig bok!*
*Papperet i denna bok är tillverkat*
*av helt mekanisk trämassa – utan*
*tillsats av klor och kemisk massa*
*eller andra miljöfarliga ämnen.*

KERSTIN EKMAN

# *Häxringarna*

MånPocket

*Omslag av PLF Design/Pia Forsberg*


*Denna MånPocket är utgiven enligt överenskommelse*
*med Albert Bonniers Förlag AB, Stockholm*

*Tryckt i Danmark hos*
*Nørhaven Rotation 1995*

*ISBN 91-7643-137-1*

Till Anna Sofia Hjorth

Detta var Sara Sabina Lans:

grå som en råtta, fattig som en lus, slankig och mager som en rävhona om sommaren. Ingen använde hennes förnamn. Han själv var inte så mycket hemma. Han hade kommenderingarna och regementsmötena på Malmahed och han exercerade med korpralskapet på Fyrö, en fasantupp i sin uniform. Hon hade ungarna och torpet med potatislandet, detta torp som med åren nästan kvävdes av syrener men där det inte fanns någon lycka, åtminstone inte före 1884 då tåget klippte benen av soldaten Lans.

Hon rökte skinkor åt bönderna. Det var hennes renligaste arbete. Annars fanns det ingenting så grovt, så skitigt och så slabbigt att hon inte åtog sig det. Hon skurade lagårdar om våren. Hon bykte och var behjälplig vid slakt. Hon tvättade lik. Hela sitt liv gnodde hon efter kvarlevor och fördelar. Hon var seg som gräset, ettrig som nässlan. Hennes gravsten är på Vallmsta kyrkogård. Där står:

Här hvilar Soldaten N:o 27 för Skebo rote<br>
Johannes Lans<br>
* 29 juli 1833 † 12 juni 1902<br>
och hans maka

En dag i början av sjuttiotalet begav sig knektkäringen Sara Sabina Lans till Isakssons handel och gästgiveri för att sälja kummin. Det var septembereftermiddag i Sörmland när hon gick. Solen stod redan så lågt att det blev solkatter från spegelbitarna som låg i lagårdsfönstret mot maran. Libbstickan vid knuten hade blommat ut och luktade inte längre så elakt. Träden höll på att skifta färg, alla utom den stora björken som stugan hukade under. Den fällde sällan ett blad före allhelgona men det berodde på att en vit orm bodde under dess rot.

I det stora kärret mellan Äppelrik och Jettersberg tog sig knektkäringen från sten till sten med ett kuddvar nytröskad kummin i famnen. Efter henne gick Frans som fick ont i halsen och dog den vinter som följde på denna ovanligt sena och milda höst. Hoppande efteråt kom Edla.

Det var en klar och solig dag men det drog kyligt under alarna i kärret och ur de svarta blänkande hålen luktade det surt av ruttet vatten. Frans tyckte att det var rysansvärt att se sig omkring och ännu värre att se framåt för hans mor hade skörtat upp kjolarna och fäst dem i förkläsbanden. Han kunde se hennes smala och knutiga ben ända opp på låren när hon hoppade. De var lik vita och på alla håll genomdragna av de blålila ådrornas slyngor. Edla gick sist, hade korta ben och svårt att ta sig från sten till sten.

Detta var den genaste vägen till järnvägshållet dit Isaksson från Backe hade flyttat strax efter järnvägsinvigningen med hustru, bodgosse och två pigor. Han tänkte flytta över hela sin rörelse från den gamla tingsplatsen och hade redan tolv skjutshästar på stall. I flera år hade järnrailvägen legat utsträckt mellan Stockholm och Göteborg utan att bli stulen. Det var inte långt till femårsdagen av invigningen som hade skett med smällande fanor och pruttande horn och med leende och stelbent kunglighet som stigit ner från järnvägsvagnarna. Och inte hade det varit omöjligt att vänja den tröge svenske arbetaren vid den passlighet som fordras vid järnvägars betjänande, i varje fall inte helt omöjligt. Vid detta järnvägshåll som vid invigningen tilldelats elva minuters kunglig närvaro, som låg 12,3 mil från Stockholm och på 27 meters höjd över havet, stod redan en kvart före tågets ankomst pumpkarlen Oskar Edvin Johansson med mössan påtagen och hela knappraden i uniformsrocken knäppt, med vattencisternen fylld och smörjkannorna blänkande i den första höstens svala sol.

Stationshuset låg i de sanka markerna mellan två vassrika sjöar. Landskapet var flackt och träden som drog sig ur de vattensjuka markerna stretade surt för livet. Älg trivdes här. Det låg tre gårdar i den allra närmaste trakten: Malstugan som var nittionioårsarrende under fideikommisset, Jettersberg och Löskebo.

Framför Isakssons gästgiveri och handel stod tre skjutsar. Det var en trilla och två flakvagnar, den ena lastad med rågsäckar. Två bönder och en hemmason stod inne hos Isaksson och pratade sakta. Hemmasonen hade inte stuckit piskan i hylsan vid kusksätet utan tagit den med in. Han lät snärten ringla ovanför sirapstunnan där två flugor dansade. Det var han som först såg Sara Sabina Lans komma ut ur slyt vid kärrkanten. Han sa att där kom den leda och snåla knektkäringen, fi fan. Han tänkte spotta men stod för långt från koppen och vågade inte. Han stod bredbent men osäker i detta sällskap och lekte med piskan.

— Ja snål, sa Malstugen som stod närmast fönstret och betraktade käringen när hon med det randiga kuddvaret tryckt mot bröstet och de två ungarna efter sig närmade sig nerifrån kärret. Ho har väl inte just nånting å snåla med.

— Men får ho tag i nånting, sa Abraham Krona, då är ho som e rävhona. Hon släpper inte tage.

Det skrattade de åt.

Därute gick Edla bakom modern och Frans och kände sig svettig på ryggen. Modern drog sig nu utom synhåll från handelsboden. Hon gick inte avsides för att byta skor som vanliga människor för hon ägde inte mer än paret. Men hon rensade ungarnas näsor och bytte sjalett.

I detsamma kom tåget och Edla trodde det var slutet. Hon trodde det var döden som kom störtande utför ett högt berg. Hon hade aldrig varit med till stationen förr. Nu tjöt hon som visslan och modern måste hålla henne om ryggen med den ena handen och klå med den andra. Även Frans blev lite blek men så fort det första skärande dånet hade gått över skrattade han. Det var ännu många ljud kvar innan alltsammans gick över i regelbundna korta stånkningar. Som om en jätte skulle sitta och rusta sig for det genom skallen på Edla och hon drog hickande efter andan.

Tåget var framme. En grind gnisslade opp och en ung man i uniform av mörkblått kläde och mössa med guldsnodd och vingat hjul tog två kappsäckar och började stiga ner. Han tittade sig runt. Det var flackt och sumpigt. Blank räls försvann i marig småskog av tall och björk. Han höjde tveksamt handen till honnör och ytterst på träperrongen besvarade stationsinspektoren hälsningen och började avancera mot honom för han förstod att det var den nye bokhållaren som hade anlänt.

Stationsbokhållaren och friherren Gustaf Adolf Cederfalk tittade på stationshuset som var gult och hade gaveln täckt av kaprifol som redan höstmörknat. Det skymtade ett svartblankt mittbenat huvud i ett fönster. Det var stationsinspektorskan. Om en liten stund när hennes man släppt iväg tåget skulle hon släppa ut katten. Det var septemberhimmel blå när Cederfalk tittade oppåt. 27 meter över havet. Det är inte mycket tänkte han just när han hälsade sin nye överordnade med ett kraftigt handslag.

Han gick runt stationshuset i väntan på att den andre skulle lyfta signalspaden mot loket. Hustruns mörka hjässa skymtade i fönster efter fönster huset runt. På baksidan kändes inte doften av stenkolsrök och fet smörjolja. Där var den gropiga planen och Jettersbergens kor som nu var ända framme vid grinden och tittade på honom. Där låg gästgivarns hus med de tre åkdonen utanför och hästarna som stod vid bommen med tömmar om frambenen. Malstugens häst hade tornister. En liten stund var det så tyst i septembers svala luft att Cederfalk kunde höra honom krossa havre mellan tänderna. Tre karlar kom ut på handelsbodens trapp för att spotta snus och titta. De trängdes lite och handlaren stod bakom dem i dörren. I ett syrénbuskage invid gästgivargården stod en grå käring och drog med ärmen under nosen på en unge. Den andra höll i hennes kjol och stirrade efter tåget som gick och snyftade högt. Nu vände Cederfalk och gick tillbaka till stationshuset. På handelsbodstrappan hade man spottat färdigt och Sara Sabina Lans gick in efter karlarna. Hon öppnade sitt kuddvar, visade kumminet och begärde salt, soda, kaffe och bresilja i utbyte.

Det är sagt att förnöjsamheten är den sanna rikedomen där armod och brist är ständiga gäster, men knektkäringen ägde inte denna tillgång. Hon var tvärtom välkänd för sitt pockande sätt och sin fikenhet. Isaksson satte opp handflatan och förklarade att hon var orimlig. Men käringen stod på sig och de tre karlarna letade sittplatser bland tunnor och kaggar för här artade det sig till muntrationer. Hon brukade bli ful i mun när hon blev retad och kunde dra till med hela ramsor av grova matare.

Den här gången behöll hon emellertid sitt lugn och förklarade att salt, soda och kaffe fick han ge henne efter gemensamma beräkningar sen kumminet blivit uppvägt. Bresiljan skulle hon ha för intet. Han hade lurat henne sist. När hon tagit fram den för att färga mattvarp hade hon tyckt att den verkade lätt och vägt den på besmanet. Mycket riktigt, de hade fattats ett och ett halvt pund.

Isaksson förklarade för henne hur det var med bresilja. När den blivit uppvägd torkade den och höll inte vikten. Den fick tömmas ut, blötas, blandas med färsk bresilja ur faten, kramas ur och vägas igen. Han kallade in bodgossen för att intyga förhållandet. Käringen tycktes ge med sig men krävde att få ett pund av den billigaste kuddstoppningen och när gossen kom tillbaka luden som en katt efter att ha vägt opp sjövipp i magasinet var han övertygad om att hon velat hämnas.

Nu lät Isaksson kumminet rinna mellan fingrarna och granskade det med överdriven noggrannhet. Han antydde att han fann både kusar och småsten. Men käringen lät sig fortfarande inte retas.

— Ho ger sig inte, sa Malstugen leende när Isaksson började

väga opp de begärda varorna.

— Inte en tum, ekade hemmasonen från Löskebo. Nere vid dörren stod Abraham Krona och vände på en garvad oxhud som Isaksson tagit ner från taket med krokkäppen. Han skulle köpa sulläder. Krona var en snäll och trögtänkt karl, Malstugen hans motsats.

— Är det sant att du inte släpper det du har fått tag i? frågade han.

Käringen teg och tittade inte åt hans håll.

— Krona påstår det. Hon är som rävhonan sa han nyss. Ho släpper inte tage om ho har biti te.

Nu tittade knektkäringen vasst på Krona som såg generad ut.

— Låt se då, eggade Malstugen. Låt henne drass med dig om sullädret, Krona. Hon kan väl få behållat om ho får dig att släppa tage.

— Det kan ho väl, sa Krona och sträckte fram läderstycket som käringen var så snabb att slå klorna i att de alla fyra brast i skratt.

— Nej du käring, sa Malstugen. Bita skulle du.

Hon såg sig omkring i boden på Isaksson och den flinande ynglingen från Löskebo, på ungarna som stod tätt ihop vid sirapstunnan och på hustru Isaksson som tittade in genom dörren till skänkrummet. Sen vände hon sig mot Krona som höll ut sullädret i höjd med sin stora buk och så hukade hon sig och satte tänderna i lädret.

Han var naturligtvis starkare än hon och började genast dra henne runt på golvet till de närvarandes storartade förnöjelse. Till och med Isakssons leda hustru som sällan drog på mun fnyste roat genom näsan och Malstugen slog sig på låren och fläktade med förskinnet och dansade runt de två som for omkring bland kaggarna i allt vidare cirklar. Det kom ljud ur gumman. Det lät som om hon morrade av ilska och ansträngning. Krona skrattade och ryckte till. Han ryckte hårt flera gånger under dansen och käringen följde med, men tappade taget gjorde hon inte. Hon släppte väder eftersom hon sprang dubbelvikt och för varje brakskit skrek Löskeboynglingen: salut! Vid sirapstunnan tryckte sig Edla och Franz tillsammans och grät av skam.

Nu började Krona på allvar upptäcka det roliga i att hon inte släppte sitt tag. Hans stora händer höll stadigt i oxhuden och han förde henne runt i så stora svängar att hennes kängor smattrade mot golvet av de snabba steg hon var tvungen att ta, medan han bara behövde stå och dra henne runt.

— Ho ger sig aldrig! skrek Malstugen och det verkade också som om hennes tänder hade låst sig kring lädret. Hon skulle inte lyckas slita det åt sig men frågan var om han kunde få henne att släppa taget. Krona började bli svettig i nacken och stånkade när han gång på gång ryckte till. Nu gick kampen in i ett nytt skede och åskådarna tystnade när Krona försökte slita loss lädret ur gummans käft. Men för varje ryck följde hon bara med och inte ens när hon halkade på de snedgångna kängorna och hasade utefter golvet släppte hon taget. Kronas olycka blev att Malstugen i sin iver att följa kampen hade råkat spotta bredvid koppen. Nu halkade Krona i snusblaskan och ramlade baklänges. I fallet slog han huvudet i en nyuppslagen såpkagge, tappade lädret och tuppade av en stund.

— Trodde jag inte att det skulle sluta med att nån fördärva sig! skrek gästgivarfrun och rusade efter vattenskopan. Men käringen Lans slog kvickt armarna om sulläderbiten och sprang baklänges mot dörren. Men när hon skulle släppa taget med tänderna hade käkarna låst sig. Hon fick loss lädret till slut men då såg käften likadan ut som när hon bitit till. Som ett åkerspöke for hon iväg genom dörren med biten i famnen. Frans och Edla tog påsarna med salt, soda och kaffe och sprang ut efter modern.

6.06 hade avgått och den nye stationsbokhållaren hade fått kvällsvard hos stationsinspektor Hedberg. Nu gick Hedbergs dotter Malvina och postmästarens Charlotte med armarna om varandras liv längs banan västerut mot solen som sjönk i tallskogen. De gick inte riktigt så långt som de brukade för hos postmästarens väntade man på friherre Cederfalk som skulle göra visit och postmästarinnan hade sagt åt sin dotter att hon måste komma hem i tid så att hon hann dämpa sig lite och inte kom in med alltför röda kinder.

Den kvällen gick också Sara Sabina Lans utefter rälsen, för i alsnåren i kärret hade det varit svårt att ta sig fram med det stora sulläderssjoket. Hon gick med Frans och Edla som bar påsarna och de såg knipor sträcka och solen stå svullen och disröd över Vallmaren. Då började rälsen dundra av 7.43 från Göteborg och de måste skynda sig ner från banvallen.

Av Edla finns en bild.

Men hur ska man beskriva ett ansikte? Är det smalt eller brett? Sitter ögonen långt isär och är munnen ovanligt liten eller bara hårt sluten? Ju förtrognare det blir desto svårare att berätta om det. Man minns det som från en dröm och kan efteråt omöjligt tala om hur det såg ut. Men uttrycket som det bär fram är ansiktets egentliga ärende till en och det suddas inte bort.

Edlas ansikte, en trettonårings med uppstruket hårt åtstramat hår, bär ett uttryck av allvar.

Bilden är tagen en torgdag i det nya stationssamhället, i maj 1876. Det är inte gott att säga vilka förväntningar Edla hade när hon kom dit på förmiddagen och bytte skor bakom gästgiveriet innan hon gick över spåren till torgplatsen.

— Det är posentiv och skoj, berättade Lans. En kan få si björnar dansa och en gång såg jag e människa som va där och spela harpa.

Men det var ingen stor marknad, ingenting som liknade dem som förr varje år hade hållits vid tingsplatsen i Backe. Edla ville inte gå längst ner bland kreaturen för hon var rädd att få dynga på moderns skor. Spånnstolmakares och kopparslagares stånd gick hon förbi utan att titta. När en käring med svarta klor skrek efter Lans att hon hade smör och honung att sälja var det Edla som svarade med värdighet:

— Vi smörar själva.

Klockjuden hade brett ut sidenschaletter och bjöd också ut blombemålade fästmösskrin, men Edla tittade inte så mycket på dem. Framför bleckslagarens stånd stod hon däremot länge och såg på de fåtaliga leksakerna.

En stockholmsfotograf hade satt opp ett anslag att han avtog fotografiska porträttbilder av folk. Man behövde inte betala mer än hälften av vad det kostade i huvudstaden. Hit gick Lans med sin dotter Edla och tog hennes porträtt. Modern som inte hade kläder för ett torgbesök var kvar hemma och kunde inte avstyra fotograferingen.

Bilden av Edla är blekt brungul och ansiktet håller på att försvinna. Det som syns bäst är det rutiga mönstret i klänningstyget. Men uttrycket av allvar i hennes ansikte har bevarats.

— Tror du jag vill ha din doter i mitt kök, din skettlurka! sa gästgivarfrun när Sara Sabina Lans kom och frågade efter pigplats åt Edla. Då skrev knekten ett brev till Isaksson.

Hos Handlanden och Gästgifvaren Isaksson får jag i ödmjukhet anhålla att min doter Edla måtte få inträda på den hos Eder ledigvordna pigplatsen uti Gästgifvaregården och följer i lika ödmjukhet härhos hennes Prästbevis.

Äppelrik den 10 Juni 1876
Johannes Lans
Soldat för roten
N:o 27 Skebo

Gästgivarn tog Edla i tjänst, inte städslad som hel piga förstås för hon var bara tretton och ett halvt år gammal och hade inte gått fram än. Men hon fick gå som barnpiga för bara födan.

Brunfläckat som en gammal lantmäterikarta åkte knektens brev runt i krogsalen. Gästgivarn visade opp Edla och sa att här var lillpigan som hade antagits i tjänsten efter ansökan på papper som en stationsinspektor eller kyrkoherde. Tårögd av skam och förargelse smet Edla ut igen men hörde genom köksdörren hur bönderna skrattade när Isaksson läste opp brevet.

Hon hade fått börja redan efter midsommar och hon hade kommit en kväll som var så åskdiger och mörk att det knappt var dagsljus vid köksbordet där kördrängarna satt med gästgivarn och åt kvällsmat.

När hon kom in stod gästgivarfrun och stekte fläsk. Hanna och Ida, de två fullvuxna pigorna stod bredvid och åt. Hanna hade hakat opp sin runda stjärt på vedlåren så att hon fick stöd. När Edla kom tog hon tallriken i vänster hand och räckte fram den högra. Likadant gjorde Ida, den långa pigan, men hennes hand var som en karls, stor och kantig. Karlarna vid bordet vågade Edla inte hälsa på. Någonstans vid skafferidörren såg hon en halvvuxen pojke men hon tittade bara på honom ur ögonvrån och låtsades inte se honom. I spishörnet satt en gumma men just som Edla sträckte fram handen mot henne sa gästgivarfrun att hon kunde ta och skära ren brödkanter åt henne. Edla förstod att Skur-Ärna som hon kände igen inte var någon som man låtsades om. Hon hade blivit så gammal att hon inte kunde gå ner på knä längre men för bara ett år sen hade hon skurat klubbsalen och krogsalen efter torgdagarna. Nu gick hon i alla fall varenda dag till gästgivarns och försökte hitta sysslor. Hon späntade stickor fast ingen bad henne, körde ut katten när det skulle bli bak och rörde om i kumminlåren så att kumminet inte skulle ta värme och börja brinna. Hon ansåg att hon hade rätt till ett mål mat för dessa tjänster och åtnjöt vintertid i alla fall spisvärmen.

— Du är ju inte utväxter än, hur ska du orka med, jämrade hon sig över Edla men kastade hela tiden små snabba ögonkast på hustru Isaksson som rev i:

— Nu har gästgivarn äti så nu kan du ta in Aron från farstun. Edla blev förvirrad men Hanna visade henne tyst med mun full av mat att det fanns två utgångar från köket och hon hittade också pojken som hon skulle bli barnpiga åt i en dragig farstu. Han satt på ett kärl och rustade sig. Inte ett ord sa han och hon blev osäker på om han var så stor att han kunde tala. Hon orkade inte lyfta honom för han var en tjock pojke. Han blängde på henne under nästan vita ögonbryn men när han kände draget av spisvärme inifrån reste han sig självmant och gick in. I det vita noppriga hullet på stjärten hade han en röd rand efter kärlet.

— Nu kan du skära ren brökanter och beta i här, sa gästgivarfrun och ruskade stekpannan där flottet smält ut från fläskskivorna. Så fick Edla göra någonting som var henne alldeles främmande och som kom henne att förstå att födan skulle bli den bästa delen av hennes tjänst. Hon fick skära bort möglade kanter på brödet och kasta dem i grishinken. Sen skulle brödbitarna skivas ner i fläskflottet. Det fick dra ett tag innan gästgiverskan slog på en skvätt mjölk och lät den koka in. Sen sattes pannan fram utan att fläsket togs undan.

Efteråt diskade Hanna och barnet som fortfarande inte sagt ett ljud satt som fastväxt vid sin potta. Edla torkade bleckkärlen på en handduk av skurduk och gästgivarns porslin på en tunnsliten linnehandduk och hon var hela tiden rädd att göra fel, sätta handduken i botten på en sotig panna eller skära sönder linnet mot en knivsegg. Skur-Ärna varnade henne för allt som kunde tänkas hända och gästgiverskan sa inte ett ord. Hon sprang fram och tillbaka i dörren till skänkrummet med tallrikar med hårdstekta ägg och bräckkorvskivor som gästgivarn ropade efter.

Gästgiveriet var mycket stort. Det kunde inte i något avseende jämföras med ett soldattorp. Till och med härinne i köksmörkret kände och hörde hon dess storhet omkring sig. När de fyra kördrängarna och pojken öppnade dörren och gick kändes kolröken från växelloken och deras illtjut kom rakt in i värmen och skrämde Edla. Det blev tystare från bangården eftervart och gästgivarn slutade ropa i dörren. Till slut hängde Hanna opp bleckbaljan på sin krok och sa mitt i en stor gäspning:

— Så vart det kväller i alla fall. Och guschelov för det.

Ida hade märkligt nog gått samtidigt som kördrängarna men Skur-Ärna som satt kvar i spishörnet talade om för Edla, viskande så nära att hon kände den sura lukten ur hennes mun, att den pigan var lortaktig och kunde inte has i kök. Men ett arbetsdjur var hon, det värsta man kunde tänka sig. Hon var som en karl i gästgivarns jordbruk. Men så hade hon också detta privilegium att få göra kväll samtidigt som karlarna. Fast egentligen berodde det på hennes lortaktighet.

— Och den andra, viskade Skur-Ärna och såg efter den randiga blå kjolen som försvann i vindstrappan. Ho är snattig. Det är så sant som jag sitter här.

Gästgiverskan körde nu hem gumman och Edla fick sitta på en köksstol och vänta medan hon la pojken i kammaren innanför köket. Det blev tydligt utsagt att hon inte skulle gå in där. Efteråt visade hon Edla opp till klubbsalen som låg i övervåningen ovanpå den stora krogsalen.

— Hanna och Ida ligger på vinn, sa hon, och i köke ska bagerskan va ensammen. Det finns inte plats mellan Ida och Hanna så du får ligga här.

Det var ett stort rum. Edla hade hört talas om det. De större bönderna höll sina stämmor häroppe, deras lukter satt i gardinerna. Hustru Isaksson hade ett glas med olja åt Edla och tände en liten vaxstapel i glaset så att hon såg att lägga sig när hon blev ensam. Men hon såg inte hela rummet. Hon hade skymtat ett ansikte på ett porträtt när de steg in.

På bordet skulle hon ligga. Det var nästan lika stort som kammargolvet i soldattorpet. Hon hade fått två hästtäcken att lägga under sig och en åkpäls att svepa in sig i. Men fötterna stack ut.

Hon vågade inte släcka. I oljan sam vaxstapeln stungen genom en pappbit så att den skulle hålla sig flytande. Länge låg hon och stirrade på den lilla tveksamma lågan. Sen kom Skur-Ärnas röst för henne och lukten ur hennes mun när hon viskade om gästgivarfrun:

— Ho är ellak värre än skållетter.

Då tyckte hon redan att vaxstapeln krympt och oljan sjunkit och vågade inte ha tänt längre. Hon blåste ner i glaset så att det blev mörkt och kröp med pälsen om sig längst ut på andra ändan av bordet för att inte välta glaset när hon vände sig. Sen låg hon och lyssnade till ljuden av tåg och av människor som slog i dörrarna till övernattningsrummen.

Åskan gick och himlen blev vit. Först vid fyratiden när regnet börjat strömma föll Edla i dvala och vaknade inte av Hannas och Idas steg i vindstrappan när de gick till lagårn i den tidiga morgonens beska ljus. Ingen väckte henne, hon blev helt enkelt bortglömd denna första morgon. Men det hände aldrig mer. Nu vaknade hon av bröddoft och svordomar.

Hon tog sig ner från bordet och tittade ut genom fönstret. Planen mellan gästgiveriet och stationen var upplöst av regn och leran sprutade om hjulen på diligensen som körde fram. Den fastnade och kusken hojtade och svor. Den var förspänd med tre hästar i bredd men kom ändå inte loss förrän kördrängarna tagit i på var sida om spannet. Samtidigt kom ett tåg utan att någon av människorna därnere så mycket som tittade. Det luktade stenkolsrök och färskt bröd. Samhället hade blivit som en stad; man kunde köpa färskt bröd varje morgon. Nu kom pigorna från postmästarns, från stationsinspektorens, baningenjörens och restauratrisen med korgar. De balanserade sig fram i leran till handelsbodens dörr och kördrängarna ropade åt dem. Edla började snyfta när hon begrep hur sent det var och hur mycket hon försovit sig.

Nere i köket höll bagerskan på att knyta av sig förklät och göra sig i ordning för att gå hem. Edla såg att hon gäspade rakt i ansiktet på gästgivarfrun utan att genera sig.

Bagerskan kom varje kväll sen de andra gått och lagt sig. Det sista gästgiverskan gjorde var att mäta opp mjöl åt henne. Klockan tolv satte hon den första degen. När de andra kom från lagårn för att duka fram mat var hon färdig, fick en limpa i korgen och vek ihop sitt randiga förklä och la det överst.

Det tog inte en vecka för Edla att lära sig att allt som sett så storartat och tillfälligt ut det första dygnet, den gula diligensen, de stora fläskbitarna och bagerskans gäspning upprepade sig och var regelbundna företeelser. Snart förstod hon att beräkna de stora tunga människornas banor. Men pojken som hon sett en skymt av i köket den första kvällen förstod hon sig inte på.

Hon fick ofta göra sig ärende bakom magasinet eller stallet för hemma hade de inte prevet och hon begrep till en början inte vart hon skulle gå. Överallt tyckte hon att pojkens ansikte dök opp. Hon hukade sig blixtsnabbt bland nässlorna för att klara av det nödvändigaste och fick ont i magen av att gå och hålla sig. Hon tyckte att han hånade henne med sitt flin. Hon visste att klänningen var trasig på armbågarna och att ovanlädret på kängorna hade spruckit. Andra kvällen fick hon ta in korna som betade bortom postmästarvillan och då dök pojken opp med ett rönnspö i handen och hjälpte henne. Nu sa han att han hette Valfrid och att han var springgumse åt Isaksson. Det visste hon inte vad det var.

— En blir bodgosse om en sköter sig och så kan en bli bodbetjänt.

Edla teg.

— Om en inte går te järnvägen förstås.

Han hade kantigt ansikte och stor mun. Tänderna ville gärna synas också när han inte skrattade. Kinderna var fulla av stora bruna fräknar. Men hon begrep nu att han inte hånflinade. Han försökte få henne att le. Den riktige bodgossen låg efter Valfrid och skällde ut honom så att det ekade mellan magasinsväggarna. Men var och en var ju herre över sin stackare, det visste Edla och själv kunde hon inte heller vänta sig annat än att man körde med henne. Hon var ju yngst trodde hon. Det dröjde länge tills hon fick veta att Valfrid nyss fyllt tolv år.

Han åt i den andra omgången då kördrängarna fyllde köket med sitt mummel och sin hästdoft. Gästgivarn åt för det mesta med bodbetjänten och bodgossen och deras middag var en ängslig historia för Edla. Hon skulle ha Aron tyst och passa opp med mat. Det var bara Isaksson som talade. Han gav anvisningar om kaggar som skulle slås opp, vilka grövre varor de finge lämna ut påsar till, vilka finare kunder som under eftermiddan skulle ha hemskickning. Den enda som gjorde inpass var hans hustru som kastade åt honom snabba ord över axeln.

Det tycktes inte finnas framåt eller bakåt för denna kvinna. Hon var båsad i det närvarande. Hon arbetade med ilsken brådska och funderade aldrig. Edla såg den tjocke Aron leka med orangeblommorna av vax som utgjort hennes brudkrona. Snart hade han knådat dem mjuka och de rann ut som gulvita korvar mellan hans fingrar. Modern fick syn på honom och smällde igen lådan under byråspegeln och skällde till. Men mer än för detta ögonblick avbröt hon inte sitt bleka nit med matlagningen som pågick hela dagarna.

Med en lortaktig piga som inte kunde has i kök och en snattig som inte kunde lämnas ensam var det naturligt att hon måste ta barnpigan till hjälp i inomhussysslorna. Till att börja med var det tillfälligheter.

— Du kan ta och diska av det här när jag går efter ägg. Det är snart gjort.

Aron lekte bakom Edlas rygg. Han sa nästan aldrig något. Hon stod framför diskbaljan och huvudet susade av alla ljud som var runt omkring henne: hästtrampet och de järnskodda kärrhjulens buller, tågvisslorna, rösterna och skratten från skänkrummet. Hon tänkte på hemma i Äppelrik där man mitt på dagen alldeles tydligt kunde höra hackspettens virvel från skogen fast man stod inne i köket och diskade.

Efter en vecka hade tillfälligheterna blivit en vana och hon visste precis vad hon hade att göra. Hon var ivrig att vara till lags och ville visa sig vuxen även grova sysslor.

— Du rår väl inte med att ta in vattne.

Det ville hon visa att hon gjorde. När korsryggen värkte visste hon att det berodde på latmasken som rörde sig i ryggraden.

En fredagskväll hade bönderna stämma oppe i krogsalen och på morgonen visste inte gästgiverskan hur hon skulle få golvet skurat. Det fanns ingen människa över.

— Om du skulle ta och börja, sa hon åt Edla. Jag skickar opp Hanna sen när hon har gjort ifrån sig härnere.

Edla fick skursand och en hink med avsvalnad tvättlut.

— Det bleker så bra, sa gästgiverskan.

Först måste hon sopa ihop den lösa lorten på golvet. Halmstrån och spillning från kreaturstorget hade fastnat i stövelbottnarna och dragits in. När den fina mjälan från stationsplan torkat stod den som rök kring sopen.

Hon kände sig betydelsefull och vuxen när hon skådade ut över det fläckiga golvet. Hinkarna och redskapen hade hon på rad innanför tröskeln. Det stod en kakelugn på vardera kortsidan. Vita och högtidligt enögda stirrade de på varandra med ventilerna. Mittemellan dem låg snart Edla och bearbetade trät med en hårt hopbuntad rotviska. Hon kunde inte köra den med foten som en van skurerska. När hon drev in den första grova stickan under tumnageln steg tårar opp i ögonen och hon kände att hon inte var vad hon ville vara, en utväxt och ordentlig arbetsmänniska.

Tilja för tilja skrubbade hon golvet med viskan och sanden, slog på lutvatten, skrubbade och sköljde efter med trasan som låg i ett ämbar rent vatten. Hon samlade noga opp allting som gästgiverskan sagt åt henne att göra. Inget skurvatten fick rinna ner i springorna och stå och surna där. Efter två långa tiljor började hon förstå vad detta arbete innebar.

Det blev kväll innan hon var färdig. Ljuset svek henne. Den allra sista tiljan skrubbade hon utan att se. När hon kom ner sa gästgiverskan:

— Hörs, va du blev länge. Kom inte Hanna opp?

När hon inget svar fick fortsatte hon med äggkorgen in i skafferiet. Hon tittade skarpt och snabbt på Edla en gång till när hon kom ut och så sa hon:

— Ja, det vart för tokigt. Ät nu.

Men Edla kunde ingenting få ner. Hon ville bara gå och lägga sig.

— Ja, i morgon kan du rensa kaffe med Valfrid i magasinet. Säj att jag har sagt det. Du kan sitta där hela dan.

Hon hade aldrig varit så mångordig men Edla hörde knappt. Hon tog sig opp i krogsalen igen men det gick tungt oppför trappan. Alla muskler var stela och hon hade huvudvärk för första gången i sitt liv. Ändå somnade hon tungt och fort i skurfukten. Fönstren hade hon glömt att öppna förut.

Nedanför i krogsalen hade man dragit undan disken för att kunna dansa. Ibland vaknade Edla av ljuden. Hannas röst hördes högre än alla andras.

— Känn så svitt jag är! ropade hon över fiolen och trampet av fötter.

Men Edla somnade om och i sömnen kom skurgolvet tillbaka till henne och hon tyckte sig avsyna det tum för tum med kvisthål och knaggar och de långa springorna feta av smuts. Förfärad försökte hon befria sig från golvet i sin sömn men nu var det som om hon stått och tittat på tapetmaskinen hos den underlige finsnickaren i Vallmsta. I stället för en rulle papper med fint blomtryck kom skurgolvet ut ur valsen och knaggarna glodde på henne, springorna kröp. Där hade träet slitits ner runt en kvist, där böljade det gropigt och grått, lent av sanden och doftande av spillt öl.

Detta försökte hon berätta för Valfrid nästa dag då de satt i magasinet och rensade brasilianskt kaffe. Det var det första förtroende hon hade givit honom och han blev nästan uppskärrad. Han ville ha en ingående beskrivning av tapetmaskinen och frågade om hon kunde ta honom med dit någon gång för att titta.

Hon hade förstått att Valfrid var en överdriven människa. Nyligen hade han berättat för henne att han fått ett par skor efter förre bodbetjänten Franz Antonsson som dött hemma hos sin mor i lungsjuka. Franz hade kunnat sjunga ”Ensam i skuggrika dalen” och det hade varit Valfrids avsikt att lära sig sången. Men skorna fick han inte på sig och utan dem kunde han inte tänka sig att fullfölja saken. Han grät nästan och klagade omanligt för Edla: i hela sitt liv hade han drömt om ett par riktiga skor och nu när han hade dom då var fötterna för stora! Utom kylhälarna och knölen vid stortån var de ändå för långa och han var beredd att ta till yxan. Han försökte fånga Edlas blick men hon tittade envist ner i påsen med avrensningskaffe. Det var som om hon skämdes för att han gav sig över.

Ett par dagar senare gick hon förbi vedboden vars dörr stod öppen och då hörde hon ett kort stön därinifrån. Det var Valfrid. Hon tänkte skynda förbi.

— Edla! stötte han fram.

Han hade verkligen ena foten på huggkubben och yxan fattad med båda händerna. Men Edla såg att han för länge sen var förbi det ögonblick då han varit beredd att hugga till. Ändå såg det rysligt ut med den nakna foten på huggkubben, de sällsamt långa och vita tårna med gulaktiga naglar och fuktiga svarta skrymslen emellan sig. Fast hon visste att det var teateruppvisning hajade hon till. Valfrid ylade och svingade yxan men vinglade och tappade den bland björkveden. Gråtande satte han sig på huggkubben. Men mest grät han för att Edla inte ingripit, för att hon genomskådat teaterstycket och sett på med armarna i kors över bröstet som en mycket gammal kvinna.

— Jag tänkte bara vänta tess du kom, grät han. Du skulle få köra mig till fältskärskan.

Och Edla såg att han utanför vedboden ställt opp en drög för sin sjuktransport.

Det blev hans enda försök att förkorta fötterna och efteråt bestämde han sig truligt för att gå hem till torpet Nasareth med skorna och ge dem åt brodern Ebon. Han var en bortkommen individ och enligt Valfrids mening inte värd skorna.

— Sketans Ebon, klagade han.

Valfrid gick en septembersöndag med skorna till Nasareth. Han bad Edla följa med och hon fick ledigt utan att behöva säga någonting. Det skulle hon i alla händelser inte ha vågat. Men det hände efter en arbetsam torgdag då gästgiveriet varit fullt och hustru Isaksson glömt bort hennes ålder att hon fick en del av söndan fri.

Först tog Valfrid avsked av skorna. Hans arbetsdag började alltid med att han blankade gästgivarns och bodbetjäntens skodon. Vintertid skulle han dessutom tända opp i kaminen i skänkrummet och ställa opp dörren till handelsboden så att värmen kom in. Sen fick han gå ut i magasinet och värma den stelnade bomoljan med en liten lampa under cisternen.

För länge sen hade han blankat Franz Antonssons skor en tidig morgon då de andra var färdiga. Det blänkte förmöget i det alldeles felfria skinnet. Innan han slog in dem i gråpapper ställde han dem på en sockerlåda i magasinet och tittade noga på dem. Det var skor av kängmodell som räckte en bit opp på smalbenet. I skaftet veckade sig skinnet och Franz hade legat lungsjuk så länge att det hunnit komma damm i vecken. Det avlägsnade Valfrid med en snibb av sin skjorta.

Ju mer han såg av världen och av hur folk var skodda desto mer övertygad blev han att det fanns ett samband mellan en människas fotbeklädnad och hennes karaktär. Klockan sex varje morgon gick Petrus Wilhelmsson förbi på väg till sitt snickeri. Han var klädd i svart rock och rutiga byxor eftersom hans arbete var i kontorsskrubben. Wilhelmsson syntes aldrig i skänkrummet på gästgiveriet, aldrig tillsammans med gaphalsar och suputar. Valfrid tyckte att man kunde utläsa detta redan av hans skodon, dessa boxkalvskängor som såg ut att obevekligt föra honom på rättfärdighetens och pliktens väg. De var stadiga som små bogserare, blankade, tjockhudade, kraftigt sulade och alltid pekande framåt.

På andra sidan järnvägen hade en bonde som hette Magnusson byggt sig ett stadsaktigt hus och kallade sig för byggmästare. Men att han fortfarande var bonde syntes på de höga smorlädersstövlar han bar. Han gick rakt över spåren utan att se sig åt sidorna som om dessa kraftiga svarta stövlar som inte blankades utan smordes med fett, ensamma hade kunnat få de framrusande växelloken att stanna. Hittills hade han inte varit utsat för några olyckstillbud heller, medan Valfrid i sina trasiga och urväxta svenskkängor alltid fick springa med huggande mjälte för att hinna över med budkärran innan lokomotiven krossade honom som en lus på en tapet.

När restauratrisen hade fullbelagt på järnvägshotellet hände det att bättre folk tog in på gästgiveriet. Man kunde få ensamt rum för en krona natten och slippa ligga i lag med fulla bönder. Men bekvämligheterna bestod bara av en brits och en stol att lägga rocken på. Såna gäster som egentligen hörde hemma på hotellet satte ut skor att blanka och då fick Valfrid se saker som gjorde honom ljuvt och farligt upprörd. Det fanns ute i världen chevreauxskor som var så mjuka och smidiga att de följde foten som en handske (om man inte hade kylknölar förstås). Dessa skor tycktes gjorda för en älskvärd och slingrande gång. Man vågade knappt fundera på vilka vägar såna skor förde på och vad deras bärare kallade sig.

Men nu måste Valfrid skiljas från Franz Antonssons kängor och därmed tog han också avsked av någonting han drömt om, något som han inte kunde uttrycka med andra ord än sångens, ”ensam i skuggrika dalen, tätt vid en svalkande ström”. Ebons djuriskt svarta torparfötter hörde inte ihop med dessa skor, det visste han.

Edla fick låna en sjal av Hanna när de skulle gå för klänningen var utnött och ingenting att visa sig bland folk i. Hanna lade snibbarna i kors över flickans bröst och knöt dem bak i ryggen. Sen skjutsade hon iväg henne med en hand i baken. De gick bredvid varandra, Valfrid och hon, och till en början visste de inte vad de skulle säga. Man kom varandra närmare när man var ute och gick och det kändes annorlunda än när man satt instängd i magasinet och rensade brasilianskt tillsammans.

På stationsplan som flöt efter de första höstregnen spatserade restauratrisen i sammetskappa och svart kjol som var åtsnörpt vid knäna. Denna kjol var en samhällsförargelse. Hon förde sin lilla hund i band och en sådan hund såg man inte bland vanliga människor, möjligen i en vagn som kom farande till tåget med gäster från fideikommisset.

— Ho heter Turlur och är hynna, sa Valfrid. Men ho dör ifall ho får valpar.

Den lilla hunden var svart och vit och hade öron som vingarna på en fjäril och de skälvde beständigt av ängslan. Nu förde restauratrisen henne opp på de vallar av jord som skottats opp kring de nyplanterade lindarna som stod stödda av sina pinnar. Turlur klämde med krökt rygg och skälvande öron ur sig små gula korvar medan Valfrid och Edla stod kvar och tittade.

— Det syns att ho bara får grädde och dricka, sa Valfrid. Vicken ynkedom. Alma Winlöf hade brått in till sin restauration för tolvtåget skulle komma snart. Hon tog opp den lilla hunden i famnen och stegade in med henne. När hon hade brått gick hon manhaftigt och kantigt trots de korta stegen och kjolen svävade några tum över lervällingen.

— Vi tittar på tolvtåge innan vi går, föreslog Valfrid.

De hann runt precis lagom för att se restaurationen rullas ut på perrongen av de två pigorna. Edla tittade hellre på maten än på tåget. Mamsell Winlöf kom ut efter en kort stund. Hon hade bytt om och var nu förvandlad till en tjänande kvinna som alltid på den här sidan stationshuset. Hon bar stärkt vitt förklä med bröstlappen nålad direkt på det svarta klänningstyget. Hon dolde nederdelen av ärmarna under vita ärmskydd.

Valfrid och Edla tryckte sig mot husväggen när tåget från Göteborg hade stannat och människorna så snabbt de kunde för sin värdighets skull kom halvspringande eller gående mot restaurationen. Alla snabba kängsteg och muntra knarr som hördes mellan lokomotivets pysningar gav Edla hjärtklappning. Hon såg på fina händer som sträckte sig efter glasen och smörgåsarna. Hade alla som åkte tåg så fina händer och så fuktiga röda läppar? Men vart var de på väg? Hur kunde det finnas så många ärenden i världen som inte var gåendes?

Nästan sist bland förstaklasspassagerarna kom en man i lång vid slängkappa utan ärmar. Både kappa och byxor var av fint nytt tyg som var djupsvart och liknade bårkläde. Hans höga hatt blänkte som rundpannan på loket. Ur vänstra armsprundet stack det opp ett svart läderetui med blanka knäppen och inte en enda gång under matuppehållet la han ifrån sig det. Med sin höga vackra ansiktsfärg, sin spända hud, sina lockiga polisonger och kraftiga ögonbryn var han lik många förnäma resande som Edla sett äta och dricka stående på träperrongen. Hon kunde inte alls föreställa sig vad han var eller vad han gjorde då han inte åkte tåg. Valfrid däremot var fullproppad med ord som han prövade på folk han såg vid tåguppehållen.

— Säkert en trollkarl, sa han, eller en överhovsadelmakare.

— Tyst, sa Edla gråtfärdig, du läser så mycke lort. Håll mun på dig.

När hon såg på mannen i den bårklädessvarta slängkappan önskade hon att Valfrid inte hade varit med. Hon ville betrakta honom ostörd. Han slog plötsligt ut med armen så att kappan öppnades och föll ut mot husväggen som var gråsvart av stenkolsrök och fläckad av olja. I samma ögonblick exponerades kappans insida av blankt fodersiden och det flammade som en blixt av purpurviolett.

Varje gång Edla fått gå till det stora matuppehållet hade hon sett en människa lika minnesvärd som den här. Hon var rädd att om hon gick flera gånger skulle hon inte kunna komma ihåg var och en av dem enskilt. För första gången kände hon ångest blanda sig i hänförelsen.

De gick vidare bredvid varandra ut mellan stinsbostaden och stationshuset, korsade den spåriga och sönderkörda vägen för timmerfororna som kom norrifrån ner till stationssamhället. Det fanns inte precis någon väg att följa om man skulle till Nasareth men man kunde ta stigen som användes som promenad av järnvägsbefälet. Den ledde opp till Fredriksberg, en liten knalle i lövskogen som ställts i ordning till en anspråkslös park av stationsinspektor Fredriksson. Där hade han låtit begrava sin engelska dogg varför platsen av alla människor kallades Mulles grav. Valfrid och Edla begrundade Mulles gravsten som var vackert fläckad av gula björklöv som klistrats fast av nattregnet. Den bar hans namn och årtal och de räknade ut att han blivit tretton år. Han hade begravts i en liten låda och varit omsvept med en mycket fin filt av rutigt engelskt ylle. Allt detta hade Valfrid från sin bror Edvin Oskar som arbetat vid järnvägen sen långt före sammanbindningen. Edla ville ha en ingående beskrivning av filten och den gav Valfrid utan att tveka. Han hade lätt för att fylla ut luckor i sitt eget och andras minne.

— En hunn, sa Edla tankfullt sen hon hört hur filten varit rutad. Det är unnligt i alla fall.

Valfrid ville att de skulle sätta sig en stund på bänken som stod på toppen av Fredriksberg men Edla vågade inte. Strax efteråt visade det sig förståndigt att de låtit bli för nu hördes hästhovar dumpa mjukt i marken och förste stationsskrivaren Cederfalk kom ridande på sitt bruna sto. Han bar inte uniform utan riddräkt av rutigt ylle och han hade en liten grön hatt med fjäder i. När Edla neg hann hon se i ögonvrån hur Valfrid tog av sig mössan och svängde den så att det nästan var utmanande. De gick fullständigt torrskodda genom det som förr varit det stora svarta kärret. Vägen till Nasareth var hemväg för Edla men Äppelrik låg mycket längre bort. Torpares och dagkarlars stugor var sig lika sen hon gått här som liten, men överallt bodde det mer folk nu, arbetare vid järnvägen och vid Wilhelmssons snickeri.

Ju närmare de kom hemmet desto mulnare blev Valfrid. Och till slut hotade han att slänga paketet med skorna i en buske. Hellre än att Ebon skulle sätta sina dyngskopor till fötter i dem i alla fall. Edla svarade inte och det var inte heller nödvändigt. Han behöll paketet under armen.

I Nasareth var det redan fullt av söndagsfrämmande. Det var två mil till kyrkan och Valfrids mormor var den enda som beklagade sig över att hon inte kom dit. Inne i stugan hade man från början delat opp sig så att hemmafolket satt och stod på ena sidan, åt spisen till, och söndagsfrämmandet höll till kring soffan. De hemmavarande var grå som stugväggen. Men Edvin Oskar Johansson som från början skött pumpinrättningen på stationen var nu nattbanmästare och hade uniform med dubbla knapprader, rand kring mössan och vit skjortkrage. Hans fru bar blus av köpt tyg och barnen hade kläder som såg ut att vara enkom sydda för dem. Valfrid hade ännu en bror som var betydligt äldre än han. Det var Wilhelm som arbetade i snickeriet. Han bar svart kavaj och rundkullig hatt. De hade för länge sen sagt vad som skulle sägas till varandra. Edvin Oskars hade med sig torgbullar i en korg men ingen hade ännu gjort någon ansats att sätta på kaffe. När Valfrid kom med sitt skopaket och en liten påse avrensningskaffe som han smugglat undan blev det plötsligt uppenbart att det inte funnits kaffe i stugan förut fast ingen velat låtsas om det. Modern fick fram en kaffebrännare i en fart och Ebon och hans småsyskon skaffade fram spänor att tända opp i spisen med. Snart spred sig den sällsamma doften av hårdbrända kaffebönor i köket och överlistade fattiglukten som Edla fann så svår nu när hon kom från gästgiveriet där det varje dag luktade färskt bröd och gott stekos.

Till slut kom också skorna fram ur paketet och vandrade runt så att var och en fick känna på deras felfria välblankade skinn. Valfrid berättade att de gjorts av skomakaren som hade verkstad i samma hus som kägelbanan. Det dröjde innan man kom överens för det fanns två skomakare i samhället och den ena var religiös och kunde omöjligt bo i Klot-Kalles hus där det var ölutskänkning. Valfrid tycktes nu ha glömt sin grämelse över att fötterna var för stora och var livad och högröstad av all framgång han haft med kaffepåse och skopaket. Ebon avtogs det han hade på fötterna, kördes ut på backen med en såpklick och ett ämbar och fick tillsägelse att försöka få dem att se ut som folkfötter. Han slängde åt sällskapet att det var nog tur för dem alla att de hade skor på sig vilket utlöste att Edvin Oskar snabbt och reflexmässigt drog sina kängor under stolen och att en örfil small på Ebons kind och färgade den rödviolett.

När han kom tillbaka in med skorna på sig fick Valfrids tro på ett djupare samband mellan en människas skodon och hennes karaktär en allvarlig knäck. Ebon syntes varken uppstramad eller förfinad; han var sig precis lik.

— Di är för små, sa han.

— Det är du som har för stora skanker din idiot!

Valfrid kunde gråta när han såg skinnet spännas ut över Ebons knölar. Han drog med något besvär av sig skorna och slängde dem utan ceremonier vid Valfrids stol.

— Du kunde försöka lite te, bönföll modern.

— Det gir jag fälle fasen i.

— Månntro vad det var för fel på den där Antonsson att han hade så ynkliga fötter? undrade torpar Johansson.

Sällsamt nog hade Valfrid och Edla skorna med sig när de gick tillbaka. När de skildes åt för kvällen och Valfrid skulle gå och lägga sig hos kördrängarna i stallkammaren tog han plötsligt paketet och tryckte det mot hennes bröst.

— Ta dom du, sa han. Du får aldrig nåra lickre.

Nej, det förstod hon. Sent om kvällen provade hon dem oppe på klubbsalen. Det var just ingen skillnad på höger och vänster på de skor hon haft förut, så till att börja med satte hon dem fel och förstod inte varför det kändes så avigt. När hon fått på dem på rätt sätt kändes det att de var nästan lagom. Hon önskade att hon inte måtte växa mycket till så att hon kunde ha dem jämt.

Det blev höstkvällar och svart utanför fönstren. Ida och Hanna satt nära spisen, den ena med knäpphärvel, den andra med rock. De trodde väl att surret och knäppningarna gjorde deras viskningar ohörbara men Skur-Ärna satt i spishörnet och lyddes skarpt.

Käringen ville inte gå hem på kvällarna. Hon bodde i ett ruckel bredvid postmästarvillan med sin syster och de hade husrum och vedbrand av fideikommisset eftersom systern tjänat där i hela sitt liv. Postmästaren hade satt opp ett plank mot deras gård och låtit vildvin växa, men han besvärades av de gamla käringarnas katter.

Skur-Ärna lyssnade och efteråt pratade hon lort. Hon gjorde klart för var och en som ville höra på att gästgivarns pigor var gudlösa. Snart visste till och med Edla att Hanna, den snattiga och glada pigan, hade fått fel åt magen. Edla frågade bagerskan vad det kunde vara för fel och fick veta att det var den sortens fel som kom sig av att fulla kördrängar lagt sig på magen på Hanna.

Hon blev blek och tråkig och ville inte vara med om lördagskvällarna när de tog bort disken i krogsalen och dansade därinne. När Ida och hon gick till morgonmjölkningen måste hon först springa bakom lagårn. Flera gånger hände det att Edlas ansikte dök opp vid knuten och såg efter henne.

Strax före jul gick hon i största hemlighet, som hon trodde, till Oxkällan där det fanns en gubbe som var klok med grisar och som kunde bota från flicksjuka. Halvvägs ute ur samhället hörde hon steg efter sig och när hon vände sig om blev hon varse Edla som kom kutande i den stora rutiga sjalen som hon brukade få låna.

Hanna visste inte vad denna nyfikenhet skulle tjäna till, men hon lät henne följa med för att ha någon att utgjuta sig för. Hon var dessutom rädd för Oxkällegubben. Edla satt hela tiden tätt intill henne när han läste och skalv lika mycket som Hanna. När de gick hem var de tysta och runtomkring dem var senhösten fågeltyst och tröstlös. Det hördes bara kraset av nattisen i vägens pölar.

— Unnras hur lång tid det kan ta tess det verkar, sa Edla plötsligt. Men då måste Hanna skratta och klappa det lilla byltet som gick bredvid henne.

— Det ska du då inte bekymra dig om, sa hon.

Hanna blev bara rundare om magen efter besöket hos Oxkällen. Men till humöret morskade hon opp sig och svor på att hon skulle ha betalningen tillbaka om han inte lyckats åstadkomma något. När Skur-Ärna ändå viskat ut hennes hemlighet över hela samhället vände hon på skammen och pratade öppet om den. Efter deras vandring till Oxkällan blev Edla mer och mer förtrogen med den stora gladlynta Hanna och hon bekymrade sig om hur det skulle bli för barnet, var småbarnskläder skulle tas ifrån och var hon skulle föda.

Det var nu vinter och kalla morgonstjärnor lyste. Edla blev väckt före fyra en morgon och tillsagd att försöka hjälpa till i lagårn så gott hon kunde för Hanna var sjuk och kunde inte stå på benen. Inte förrän vid sjutiden blev Edla fri och kunde springa opp till kammaren där Hanna låg.

Hon delade bädd med Ida som hade brett bådas täcke över henne och överst en gammal kuskkappa. Fältskärskan som varit därinne hela morgonen höll nu på att samla ihop sina slangar och glas.

— Sitt här du, sa hon till Edla. Men kom ner mesamma och säj till om det blir nån ändring. Jag måste tvunget ha lite kaffe i mig.

Hanna låg på rygg och var gråvit i ansiktet. Hon klagade över svår hjärtklappning och yrsel och Edla fick lov att lägga handen på hennes bröst och känna hur hjärtat galopperade därinne. Om hon försökte resa sig sjönk hon ihop och förlorade medvetandet för några sekunder. Hon hade spytt mycket.

Edla kunde ingenting göra. Hon satt och lyssnade till de torra köldknäppningarna i timret och såg Hannas ansikte bli allt gråare och fuktigare.

— Har dom skickat efter doktorn? viskade hon. Läpparna var så stela att det var svårt att förstå henne. Edla nickade.

— Fast det dröjer.

Han hade två mil att åka till samhället.

— Ta det här.

Hanna hade handen hårt sluten om någonting. Nu fumlade hon över det till Edla. Det var ett litet vikt papperspaket.

— Kasta bort'et. Mäsamma. Gör som jag säger.

Edla gömde paketet i sin klänningsficka och satt kvar tills doktorn kom.

— Gör det nu, viskade Hanna och orden var knappt urskiljbara så styva hade hennes läppar blivit.

Doktorn for igen och Hanna låg likadan. De talade inte om henne och långa stunder var det alldeles tyst i köket. Men på eftermiddan följande dag hördes det hasa i vindstrappan. Edla sprang och öppnade dörren till farstun och där stod Hanna. Hon måste ta stöd när hon gick och hon var fortfarande lika grå i ansiktet. Gästgivarfrun hörde opp med vad hon hade för händer och stirrade på henne. Hanna tog bleckskopan ur vattentunnan vid dörren och drack länge. När hon blev ensam med Edla frågade hon på en gång:

— Du kastade väl bort smörjan?

Flickan nickade allvarligt.

— Och inte ett ord säger du.

Men hon hade inte kastat bort det. Pappret var blått och mönstrat med stjärnor på samma sätt som lyckobreven man köpte på torget. Inuti hade hon hittat ett kornigt pulver. Hon hade hällt över pulvret i en gräddsnipa med trasig pip som hon hittat och som hon förvarade bland några andra barnsliga skatter i en trasig sjal. Hela knytet stod bakom en hög med bråte på krogvinden.

Edla iakttog Hanna en hel vecka men kunde inte se någon förändring sen hon väl hämtat sig från hjärtklappningen och blekheten. Hon var lika grov om midjan som förut. Då tog Edla och hällde ut pulvret ur gräddsnipan och lät det rinna genom ett kvisthål i en golvplanka på vinden.

När Hanna åter började få färg på kinderna kördes hon ur tjänsten av hustru Isaksson som hittills inte låtsats om vad som viskats i köket.

— Så länge jag arbeta som vanligt så låddes hon om ingenting, den snålan, sa Hanna. Men när jag börja å bli våmlig då vart hon relischös.

Hon ställde sitt färdigpackade skrin och sitt knyte på köksbordet för gästgiverskan hade krävt att få syna innehållet innan hon gick.

— Ja, jag ska inte sörja när jag går härifrån och mycke roligt har en haft.

Hanna talade högt som vanligt och klappade sig på magen. Skur-Ärna sa att mörksens gärningar voro onda och syndens lön skulle nog alla utfå och somliga i rikt mått.

Men Edla stod för sig själv i ett hörn av köket och såg allvarligt på Hanna när hon gick sin väg och lyssnade efter hennes skratt som skrällde högre och hårdare än förr då hon dansat med kördrängarna i krogsalen.

Restauratrisen mamsell Alma Winlöf hade förut hetat Eriksson och hade bröder som hette Eriksson. Det sas att hon hade börjat som bagerska. Modern kokade knäck, fadern gjorde likkistor. I fem år var Alma Eriksson borta från stationssamhället, sen kom hon tillbaka som mamsell Winlöf och köpte för egna pengar järnvägsrestaurationen. Varifrån hade hon fått sina pengar?

Inne i restaurationen stod en djupröd soffa av plysch. Den var cirkelrund och omslöt en sammetsklädd kon som reste sig högt över de sittandes ryggar. Plyschtornet var avhugget i toppen och uppbar en vas varifrån kamelior av vax graciöst böjde sig ut.

Den självgjorde byggmästaren Magnusson kom en dag in i järnvägsrestauranten med en resande virkeshandlare som han mött vid tåget. Nu fick han för första gången syn på soffan.

— Nä, va i hunna! utbrast han och stannade framför sammetsaltaret med gapande mun. Han hade putsade stövlar och rutig kostym, hans rundklippta hår var kammat med vatten och framåtböjt över öronen, hakkransen var ansad. Han hade klätt och kammat sig i respekt för lokalen som han nu skulle besöka för första gången och som var något helt annat än det öldoftande gästgiveriet. Men nu tycktes han med en gång förlora all aktning för restaurationen.

Efteråt berättade han: han hade en gång i Stockholm besökt en inrättning där man kunde köpa fruntimmerstjänster per timma. Han hade blivit lämnad ensam i ett stort rum som luktade förnämligt av cigarr med en mörk ung dam i mycket löst knäppta kläder. Mitt i rummet hade det stått en cirkelrund soffa av röd plysch. Magnusson hade försökt böja både sig själv och den unga damen efter svängen på soffan. Hon låg kiknande av skratt och krökte sig som en räka runt sammetstornet, han försökte krypa efter och få någonting uträttat men det blev inget resultat. Till slut hade han insett att avarter och perversiteter inte var något för honom och gått sin väg.

— Begrep du inte att det bara var väntrummet? sa man åt honom men Magnusson hävdade att det kunde vara detsamma. Varifrån soffan och Alma Erikssons pengar kom hade han i alla fall klart för sig.

Det retade många att likkistmakar Erikssons dotter lät kalla sig mamsell, men Magnussons förklaring till pengarna gav ordet en förarglig klang. Det vill säga det var lätt att låta förarglig när man talade om henne. Befann man sig öga mot öga med henne möttes man av en brun blick som var lugn och värderande. På stationens frånsida bar hon alltid kappa, hatt och kjolar tillskurna så att hon endast kunde ta små korta steg. Varken på fram- eller baksidan av stationen bar hon andra färger än svart och vitt. Hon hade mörkt hår och mycket vit hy. Hon såg ut som och luktade herrskap.

Hon bodde inte hos sina föräldrar sen hon hade flyttat tillbaka till samhället utan i tre små rum innanför restaurationen, varav det ena hade förmaksmöbel. Hon tog inte heller sina gamla föräldrar till sig. Gubben Eriksson fortsatte att göra likkistor i ena änden av sitt hus, i den andra kokade gumman knäck.

Man fick inte hugg på henne. Inte ens i hennes enda märkbara svaghet, hennes oerhörda intresse för detaljer ur andras liv. Hon tog emot skvallret men vidarebefordrade det inte.

Hon var stor kund i gästgivarns handelsbod fast hustru Isaksson hörde till dem som ivrigast spred förtal om henne. Flera gånger om dan sprang Valfrid över stationsplan med budkärran. Han stannade länge och han luktade violpastiller ur mun när han kom tillbaka. Hon drog ur honom allt som hände hos gästgivarns. Sålunda visste hon om den snattiga Hannas avfärd och dess orsaker, fast det var obegripligt för hustru Isaksson vad hon kunde ha för intresse av en klunsig pigas självförvållade olycksöde.

En dag i slutet av februari tog hon Edla med sig över planen fast gästgiverskan inte tyckte om det. Hon skulle bära smör åt mamsell och Valfrid var inte inne så det gick inte att ändra på. Edla gick med nedslagna ögon efter restauratrisen och hennes lilla hund i snön. Inne i det varma restaurantköket där flera pigor arbetade fick hon ställa ifrån sig tinan och blev tillsagd att vänta. Mamsell försvann in till sig och kom tillbaka efter en stund fortfarande i svart och vitt men nu i en vid kjol som hon kunde ta ut stegen i och förvandlad till något mittemellan en arbetande och en betjänad kvinna. Nu började hon fråga ut Edla. Vem skötte Hannas sysslor sen hon fått ge sig av? Edla mumlade att hon inte visste. Mamsell ville att hon skulle redogöra för sina egna göromål. Vad hade hon i lön? Födan? Ett klänningstyg?

Flickan svarade ohörbart. Hon tyckte att hon inte kom undan blicken i de där bruna ögonen, att de betraktade henne som gästgiverskan kunde se på en plockad höna strax innan hon öppnade den.

Edla var ett ingenting. Hon hade inte mer värde än det arbete hennes händer kunde uträtta och det var en ynklighet. Så var hon van att bli sedd och allt annat skrämde henne.

Men detta värdelösa och snabbt förbrukade liv hade ögon som såg och hud som ryste. Hon kväljdes åt grymheten och sprang för galenskapen eller hukade sig om hon inte hann undan. Hon hade en tanke om nästan allt hon såg och förstånd nog att hålla inne med den. Nu plockade mamsells nyktra ögon av henne den skyddande ynkligheten och tycktes ställa Edla till svars. Hon fann en ärelös räddning i att börja gråta. Hon gjorde det när mamsell sa:

— Men födan har du i alla fall, det ser jag. Du har lagt på hullet. Har du inte det? Får jag se på dig.

Hon sträckte sig efter flickan och försökte hålla henne om midjan, men Edla flydde.

För hustru Isaksson talade hon inte om vad mamsell frågat. Hon pressade samman läpparna och stirrade envist i golvet.

— Du är omöjli, sa gästgiverskan. Och till Isaksson sa hon:

— Ho är nog lite efter i alla fall.

Men mamsell Winlöf kom till gästgiveriet och frågade hur gammal Edla var.

— Ho har fyllt fjorton, sa gästgiverskan.

Så hade mamsell skrämt dem alla.

Den sista vargen sköts i Vingåker 1858 och det var nog gott och väl. Men när sätter man klacken på den sista gråsuggan?

Outrotliga gråhet, tandlösa tristess. Det vajar en fana på fortet men det är också allt som återstår. Läktarna rivna, de kungliga och hertigliga namnchiffren nedmonterade och har så varit i mer än femton år. Flaggor och trumpeter nerpackade tillsammans med sköldar och emblem. Bara fanan vajar på fortet, 27 meter över havet och obetydligt mindre över Grismon.

Nästa gång Klio höjer griffeln för att rista stannar ett tåg med gnissel, väs och ånga och ett konungsligt huvud sticker ut genom salongsvagnens fönster och frågar:

— Vad kostar potatisen här då?

Jo, det kan man fråga. Uppvaktningen hoar belevat, konungen indrager sitt lockiga huvud och tåget far. Kvar står stationsinspektoren Fredriksson på perrongen, han som anlagt en park. Eller åtminstone låtit gallra en skogsdunge, rensa kring en stenknalle. Denna promenadplats ville han kalla Fredriksberg, men vad heter den? Mulles grav.

Här slokar en fana på fortet.

Torget är en åker, en krokig kärrväg leder genom samhället lämpad för dyngskrov att vagga fram efter. Till att börja med kan man inte hålla marknad förrän Malstugen skurit havren och bäst är det naturligtvis de år han har trässgäle.

Slaskgraven är det vattendrag som genomflyter samhället. Här ligger Grismon, Potttäng och Katthavet, Gropen och Gubbgränd, Lusknäppan, Barfota backe och Flintskalle fästning. Det är de huckrande skrattens, de ältande tuggande munnarnas namn. Dessa måste man dag efter dag, år efter år ta i sin mun även om man bor inom det område som fanan övervajar.

Stationsskrivare Cederfalk satte nya namn på nästan varje

backknäppa och vattengöl i sin omgivning. Han var som den förste Adam i paradiset och han hoppades att människornas öron skulle öppnas och de skulle bliva varse att de var fula i mun. Med Malvina Lagerlöf och Charlotte Hedberg och baron Fogel kunde han tala om Auroras strand och Ekogrottan, men annars måste han översätta.

En första maj lyckades han åstadkomma ett respektabelt ekipage och bjöd Malvina på promenad i vagn. Han hade lånat den från Lilla Himmelsö där baron Fogel hade sin morbror och hästarna var byggmästar Magnussons. Han hade sin stolthet i starka och vackra hästar. Malvina fick lov att fara, men med i vagnen satt hennes åldriga moster. Vagnshjulen knagglade och Cederfalk och Malvina guppade och smålog tåligt. På kuskbocken satt en osäker kusk. Cederfalk hade valt honom efter principen: stiligaste mustaschen, renaste uniformen. De ämnade fara runt en stund, det vill säga ölkällarbacken opp och så tillbaka igen. Mulles grav måste man avstå ifrån, stigen var för smal för en vagn. Sen en halvbåge runt stationsplanen där Cederfalk på utgående hade rensat terrängen. Nu kunde han bara hoppas att inga fyllon stupat i syrenerna sen dess. Man skulle fortsätta förbi gästgiveriet och Katthavet och överfara järnvägen vid Gropen bortom postmästarens villa.

Så långt gick alltså allt bra. Men när man kom fram till spåret måste ekipaget hålla så att kusken fick lyssna efter annalkande tåg. Då pruttade ena hästen.

Utom sig av genans och förtvivlan stammade Cederfalk i hastigheten: Förlåt! Malvina böjde huvudet och tittade inte opp på resan genom Himmelsö allé. Kusken som hela tiden gjort ett intryck av obotlig idioti visade sig ändå vara i stånd att sprida ut att Malvina svarat:

— Å, jag trodde det var hästen! vilket var lögn, lögn och lögn. Utöver det enda ordet förlåt yttrades inte någonting förrän man var tillbaka till postmästarvillan igen.

Sjuttiosex byggdes järnvägshotellet ut och nu kunde även en man med anspråk övernatta i samhället för restauratrisen lät inreda övervåningen med komfortabla gästrum. Det blev en besvärlig ombyggnad och det hände att mamsell Winlöfs pigor fick dra ut den rullande restaurationen igen under tiden som den pågick.

Det byggdes också kunglig matsal. För man får glömma och förlåta om man ska överleva och förresten hade priset på potatisen stigit till nästan två kronor för en tunna.

Sjuttiosex fick mamsell Winlöf en vän. Det var Alexander Lindh. Han var en man under medellängd och med åren blev han fyrkantig och satt. Han hade blå ögon, hög ansiktsfärg och mörkt hår som var så kortklippt att svålen lyste igenom. Nacken veckade sig redan. Håret var mittbenat, mustaschen borstig. I hela sitt liv hade han samma hårfason och samma korta energiska steg. Han var myndig trots sin litenhet och hade lätt för att befalla. Han var kvicktänkt och kalkylerade snabbt medan han pratade med sin torra sträva röst som smattrade när han blev ivrig. Han kunde sälja vadsomhelst med förtjänst och han skulle inte under några som helst förhållanden ha känt sig bortkommen. Främmande för honom var genans, långtåliga utvikningar och känslobetonade orsakssammanhang.

Första gången kom han med en liten kappsäck, nästa gång hade han koffert. Hans far var bruksdisponent i Värmland och själv reste han och gjorde virkesuppköp av bönderna. Antagligen blev han mamsell Winlöfs vän därför att han med saklighet och uppskattning förhörde sig om hennes affärsrörelse. Han förstod att hon var en driftig kvinna. Han gick snabbt igenom lokalerna och nickade utan att ta den lilla korta cigarren ur munnen. Framför den cirkelrunda soffan av röd plysch stannade han och slog på den med handen.

— Men den här, sa han, är statens egendom.

Mamsell nickade.

— Maken finns i första klass väntrum för resande på Stockholms Centralstation, sa han.

— Ja, sa mamsell, det är sant.

Och så var han hennes vän. Hon såg själv till att han fick björkvedsbrasor i kakelugnen så att han kunde elda för öppna luckor på morgonen om det roade honom. Men han satte inte mycket värde på sådant. Järnvägsrestauranten hade nu tre klasser. Men det hände att Alexander Lindh satt i mamsell Winlöfs eget förmak om kvällarna. Han berättade outtröttligt om sina virkestransaktioner för henne, om spekulationer och förhoppningar. Hon svarade honom med förnuft och frågade med urskillning. Alma Winlöf satt inte böjd över en sybåge, hon knöt inte silke eller slog frivoliteter. Hon hade händerna i knät.

Genom restauratrisen blev han mer och mer bekant med samhället. Han visste att postmästaren hade en inkomst av kapital på drygt tvåtusen. Han kände till att den stora stockholmska ved- och kolhandel som baningenjörens hustru härstammade ifrån för länge sen hade trätt i likvidation och att de stenhus vid Narvavägen som lilla frun ibland drömskt föll tillbaka på för länge sen blivit djupt graverade och försålda. Han lärde sig snart genom mamsell Winlöf vilka som var att räkna med. Bonden Magnusson som inte ägde tillträde till något förmak, som inte litade på banker och hade hela sin affärsverksamhet i en plånbok av tjock oxhud i innerfickan, han var den som byggde nytt i samhället. Petrus Wilhelmsson umgicks med ingen och tillbragte en stor del av dygnet på sin snickerifabrik. Han hade börjat med att låna. Nu hade han pengar att investera. Han hade köpt mark, han byggde ut sitt snickeri. Mamsell sänkte rösten när hon talade om honom. Alexander Lindh hade sett honom om kvällen i huset tvärsöver gatan. Han bebodde två rum på övervåningen. Sent skymtade han därinne, en ensam man i rökmössa som lyste sig med en liten vaxstapel över räkenskaperna. Det blev mörkt och man såg honom inte längre men det lilla ljuset fortsatte att krypa som en lysmask utmed sifferkolumnerna.

Förevändningen för mamsell Winlöf att ta emot Alexander Lindh i sin egen bostad var den långa och råkalla hösten sjuttiosex. Han hade smärtor i halsen och alla slemhinnor svullnade. Mamsell bjöd honom på heta toddar och lät honom, för värmens skull, flytta in i förmaket där hans stol drogs närmare brasan av en krogpiga medan en annan fick order att ställa dit ett litet extra bord. Det täcktes av en stor vit serviett som bar järnvägsrestaurantens drakslingor i damastmönstret och på detta sätt upprätthölls föreställningen att mamsell Winlöf endast gjort en utvidgning av sin krogrörelse, inåt i värmen.

Över hela julen och årsskiftet var Lindh osynlig. Han julade i Värmland och dök inte opp förrän efter trettonhelgen och då hade han en hare med sig åt restauratrisen. Han hade inte skjutit den själv.

— Broder Adolf, sa han kort till förklaring och det var första gången han nämnde sina värmländska förhållanden vari dock ingick, det visste mamsell från annat håll, hustru och broder.

Hon tillredde haren i en anda av la haute cuisine så gott det gick med assistans av kallt och förargligt stirrande krogpigor som plötsligt tycktes ha fått svårt för att fatta. Allting måste sägas två gånger. Haren späckades korsvis på ryggen med fina vita strimlor och stektes tills han doftade av sin ungdoms enebackar. Han lades opp med geléer och små ättiksgurkor, brynta champinjoner och kapris.

Alexander Lindh kom inte till middagen som han ställt i utsikt. Först på lördagen efter trettondagen förklarade han sig ha tid att äta middag hos henne för alla julkalasens skull. Filéerna av haren stöttes i mortel och drevs genom sikt med kycklingslevrar, smör och grädde och så dök haren opp i pyramidform med stjärnor av köttgelé.

Det långa avbrottet i deras samvaro tycktes märkligt nog ha gjort Lindh ännu mer hemmastadd hos mamsell Winlöf än förut. När han med kaffekoppen och det lilla punschglaset installerat sig i en länstol sökte hans fötter vant efter fotpallen.

— Jag vill bara säga: gudskelov att helgerna är över! Ingenting får man uträttat men desto mer ätet. Mamsell Winlöf är förresten avundsvärd.

— I vilket avseende?

— Som inte behöver låta affärerna stå stilla. Tvärtom vad jag kan förstå. Här har väl varit fullt hus från första till tredje klass.

— Tredje såge jag helst att jag tordes stänga, svarade mamsell.

— Med den omsättningen?

Men han visste mycket väl att restauratrisen besvärades av hustrur och till och med barn till sina tredjeklasskunder som bad och besvor henne att inte servera familjeförsörjare.

— Det finns pengar här som aldrig kommer utanför järnvägens område, sa restauratrisen. Bangårdskarlen eller bromsaren kvitterar ut sin lön på expeditionen och går direkt till trean med den.

— Mamsell glömmer att det är fullt frivilligt. Och för övrigt vad får inte familjerna igen i mamsells korgar?

Hans ton var lite galant som den ofta blev då restauratrisen kom in på dessa ämnen. Men hon tyckte inte om att tala om sina barmhärtighetsverk. Han hade mött henne på väg till de uslaste bostäderna, svart- och vitklädd, utan hund och med två korgbärande pigor efter sig. Men hon hade nätt och jämnt låtsats märka hans hälsning.

— Det finns fullt opp med ölkällare, sa Lindh. Och till slut har vi alltid gästgiveriet. Isaksson torde näppeligen stänga av omtanke om samhällets olycksbarn.

— Därinne är det förfärligt! En piga sköter så gott som ensam jordbruket och en har fått ge sig av på grund av omständigheter som började bli alltför uppenbara. Barn utnyttjas som fullgod arbetskraft och lämnas utan tillsyn nattetid.

Det hörde till olägenheterna med mamsell Winlöf och hennes förtroenden att hon inte uteslutande uppehöll sig vid förhållanden som hade intresse för Lindh. Hon berättade ofta om de lägsta och oskyddade och hennes tal påminde ibland om de tidningar som sedlighetsföreningarna gav spridning åt. Hur förnuftig hon än var i affärer saknade hon naturligtvis överblick över samhällsförhållandena. Hon insåg inte nödvändigheten av att lösa problemen i stort och hon saknade abstraktionsförmåga.

— Hos Isakssons arbetar en knappt fjortonårig flicka som är dotter till en rotesoldat, sa hon. Hon heter Edla Lans. Från början skulle hon passa den yngste gossen. Så hette det åtminstone. Numera gör hon full pigtjänst och hennes städsel har inte ändrats. Hon har sin sovplats ovanpå gästgiveriets krogsal i det så kallade klubbrummet. Dörren är inte låst, en trappa leder direkt opp från krogsalen. Var och en förstår flickans belägenhet.

— Ni är en sann kvinna, mamsell Winlöf! sa Lindh leende. Att minnas de små tingen, att ha det goda ömmande hjärtat!

Han var glad. Alma Winlöf var dock en riktig kvinna, ensamhet och pengar till trots. Fast hon inte ägde sybåge gjorde hon ändå de vackraste broderier och glömde inte en enda liten detalj. Han dåsade leende i stolen och lyssnade till restauratrisens röst som steg och sjönk i jämna perioder. Då blev hon plötsligt rå. Det överrumplade honom alldeles för hon framförde sina råheter med samma välmodulerade röst. Gud allena visste hur länge hon hållit på.

— Det har talats om samhällets uppblomstring de sista tio åren och om järnvägens välsignelse och visst ser det nätt och prydligt ut här, snön är barmhärtig. Men vänta till sommaren. Då luktar de as ur sopgropar och slaskdiken.

Alexander Lindh satt nu kapprak i stolen och stirrade på restauratrisen.

— Drängen som inte hade torp att ta för det fanns inget över, han blir nu bangårdskarl och snart bor han i ett vindsrum med spis och har skaffat sig hustru och barn. Jag har gått däroppe i vindsvåningarna med matkorgar — jag har en gång sett ett råttbitet barn.

Nu tycktes hon alldeles omedveten om Lindhs närvaro. Hon hade lutat sig tillbaka i stolen på ett föga kvinnligt sätt, ögonen var halvslutna och hon talade utan avbrott.

— Doktorn och fältskärn säger ni. Visst kan de komma. Det är bara två mil att fara för doktorn och han skiljer inte på hög och låg, det har han försäkrat. Men vad kan doktorn göra åt råttbett? Jag känner mödrar som har bott avsides, fjärran från all uppblomstring och de har varit fulla av okunnighet. När deras barn fått blåsor på huden har de trott att älvorna dissat dem. De har knutit påsar på deras bröst eller dragit dem genom lyrtallar. Ändå tror jag att de kunde hjälpa sin barn bättre än de mödrar som bor här. För vad har de för möjligheter att skydda dem? De är hjälplösare än om de vore vidskepliga och lantligt okunniga. Barnen springer på perrongen och lär sig stjäla. En resande tappar en peng framför restaurationen — det är första steget. Och fäderna! De behöver minsann inte vandra tre eller fyra fjärdingsväg för att få en kanna brännvin. Nej, det är bara att gå ner i närmaste ölkällare där det luktar surt och där sågspånet på golvet inte byts varenda dag.

Alma Winlöfs annars så fasta och vita ansikte hade börjat blossa. Halsens och hakans fina hud glödgades av blod och hennes hull var sig inte likt, det doftade. Alexander blev otålig. Han hörde inte längre vad hon sa och han erfor ogillande och igenkännande: så här går det när kvinnor med sina svagare nervsystem dricker vin eller sprit. Hon pratar snart utan sammanhang och hon hämtar redan ord från sitt ursprung, hon glömmer sig. Hennes hår löser opp sig och huden doftar starkt. Det är säkra tecken. Samtidigt kände han hur allt hans eget blod drog sig neråt lemmen, han blev svagbent och yr av blodförlusten i den övriga kroppen. Men han reste sig ändå på korta och osäkra ben och tömde sitt glas. I stället för att varna och förebrå denna snart upplösta och doftande kvinna log han mot henne och hon tystnade häpen mitt i en mening.

Det kom för honom något som han aldrig skulle ha tänkt tillsammans med sin hustru Caroline. När han såg vecket på mamsell Winlöfs hals, en mjuk fördjupning som delade haka och hals och som antagligen om bara ett par år skulle dela två hakor åt, då fick han för sig att han skulle vilja lägga sin lem där, att det var på det stället han ville älska henne. Det måste ha något med henne själv att göra att detta infall inte förflyktigades av en lika snabbt påkommen skamkänsla. Han hade aldrig tagit ställning till pratet om hennes bakgrund och om de källor som hennes pengar härstammade ur. Av ren klokhet hade han yttrat sig om den röda soffan. Vad han sagt hade för övrigt varit sant. Nu tog hans upphettade tankar plötsligt ställning.

När han omfamnade henne gick det så hastigt att han mer eller mindre föll över henne. Hon hade lutat sig alldeles för mycket tillbaka i stolen, hon satt inte längre som en anständig kvinna. När han kom över henne gjorde hon ett kast med livet, en häftig snärt som kom honom att kastas av och hamna på mattan framför stolen. Det var ögonblickligen fullt klart för honom att ingen dygdig kvinna hade instinkter inbyggda i sin kropp som kom henne att kasta så snärtigt och så verkningsfullt med underlivet för att befria sig från en oönskad betäckare. Nej, det var en van och depraverad rörelse. Han visste genast vilken hans nästa manöver skulle bli och vad han skulle säga bara han kravlat sig opp. Tonen kunde knappast bli för djärv.

Men han kom aldrig opp från mattan. Mamsell Winlöf satte en hand, kraftig som en karls, i hans bröst och stötte honom bakåt och så bröt hon ut i ord som en krogpiga. Men rösten var en bildad kvinnas.

Det visade sig först efter flera veckor att Alexander Lindh var den man som Alma Winlöf väntat på. Han led nederlag på förmaksmattan men segrade på kanapéen. Han förnötte hennes motståndskraft med en strategi som bestod av ständigt upprepade växlingar mellan anfall och reträtt. De brottades i emman och han gjorde avbön knäfallande framför eldskärmen där Aeneas knäande släpade Anchises ut ur ett brinnande Troja av korsstygn. Bakom skärmen försökte mamsell Winlöf febrigt få hake i hyska igen. Hon var lång och ståtlig, Alexander Lindh var liten men tung. Det brakade i nyrokokon och fransar brast under deras tysta brottningar. En atenienn på späda krökta ben stod i nästan en halv minut och skälvde med vacklande prydnader av parian och klirrande glas medan Alexander och Alma som åstadkommit skalvet stela betraktade den tills den bestämde sig för att hålla jämvikten. Turlur sprang av och an på schaggmattan framför kanapéen och skällde pinglande.

Men för varje brottning kom han henne lite närmare. Snart fanns det bara ett avsnitt av hennes kropp som hans händer aldrig nått in till och det var det parti som snörlivet omslöt och stadgade. Så snördes det opp en natt — eller rättare en tidig morgon. Till klockan fem hade Alexander kämpat. Han var trött. Hans lem låg mjukt böjd och slumrade mot låret. Han hade inga möjligheter att intränga i det belägrade Troja och sätta det i brand. Alma Winlöf och han somnade bredvid varandra i hennes säng, nakna och tysta.

Hon var ofta lycklig under den tid som följde. De delade säng. Först tidigt på morgonen gick han opp till sitt rum i hotellet. På nätterna tände Alma morgonens björkvedsbrasa i förväg och lät den brinna med öppna luckor. Varma ljus och mjuka skuggor lekte över deras ansikten. De hade druckit malaga och hon vilade mjukt i kudden. Sällsamma bilder och ord utan sammanhang kom och gick vågmjukt genom hennes huvud; Alexander, Alexander upprepade hon och tyckte att namnet var en lång mjukt böjd gren som sträckte sig över henne. Alexander löser Almas lind och löv av vin och lindens gren... och vindens spel och Almas anlete i dunklet mellan våta hallonlöv och under Alexander... aldrig hade hon erfarit sådant och det förskräckte henne inte. På morgonen var det glömt.

Brottningarna var över liksom Alexanders häpenhet över att den mörkröda sammetssoffans ägarinna var jungfru. Sällan ägde han henne för hans lem var oftast för mjuk. Men Alma trodde sig bara glad att slippa det yttersta bekymret, den osköna delen av kärleken.

Han kunde inte längre bo kvar på hotellet. Det blev för dyrt eftersom han nu tillbragte mycket långa tider i samhället. Han hyrde därför två rum och kök i ett av Magnussons hus. Det låg visserligen på södra sidan av järnvägen vilket var fel. Men han hade ändå skaffat sig tillträde till de förmak som räknades och till det som inte räknades, mamsell Winlöfs. Han levde dyrt. Det kostade honom sjuttio till sjuttiofem kronor i månaden. Men ändå visste han att det var ett framtidstecken att mjölk och ved blev allt dyrare i samhället och att man kunde hyra ut snart sagt vadsomhelst i ett ruckel, trångt och obekvämt, för tvåhundra kronor.

Fortfarande åt han middag på järnvägshotellet och återvände dit sent efter supé hos postmästarns eller ett parti kort hos telegrafkommissarien. Men nu tog han bara en kvällstoddy i Almas förmak, det skulle se alltför illa ut om han återvände i tidiga morgontimmar över spåren till huset på södra sidan där han hyrde. Därför fick Alma nöja sig med omfamningar på kanapéen.

Men allt omfamnande är förenat med besvär och omständligheter. Hakar ska pillras opp ur hyskor, tyglager föras åt sidan och bläddras undan, snörningar lirkas opp. Alla de små hårdbroderade kuddarna ska staplas nedanför kanapéen, en handduk bredas ut på sidenet. Efteråt måste Alma med handen kupad som en skål mellan benen skynda sig in i sitt sovrum och skölja sig vid kommoden. Till detta använde hon en lavemangskanna med slang och benpip och vattnet doftade syrligt av det skedblad ättika som hon tillsatt. Alexander blundade hela tiden och när hon återvände i nattklänning och hade samlat ihop och skaffat undan de högar av taft, atlassiden och vitt linne som var hennes kläder slog han opp ögonen och sa med aldrig svikande takt:

— Jag tror jag slumrade till en stund.

Sen återstod hans kläder. Alma blandade en sängfösare i hotellköket medan han tog dem på sig. Han var trött och önskade att han finge gå direkt till sängs. Dagens underkläder fann han unkna och solkiga vid den här tiden på dygnet.

Dessa besvär kulminerade en kväll då Alma inte någonstans kunde finna en krok att knäppa hans kängor med. Alexander blev alltmer irriterad, färgen mörknade i hans veckade nacke och framför honom låg Alma på knä och lirkade i yttersta uppgivenhet med en hårnål från den första till den tjugotredje knappen i var känga.

Därefter avtog han aldrig mer kängorna inom järnvägshotellets väggar. Men i allt annat bestod deras förhållande.

Förste stationsskrivaren, friherre Cederfalk red varje morgon ut på ett brunt sto. Alexander Lindh gick undan, obekant med hästar och inte angelägen om att lära känna dem. Men Cederfalk lät stoet dansa efter.

— God morgon, ingenjören! Hur står det till med hälsan?

— Tackar som frågar. Och baron själv?

— Utmärkt!

Gula lindlöv dansade kring häst och ryttare. Stoet cirklade runt Alexander Lindh som irriterad trampade på samma fläck.

— Jag har fått min Zulamit skodd i arla morgonstunden, sa Cederfalk. Vet ni att jag lät kalla hit en hovslagare för hennes skull, det är tre år sen nu. Och nu blomstrar smedens företag. Tack vare min präktiga Zulamit!

Det kan du tro, tänkte Alexander Lindh. Ord stod som girlander ur Cederfalks mun. Han var hovpoet hos postmästarinnan. Lindh ägde tillträde hos postmästarinnan Lagerlöf, Cederfalks hovslagare icke. Men hans utsikter kanske är bättre än mina, tänkte Lindh. Han hade dystra, kortvarigt dystra ögonblick. Han var tredje sonen till en enväldig brukspatron. Hans farfar hade blivit nittiofyra år, obruten.

Nu hade Lindh på sina korta ben kommit ända opp till Fredriksberg och Mulles grav. Han satte sig på bänken. Han tände sin korta cigarr på nytt; den hade slocknat under promenaden. Tills för ett halvår sen hade han trott att hans liv var att gå och vänta ut den dundrande envåldshärskaren som av allt att döma kunde bli minst nittiofyra år. Sen sköt sig fadern. Sjuttiosex hade detta hänt, en kväll mitt i morkullssträcket, varför skottet i förstone inte hade väckt någon uppmärksamhet.

Brukets affärer var ruttna inifrån. Med tordön och buller hade den gamle dolt detta tillstånd så länge det gick. Hans förste son August var en skrupulöst hederlig man. Han försålde barndomshemmet, det återstod inte så mycket som en salladiére när auktionen var över, och sen betalade han de skulder som han fann moraliskt mest angelägna. Därefter trädde bruket i likvidation och August emigrerade. Kvar var Alexander med en klen ung hustru och en bror som knappast kunde ta vara på sig själv, en lång och aristokratisk kamrerarsjäl, den vackre Adolf.

Nu gjorde Alexander inte längre uppköp åt bruket. Han köpte för egen del och sålde vidare. Han exporterade sparr. Han intresserade byggmästare Magnusson för en spannmålsaffär och fick honom att satsa på ett magasinsbygge så att de kunde lagra. De exporterade och gjorde så småningom så god förtjänst att Lindh kunde köpa ut Magnusson ur magasinet.

Men året sjuttiosju såg ut att bli sämre. Lindh lagrade i stort sett ingenting annat i det stora magasinet än spadskaft och snöskovlar som han åtagit sig att sälja för Petrus Wilhelmssons räkning. Han måste tillbringa längre tider i stationssamhället. Magasinet band honom, det måste användas. Han skakade runt i kärra och reste korta sträckor med tåget. Han tyckte snart att han kände detta landskap bättre än sitt eget.

Han hade sin hustru och Adolf kvar i Värmland. De bodde hos en moster som var änka på en mindre herrgård men de åtnjöt hennes barmhärtighet och hustruns nerver åts av detta. Adolf uttryckte ingen mening.

Nu hade Alexander länge underhandlat om inköp av ett hemman norr om samhället. Jordbruket arrenderades av gästgivarn och det kunde med fördel fortsätta på den vägen om Lindh övertog det. Magnusson hade ritat opp hur man med skäligen enkla medel kunde förvandla den anspråkslösa mangårdsbyggnaden till något som skulle kunna likna en herrgård. Två små flyglar, ett litet torn med klocka.

Han ägde nu att bestämma sig. I vanliga fall märkte han aldrig sina beslut. De var för honom lika naturliga som att svälja eller andas in och ut i rätt ordning och vid rätt tidpunkt. Nu satt han på bänken och såg med oseende ögon på Mulles grav medan hans tankar flackade på ett sätt som var ovanligt för honom. I tankarna skrev han ett brev till sin hustru där han beskrev den lilla herrgården vid sjön. Men han var en allt annat än förljugen man. Han visste att sjön var låg och vassig, att landskapet runt gården var flackt. Luften var däven av sumplukt. Ett bondställe med torn och klocka var ingen värmländsk herrgård. Ändå beskrev han det på sitt precisa sätt så att hennes drömmar mycket lätt komme att göra det mesta lögnarbetet åt honom.

När han kom hem skrev han ut brevet. Aldrig förr hade han suttit med ett privatbrev mitt på förmiddagen. Men han gjorde det, sa han sig, bara för att pröva hur ett sådant brev skulle ta sig ut. Han hade ännu inte bestämt sig.

I själva verket kom han aldrig att bestämma sig. När han postade brevet var det med förbehållet att köpet ännu inte var uppgjort. Han kunde lätt dra sig ur historien genom att förklara för hustrun att det trots allt gått om intet. Men när han fått hennes svar ville Magnusson ha besked. Han förstod att det var ogörligt att göra henne besviken. I innerfickan hade han hennes brev. Hon skrev att han aldrig gjort henne så lycklig. ”Denna pina och förödmjukelse som jag dagligen lefver i”, skrev hon ”är mig så mycket svårare att uthärda som jag icke har Dig vid min sida. Du vet också vilka indragningar jag det sista året har varit tvungen att göra. Då jag nu ser slutet på dessa förödmjukelser vet jag knappt hur jag skall uthärda en väntan på ytterligare ett år. Mina nerver äro svårt angripna och Adolf är, som Du sjelf hvet, till föga eller intet stöd.”

Han hyrde i väntan på ombyggnaden två rum till av Magnusson, städslade piga och skaffade möbler. En vårvinterdag anlände hans hustru Caroline och hans bror Adolf med tåget. Mamsell Winlöf stod i ett fönster på övervåningen, nästan dold av den cremefärgade sidengardinen och tittade. Hon såg en kvinna som var längre än Alexander Lindh. Hennes rörelser var långsamma, ögonen rödkantade av kronisk katarr eller sorgsenhet. Hon bar en skrynklig sidenklänning sydd med stor tygåtgång. Den var tillskuren efter tio år gamla modejournaler och därför liknade hon med all denna vidd i kjolen, dessa massor av skrynkliga veck och draperingar en gammal kvinna när hon lämnade stationen, lite lutad och stödd mot sin mycket mindre makes arm.

Snön smälte och ett manslik töade fram i en backe strax bakom Klot-Kalles ölkällare. Mellan Kalles långa uthus och nästa byggnad som var en bangårdsarbetares bostad bildades en trång passage kallad Gubbgränd. Den utmynnade i en liten backe som de tre fyra närmaste hushållen nyttjade att slänga sopor i. Här låg han. Ögonhålor sörjiga, svart rock med fläckar av snömögel. Det skrämmande var att ingen visste vem han var.

Detta kunde alltså inträffa. En karl kunde stiga av tåget i okänt ärende, hamna i gästgiveriets krogsal, fortsätta till närmastte ölkällare för att hamna i den sista utposten, Klot-Kalles. Bli full och utkastad. Kanske ta några vinglande steg och slutligen dråsa nerför backen och bli liggande. Där låg han ännu med foten fast i en sängbotten som Kalle kastat ut om hösten. Kanske hade han frusit ihjäl. Kanske hade något annat drabbat honom. Detta skulle utrönas av doktor Didriksson.

Doktorn delade skjuts med kyrkoherde Borgström från Backe. Det var Vårfrudag, skjutsen vaggade och knagglade i gropar och spår där leran sög efter vagnshjulen. De två överhetspersonerna satt lutade ifrån varandra i uppgiven slöhet. Inertia och Acedia var spända för vagnen.

Jag hatar våren, tänkte doktorn. Då smälter kadavren fram. Spillning flyter i strömmar. Jag hatar våren, den första. Den är döden och förnedringen. Det är långt innan det börjar växa igen. Annars skulle man tro att hösten är ruttnandets tid. Men om hösten kommer frosten och långt dessförinnan har löven dragits ner så behändigt av daggmaskar. Det finns bara den sträva marken med sin tunna fäll av hoptovat sovande växtliv och insekter. Kryddoften. Doktorn försökte erinra sig den inför sin förestående förrättning.

Liket hade burits på en dörr över stationsplan, över spåren och torgplatsen, uppför backen och till Hushållningsgillets lagård där marknadskreaturen brukade hållas i väntan på försäljning och premieringar. Bonden Magnusson hade byggt lagårn åt Gillet. Han ägde den ännu. Det var samhällets enda riktigt offentliga lokal utanför järnvägens område. På vinden skulle kyrkoherden hålla högmässa och ett bord hade täckts med vit linneduk med infällningar av knypplad spets. Det var en gåva till samhället av förra stationsinspektorskan. Borgström bar lite kyrkligt silver och ett par ljus i en svart väska. Svartklädda kvinnor var redan tillstädes och tog hand om anordningarna.

De hade sopat golvet och rättat till bänkraderna. En milt leende Frälsare i gulgrön olja hade hängts opp mellan de två fönstren. Men ingenting kunde dölja doften av tobak och sött puder som låg i luften. Det gick inte att få opp fönstren, de hade gistnat och slagit sig. Kyrkoherden drog sig plågad in i det inre rummet där taskspelare, föredragshållare och bondkomiker brukade ordna sin klädsel och dricka öl före föreställningarna. I vanliga fall skickade han sin adjunkt till denna sorgliga gudstjänstlokal, men ledsamma och oturliga omständigheter hade till slut tvingat honom hit i egen person och han led så att han svettades innanför det fuktiga täta yllet i prästkappan.

Klockan var tio. I gästgiveriet sov deltagarna i gårdagskvällens trolleriföreställning, Ozman Cantor och hans medhjälperskor. Cantor som bröt på tyska och närkingska hade varit mycket nära att få stryk under pågående föreställning som varit för usel till och med för samhällets låga anspråk. För att ytterligare klå de skådelystna på lite pengar hade han haft med en gris till utlottning. De brukade de flesta sällskap ha, men Ozman Cantor vågade aldrig ta in grisen och däri var han klok. Magnusson själv som var rädd för tobaksrökning på vinden hade gått opp och tittat om förbudet efterlevdes. Han hade sett trollkarlen svettas en stund och medhjälperskorna som var tunga och blåmärkta orma sig så att pudret yrde hett och sött från deras bara armar.

— Di där kan inte trolla annat än möjligtvis med röven, utlät han sig och därmed utlöstes den stigande missnöjesstämningen i allmänt skratt och Magnusson räddade Ozman Cantor från det våld som hade svullnat omkring honom.

Hela natten hade medhjälperskorna betjänat publiken med de enda trollkonster de behärskade, sen hade de sovit som döda i sina dofter och nu vaknade den ena av dem marad av en ofattbar törst. När hon sökte sig ut efter vatten stötte hon ihop med Edla som bar en tungt lastad korg och som vanligt vid utgående var klädd i sjalen hon fått av Hanna, korsad på magen och hopknuten i ryggen. De stirrade på varandra ett ögonblick innan Edla klev ut genom dörren och började ta sig över stationsplan i sina läckande kängor. De nya nändes hon inte ha i vårsörjan.

Doktor Didriksson hade utan geist petat något i mansliket i Hushållningsgillets lagård och sen hade han utom sig av leda och äckel överlåtit det hela åt fältskärn och vaccinatören om de hade lust att fortsätta. Didrikssons företrädare som provinsialläkare hade mest betjänat fideikommisset, herrgårdarna, kaptensbostället och prästgårdarna. Hans specialiteter hade varit gastritiska besvär och migränanfall. Didriksson hade föraktat den gamle middagsätaren och viraspelaren och för två år sen börjat sin tjänst med helt andra föresatser.

Men stationssamhället tog fort nog gadden ur hans lust att tjäna en vidare krets av mänskligheten än hysteriska pastorskor. På järnvägen tycktes allt frat och allt avskrap som singlade ner och föll till botten i ett samhälle fraktas runt. I väntsalen sjuknade de, i gästgiveriets överliggningsrum dog de, i bästa fall. Hans uppgift att rädda liv blev mer och mer tvivelaktig. Det fanns ingenstans att göra av liv som inte längre kunde fraktas runt av det statliga järnvägsföretaget. På provinslasarettet bestod redan hälften av patienterna av veneriskt sjuka.

Vem mannen i Klot-Kalles sopbacke var visste han inte och skulle aldrig få veta. Dödsorsaken var honom likgiltig men han gissade på fylla och förfrysning. Han stegade den redan hårt slitna trappan i Magnussons hastbygge opp till kyrkoherden på övre botten och slog sig ner hos honom i det lilla rummet där trollkonstnärerna brukade byta om och där alban och stolan nu låg utbredda över två stolar.

— Samhället måste ta en polisman, sa Didriksson.

— Sant sant, sa kyrkoherden och kände sig trött redan vid tanken på hur många samhälleliga frågor detta manslik väckte. Frågan om begravningsplats var en. Man grävde inte ner okända personer i Backe kyrkogård, bönderna tyckte inte om det. Den här kunde man frakta till Nyköping under föregivande av att provinslasarettet ägde resurser att företa en mer framgångsrik obduktion. Man kunde hoppas att de inte sände tillbaka honom.

Nu knackade det på dörren, knappast mer än om en fågel rört vid den med sin klo och kyrkoherden röt kom in. Edla öppnade och stod där med droppande näsa och korgen på armen.

— Det var maten till pastorn, sa hon när de båda ämbetsmännen stirrade på henne. Kyrkoherden kände inte till pastorsadjunktens uppgörelse med gästgiveriet. När han anlände frysande och stel på söndagsmorgonen i en mycket sämre skjuts än den kyrkoherden låtit spänna för åt sig, åt han först av allt en liten frukost från gästgiveriet som antingen Edla eller Valfrid bar till Gillets vind i en korg. Han fick en flaska havresoppa nerstucken i en ullstrumpa för värmens skull. I soppan simmade katrinplommon som gärna ville fastna i flaskhalsen. Hustru Isaksson hade lagt ihop rågbrödsskivor om kallt fläsk, om bräckkorv, ägg och rökt skinka i tärningar. Doktorn och kyrkoherden petade bland varorna och skrattade åt tanken på adjunkten som brukade sitta här frusen framför den lilla kaminen och äta i ensamheten. Frukosten var i enklaste och grövsta laget och de hade inte en tanke på att röra den. Men hur det var så nöp kyrkoherden en bit av rågbrödet och sen började han pilla i sig skinkan tärning efter tärning. Doktorn tände sin pipa och kyrkoherden nös kraftigt av damm och puderkorn som irrade i solstrimman från vindsfönstret.

Det var en nysning som befriade. Kyrkoherden piggnade till som han inte gjort på år och dag. Han tyckte sig förflyttad tillbaka till sin ungdoms studerkammare i Uppsala och doktorn med sin snorkande tobakspipa hjälpte honom att förstärka illusionen. De båda herrarna började tala religion, något som kyrkoherden inte gjort på trettio år. Doktorn ryscktes med. Han blev spefull och ironisk och hädade frejdigt och ungdomligt när han skulle sätta teologen på det hala. Ja, han blev plötsligt ungdomligare än han någonsin varit i Uppsala. De talade om vårfrudagens text, den ömtåligaste av teologiska frågor.

— Berätta nu vad bror har att säga stationsinspektorskan och postmästarinnan i dag — att inte glömma baningenjörskan! — om den tretton-fjortonåriga judeflickan i Nasareth och det öde som drabbade henne.

— Inte drabbade! Vi ska minnas att det var ett val, sa kyrkoherden livad av medicinarens fräna ton. Hon bejakade ängeln. Vi måste minnas att den Helige Ande ställer en fråga till Maria, det är inte ett påbud. Min predikan kommer att byggas på denna tanke att Gud ställer en fråga till människan och hon äger att välja om hon vill bejaka honom. Det är evangeliet. Det är undret. Tvång och påbud hörde den judiska tron till.

— Det är ju en vacker tanke, sa doktorn. Men jag tror att bror vet lika väl som jag att Marias ja är ett proformasvar. Vi lever i lagbundna sammanhang. Om naturen inte får sin vilja fram så våldtar den.

Edla satt vid dörren och väntade på korgen som herrarna i tankspriddhet tömde på allt utom havresoppan. Hon förstod inte alls vad de talade om. De kallade jungfru Maria för en tretton—fjortonårig judeflicka. Hade Jesu moder varit dotter till en jude som sålde klockor och gamla kläder på ett torg? Hon förstod inte, ville inte ens förstå.

Doktorns ögon mötte Edlas. Hans blick råkade falla på flickan invid dörren och under några sekunder såg de varandra i ögonen. Han blev häpen och illa berörd av vad han såg. Men så slog han bort det. I den där åldern förändras barn så fort. Han befann sig i skarven mellan den teologiska diskussionen med dess tobaksrök och frihetsberusning och den söndag i värsta snösmältningen då han av pur artighet måste sitta och lyssna på Borgströms predikan på vinden till Hushållningsgillets kreaturslada.

Plötsligt kände han att han inte förmådde sitta kvar under gudstjänsten. Det fick se ut hur det ville, men han reste sig och ursäktade sig. Han var på väg nerför den rangliga trappen när han mötte fältskärn och vaccinatören som befann sig i stor upphetsning. De hade sysslat med liket och bland mycket annat funnit på att bända opp käkarna och titta i munhålan på den avlidne. Han hade en oblat i munnen.

Det var den söndagen Edla kom hem till Äppelrik iskall och våt om fötterna efter den hopplösa vandringen i tjällossningen. Hon var febrigt svart i ögonen och Sara Sabina tittade flera gånger på henne över axeln medan hon sysslade i spisen. Men ingenting blev sagt. Mest för att knekten satt på sin plats vid fönstret och orerade. Det var om den välsignade pigplatsen som hans skrivkunnighet hade skaffat henne. Om du kunde hålla mun, tänkte käringen men inte heller detta blev sagt. Hur det var så ansåg hon det inte nyttigt för dottern att höra modern huta åt skapelsens krona.

En tacka hade blivit lammsjuk och Edla gick ut i fähuset för att titta efter om det var dags för henne. När hon inte kom tillbaka trodde de att hon i all stillsamhet hade gett sig av igen till gästgiveriet. Edla gjorde aldrig så mycket väsen av sig. Men nickan hade klättrat över till tackan i kätten och brett ut två tomsäckar på ströt. Djuret stod längst bort i andra hörnet med sänkt huvud och tittade på henne. Edla hade bestämt sig för att stanna och se efter hur det gick till.

När hon bestämde sig för något gjorde hon det allvarligt. Hon hade för länge sen lärt sig att driva rädslan på flykten med sådana små beslut som hon genomdrev prompt och omutligt. Hon brukade imponera på Valfrid som lätt gav sig över och sprang runt och hetsade opp sig själv med skräckfantasier om vad som skulle kunna hända. Han skulle kunna sätta eld på magasinet eller skära av sig tummen eller tappa nyckeln till handlarns klaffbyrå i sirapstunnan.

Men tackans långsamhet att föda höll på att rubba Edla ur hennes allvarliga lugn. Robanden hade fallit ner och juvret kändes spänt och hårt. Hon trodde säkert att hon suttit en timma men ingenting hade hänt. Mot hennes vilja, mot hennes bestämda föresats började rädslan prickla innanför hennes skinn.

Tackan hade ont. Det var något fel. Det var som om Valfrid suttit bredvid henne och viskat och hetsat. Ser du inte att det är nånting på tok? Hon hade väl sett födslar förr, men hade nog inte så noga lagt märke till vad som hänt. En sak visste hon: fortare brukade det gå.

Timmar måste ha gått och tackan stod likadan i sin tåliga smärta. Edla kunde höra korna idissla i stillheten på andra sidan väggen. Tittade hon opp mot luckan skar ljuset som låg i springan genom hennes öga. Vårsolen bakade het utanför mot fähusväggen och väckte nässlor och insekter.

Visste djuret eller inte? Kunde hon minnas? Men om det var första gången, hur kunde hon då vara så tålig? Som om hon redan förstod: till denna smärta är jag född. Det lönar ingenting att kämpa emot. Hon arbetade med i smärtans vågor, huvudet drogs tillbaka, ögonen slöts. Hon ställde sig i lidandets tjänst utan att fråga vad som skulle komma ut av det.

Timmarna gick. Juvret var blankt och sprängfyllt, spenarna hade svullnat och färgen gick från rosenrött till blårött. Hon trampade, skrapade med framklövarna, gick runt runt i ströbädden och lade sig tungt. Nu blev hon ett med sin buk igen, förut hade den hängt långt under henne och hennes vassa rygg och hårda ländkotor och inte sett ut som den tillhörde henne. Hon krökte överläppen som baggen gjort när han besteg henne. Men hon krökte den i smärta. Edla trodde att hon skulle bli liggande nu. Hon var så tung och värkarna så kraftiga att hon inte skulle orka opp förrän det var över.

Men nu reste hon sig igen. Hon stod länge stilla och skrapade med en klöv och höll huvudet stelt på sned. Nu sköt hon rygg av smärta. Det kom en våldsam sammandragning och undergivet böjde hon huvudet. De stora mörka ögonen såg inte Edla längre, hon såg ingenting av omgivningen. Blicken var stel och skuggad av vita ögonfransar.

Hon verkade bli allt tyngre därbak. Gång på gång krökte hon läpp och fick till slut opp en idisselboll men svalde den igen utan att mala om den. Så gick hon omkull. Ljud började stiga opp ur henne, hon stönade svagt och regelbundet med bakåtstrukna öron. Blicken var matt och mycket ljusare nu, pupillerna hade dragit ihop sig till rektanglar.

Edla lutade huvudet mot väggtimret. Det drog i ögonlocken av sömnlust och samtidigt var hon obegripligt rädd. Nästa gång hon såg opp stod tackan igen, stod alldeles blickstilla med huvudet sträckt framför sig. Det kommer att vara evigt, tänkte Edla dimmigt och förskräckt. Gång på gång gick hon omkull med den stora buken och för varje gång fick hon allt svårare att ta sig opp. Käre gode Gud, varför blir det så här? Arma kräk. Tackan gäspade av smärta, förde ljudlöst käkarna långt isär, det bände och knakade men hon gav inte röst åt det onda.

Råttorna blev fräcka där Edla satt och halvsov. De sprang förbi hennes fötter helt nära och prasslade i halmen som hon strött. Svansen stod rakt ut på tackan. Edla stirrade i halvdvala på könsöppningen som var ljusröd och rinnande och rörde sina veck och skrynklor. Hon tyckte att hon stirrat i timmar på den där öppningen. Tackan gapade av smärta, bände våldsamt käkarna isär och stönade. Hon låg på sidan medan hon arbetade och sträckte benen ifrån sig. Det bullrade i hennes mage, buken ekade av luft medan arbetet fortskred. Men varför i Herrans namn tog det så lång tid?

Plötsligt såg hon att det kommit fram en brandröd bubbla i könsöppningen. Tackan reste sig och födde. Inne i en påse av seg hinna som var mörkt saffransfärgad låg lammet med vikta ben, till synes livlöst. Då såg Edla med en kväljning av vämjelse vad det är att föda dött.

Knappt hade hon uppfattat det så vände sig tackan om och petade till fostret med nosen och sa ett trestavigt ljud som Edla aldrig hade hört förr, ett lågt tryggt ljud. Då spratt fostret till. Det var livet. Edla grät av vämjelse och glädje och av trötthet. En sprittning till — men det såg ut som om det skulle kvävas. Nej, tackan började slicka av den sega gula hinnan från huvudet på lammet och hela tiden hördes hennes små trestaviga ljud, kuttrandet. Lammet svarade så fort det fått huvudet fritt med ett litet spätt skrik och sen raglade det blint mot juvret, fortfarande till hälften täckt av seg gul fosterhinna.

Nej, det var inte som jag trodde, tänkte Edla och klättrade ur kätten med stela domnade ben. Inte alls. Det var alldeles annorlunda. Men hon visste något nu. Försiktigt försökte hon smyga runt knuten när hon kom ut i solskenet och ta sig neråt vägen utan att bli sedd från fönstren. Hon visste nu. Den som skulle föda fick inte vara upprorisk. Hon måste arbeta tåligt för smärtan var en sträng herre. Si, jag är Herrens tjänarinna. Ske mig efter hans vilja.

I mitten av månaden maj fick Edla se ännu en födsel. Hon kom hem till Äppelrik mitt i arbetsveckan, frågade efter modern och fick besked att hon var i Malstugan och skurade lagårn.

Edla gick hela vägen dit utan att lyssna på lärka och gök. Hon var vit om läpparna. När hon kom in i lagårn såg hon först ingenting. Det bände i ögonen av vårljuset utanför. Men hon hörde moderns röst:

— Är du sjuker?

Hon nickade. Nu skymtade moderns gestalt därborta, grå som om hon gjort sig lös ur stenfoten.

— Mor! Kan I komma hem?

Flickrösten ringde vasst i det osande mörkret. Hon sjönk ner på flon, hon som annars var så rädd om klänningen och sjalen. Nu såg hon att Malstugen själv var inne, han stod bakom rumpan på en ko som lämnats kvar när de andra släpptes på bete. Hon hade kalvat men var båsad och nådde inte att slicka kalven. Malstugen drog en halmtapp i sörjan kring hennes bakben och slängde åt henne att tugga på. Han kastade opp den lealösa kalven på en tomsäck och drog iväg med den. Den klavade kon kastade med huvudet och försökte komma loss.

— Vad är det? sa modern och drog Edla på fötter. Är du sjuker? Gå hem i förväg. Jag ska komma så fort jag kan.

Edla stödde sig mot kalvkättarna när hon gick. Längst bort i raden låg den nyfödde. Malstugen hade dragit av honom på ryggen med tomsäcken men han var fortfarande våt. Han darrade våldsamt och mulen sökte och sökte blint i halmen efter en värme som inte stod att finna.

— Mor, I måste komma, sa Edla. Det är alldeles tvunget. Jag reder mig inte själv.

Modern fick leda henne hela vägen hem. Hon födde på kvällen. Hela natten sov hon djupt, utmattad av det tunga arbetet. När Sara Sabina försökte lägga den nyfödda flickan intill henne på morgonen var hon febrig och tycktes inte förstå vad som hade hänt. Hon dog på tredje dagen.

Nu kommer han hem. Ta ner hanses tallrik. Ta unnan fläsket, det ska han ha själver. Gå opp och lägg er på vinn, nu kommer han.

Morfar sa hon aldrig. Det visste inte Tora att han var. Far, det var osägbart. Möjligtvis att nån av de äldre pojkarna hade kunnat säga det.

Han ska te Malmköping. Tora lyssnade. Han ska bort. Var det inte en ljusare röst hon hade nu, ett dirr av glädje. Det allra svagaste bara. En gång om året gick han bort på kalas. Det var till sadelmakar Löfgren i Åsen när han fyllde år. Då fick Tora lägga skurstickan på uniformsrocken och blanka knapparna lika noga som när han skulle till Malmköping. Han la bort vallmansbyxorna och den blå rukan som var förre rotesoldatens uniformsmössa och så tog han på släpmunderingen och vred opp mustascherna. En hel dags ätande väntade och en anständig nästan vällovlig fylla. Och ingen annan arrestlokal än en svalkande syrénberså.

Hemma småsvalt de. Gumman la hönsdun i låren med brödkakor för att de inte skulle snatta. Underligt nog hade hennes ungar alltid haft skräck för hönsdun. Den första kullen också. Den var nu skingrad och två var döda. Edlas dotter Tora kallade Sara Sabina för mor. Kanske visste hon inte bättre.

Bara ett knappt år efter Edlas död hade Sara Sabina fått en pojke som fick heta Rickard. Det var kanske inte ett lika stort under som det som skedde hennes namne i bibeln, men ett under var det i alla fall och många log. Räknade man på fingrarna stod det klart att miraklet egentligen skett på midsommarnatten då ormbunken blommar och då mycket annat sker som inte skulle kunna hända någon annan natt på året. Det var också på midsommarafton som sadelmakarn hade sitt kalas.

På senare år hade Sara Sabina tagit sig för att gå dit med Rickard och Tora. Hon hade stora kjortelfickor. Förutom det hon kunde ta med sig hem räknade hon med att ungarna skulle ha förstånd att äta så mycket de kom åt. Lans kunde ingenting säga om att hon gick med för det var inte han som var släkt med sadelmakaren. Det var Sara Sabina som var hans kusin medan knektens egen härstamning hastigt förlorade sig ner i gråhet och urmörker. På kalaset brukade han bli fullare än genomsnittet men också roligare. Här räknades han ju för ingenting för det var ju ett släktkalas, men ändå berättade han för alla som ville höra på om sin härkomst. Ingenstans ifrån kom han och ingen kände han som sin mor, sa han. Det var väl inte märkvärdigare än att en pigstackare hade lagt honom ifrån sig på en trapp, men han fick det att låta som ett sällsamt ursprung. Han hade växt opp i en helt annan socken och hans första minnen var av den stora lagårn på Kedevi säteri. Där hade han bott med kogubben i ett utrymme bredvid mjölkkammaren intill sitt tolfte år. Han berättade också om det långa vandringen från Kedevi till Vallmsta och hur han ramlade ur en tall när mördaren August Wilhelm Johansson halshöggs.

Den berättelsen hade Tora redan hört många gånger. Men om han var hennes far eller morfar visste hon inte ännu. Men berättelserna är klokare än vi och varsammare och långsamt förändrar de oss. Hur mycket hade hon inte redan hört som hon måste veta för att kunna leva. När det var kalas sov hon med Rickard på ett bolster på golvet i sadelmakarverkstan. Sara Sabina ville bädda ner sina ungar i höet men Löfgrens hustru varkunnade sig över dem, tog in dem i verkstan och la ut ett prasslande halmbolster. Det luktade beck och ett fönster stod öppet mot trädgården och natten. Fåglar skrek långt borta. Knekten hördes lägga ut texten och Tora lyssnade sömnig. Bäst tyckte hon alltid om början på hans berättelser.

Det var på påskdagsmorgon när solen dansa, brukade han säga. Eller detta skedde två dagar före midsommarnatten då ormbunken blommar. Detta var bättre än att ligga hemma på vinden och lyssna för här blev han aldrig ond. Han glömde bort att de fanns. Tora och Rickard låg på bolstret i verkstan, så tätt sammandrivna som garnet i en dukt.

Hemma sa knekten att Rickard var en stor olycka och ingenting annat. Han trodde han var kommen ur den förtorkade käringskrabbans kropp bara för att folk skulle få sig ett gott skratt. Antagligen. Men till vilket ändamål Tora hade kommit till världen sa han inte. Det var inte ofta han såg henne. Men ibland.

— Ja, Edla hon dog hon, sa han då. Ja ja.

Ögonen blinkade sura och röda. Det var mycket man inte begrep. Sannerligen. Koka en vit orm och drick av spadet så blir du allvis. Livet ska du ändå inte förstå.

Ännu var det inte mycket till midsommarmorgon. Solen hade gått opp i klarhet men nu skuggades den av små snabba moln som hela tiden drog från öster till väster. En piga med två hinkar i ett ok kom ut på trappan till stinsbostaden och huttrade. Trappans gråa trä var pricklat av regnstänk men när hon snusade i luften och vände ansiktet mot vinden kunde hon inte känna att det regnade.

På andra sidan järnvägen var bara mejeristens hund vaken och ute. Han gick med stela ben mellan husen och pinkade till slut mot tjuderbommen framför godsmagasinet. Det hördes inte mycket annat än ljudet av sakta rinnande vatten från Slaskgraven. Pigan vars blod så tidigt rann lika sakta hade blivit stående och såg framför sig utan att se. Ljudet av träbottnade skor som klapprade över träläggningen mellan spåren väckte henne och hon började gå mot pumpen. På andra sidan kom en käring ut ur ett hus och tömde en pisspotta över grannens gräslök på andra sidan staketet. Hon nådde om hon lutade sig så att hon nästan stjälpte över. Hon slog ilsket i dörren efter sig när hon gick in. Det skrällde av bleckkärl från mejeriet och sen började det gnälla och knirka lågt och entonigt när den blinda hästen startade sin vandring.

Arbetarna kom på vägstumpar och i leriga hjulspår över gärdet mot Wilhelmssons snickeri. Ebon Johansson gick bredvid sin äldre bror men ju närmare de kom desto mer sackade han efter. Till slut ställde han sig framför porten i planket i hopen av småpojkar som varje morgon väntade för att se om det fanns arbete. Men Ebon var fjorton år och egentligen för gammal för att stå bland småpojkarna. Han skämdes och drog sig åt sidan när förmannen kom ut och examinerade skaran.

— Fem stycken! sa han och alla stramade opp sig. Här gällde det att inte lukta starkt eller ha tobakssaft rinnande efter hakan, något som förmannen inte brydde sig ett vitten om själv. Men det var Petrus Wilhelmssons order. Fabrikören själv som nyligen varit med och stiftat Föreningen för Upplysning och Sedlighet bland Arbetare kom ibland ut och steg dem mycket nära innan de antogs. De som hade lärt sig att inte gapa som fän när de såg folk fick ofta anställning för Wilhelmsson kunde inte gärna titta dem i mun.

När Ebon inte blev antagen gick han mot stationen. Bakom honom hade klingorna redan börjat fräsa i trä. Han gjorde vilda grimaser för att skrämma ett par småungar som kom sättande över spåren. Men de grimaserade tillbaka. Han kände igen knekten Lans ungar, de flög över Slaskgraven så att fötterna knappt tycktes snudda vid spängerna. Han gick och ställde sig framför en kolbrygga där bromsarna brukade vänta på mornarna för att se vilka som kunde få arbete. Men här var han för ung och skulle knappast få någonting. Han stod och petade med skospetsen i marken. Sulan hade lossnat och mjukt koldamm silade in mellan hans tår. Ett tåg kom in söderifrån. Han drog sig närmare för att titta.

När folk hade skingrats med sina knyten och korgar stod en liten man i svart rock kvar. Han hade borstigt skägg och käpp i handen. Omkring honom stod tre kappsäckar. Ebon tyckte att det lönade sig att titta på honom för förr eller senare måste han börja gå. Han hade högre klack på ena kängan varav följde att han var låghalt och Ebon tyckte att det skulle bli intressant att se hur han haltade.

— Hör du påg! ropade mannen plötsligt utan att röra sig ur fläcken. Men han pekade otvetydigt med sin käpp på Ebon som bara glodde.

— Påg kom hit, sa mannen och lät trots sitt underliga språk allra minst som en stationsinspektor.

— Vafalle? sa Ebon.

— Har du ingenting att göra du?

Ebon gurglade obestämt till svar eftersom han inte visste vart frågan ledde.

— Är du rask?

— Jaa . . . ej, sa Ebon och undrade om det var detsamma som

baron Cederfalk menade när han frågade om man var en hurtig gosse och kunde springa efter olja till smörjkannorna. Eller om han menade frisk, frisk i huvet i värsta fall.

— Har du lust på att sälja tidningar? frågade mannen.

Nu fick Ebon ta två av kappsäckarna och det bar iväg in i väntsalen så fort att han aldrig hann titta efter hur den andres hälta var beskaffad. Väskorna slogs opp på en träbänk. De innehöll tidningar och tidningar, nästan ingenting annat. Nattskjorta, rakdon och några böcker tyckte sig Ebon skymta. Men nu gick allting fort. Han fick en försvarlig packe under ena armen av tidningar som det stod Folkviljan på. Han fick uppläst för sig en adress där han skulle redovisa och han fick veta sin provision. Av detta fattade han i all hast inte så mycket.

— Du ska försöka sälja till arbetarna på matrasten. Vad finns här mer än snickeriet? Verkstan? Spring nu det argaste du kan!

En av stationsskrivarna hade nu sett dem genom biljettörens glugg och satt på sig uniformsmössan. Han närmade sig med händerna på ryggen. Ebon sprang så fort han kunde för sin glappande sula.

Nu var morgonen så framskriden att stationsinspektoren och friherren Gustaf Adolf Cederfalk steg opp ur sin säng och fick in varmvatten och rakkniv på en serviett. Innan pigan hunnit ut med kopparhinken fick Cederfalk av sig nattskjortan av madapolam och visade, liksom av våda, ett rött och kraftigt könsorgan som strävade snett oppåt mellan den lilla bleka runda magen och de spensliga låren. Han blottade sig gärna för pigan om han bara hann. Men om han blev för svår brukade hon vägra att gå opp och då tog gamla Botilda därnere kopparhinken och stabblade mödosamt och ilsket oppför trappan. Om Cederfalk ingenting märkte utan trodde det var flickan som kom stod han där med skjortan över huvudet och då skvimpade Botilda med vattnet omkring sig och fräste fy hunna och fy valingen så högt hon vågade. Cederfalk rev ner skjortan över sin blygd och röt:

— Ut kärring tills jag har klätt mig! Har du ingen skam!

Ibland hördes det ut för fönstret stod öppet på gaveln som var överväxt av kaprifol.

Ett tåg rusade in och de två barnen från Äppelrik som nu var på väg tillbaka sprang över spåren framför loket och försökte också hinna undan den tjocka stenkolsröken. De bar en korg mellan sig och överst var ett vitt papper utbrett för att skydda innehållet. Arbetarpojkar med plåtdunkar steg på Norrköpingståget. Det var ombuden som skulle fara och hämta brännvin till helgen.

Ute på stationsplanen hade restauratrisen och grosshandlare Lindh träffats. Mamsell förde runt sin lilla hynda Parisina bland buskarna och barnen stannade på avstånd för att glo för på håll såg hyndan ut som om hon var hårlös. Mamsell Winlöf tittade med skarpa bruna ögon på Tora och ropade henne till sig. Men inte förrän grosshandlare Lindh som var känd för sin barnvänlighet drog opp börsen kom flickan närmare. Restauratrisen såg uppmärksamt på Toras ansikte, på hennes ljusa hårt åtstramade hår som krusade sig vid tinningarna och på den rutiga klänningen av hemvävt tyg i dunkla färger som skulle hålla med lorten. Hon såg rakt in i flickans allvarsamma blå ögon och frågade vad hon hette och hur gammal hon var och fick enstaviga besked.

— Ja ja, sa mamsell Winlöf avfärdande som om ett obehag rört vid henne och så vinkade hon iväg dem. Men Lindh hade börsen som hans hustru Caroline virkat öppen och barnen förhöll sig stilla som hundar då man hugger socker.

— Vart är ni på väg? frågade han vänligt.

— Hem.

— Och var har ni varit? sa han och log över deras huvuden åt restauratrisen.

— Te glansstrykerskan och hämta stärksaker åt prosten i Vallmsta.

— Det var en lång bit att gå för två som är så små.

— Mor ska te prostens och byka och då tar ho med kragarna, sa Tora.

— Men inte byker hon väl på midsommarafton, sa restauratrisen som om hon misstrott dem.

— Nä men ho lägger i blöt, svarade flickan prompt.

— Ja ja, sa Lindh och la en femöring i Rickards hand som

sträcktes fram lika fort som ett öga blinkar. De tog korgen och pinnade iväg.

— Stopp där! Nu glömde ni det allra viktigaste.

De stannade och stirrade på honom.

— Ni ska tacka, sa restauratrisen lite otåligt.

Tora neg med hårt sluten mun och Rickard kom sig fortfarande inte för med någonting.

— Ja spring nu, sa Lindh. Mamsell var kanske förargad, hon nickade bara kort åt honom och gick in med Parisina. Själv fortsatte han mot stinsbostaden där municipalstyrelsen skulle träffas klockan nio och han var på ett ypperligt humör. Han hade promenerat in från Jettersberg som nu sen sju år tillbaka var omdöpt till Gertrudsborg. Därute bodde hans hustru tillräckligt långt borta från samhället för att inte oroas och inte oroa. Mamsell Winlöf hade för länge sen funnit sig i de nya förhållandena eller rättare sagt att förhållandena inte undergick någon förändring. Ett remarkabelt fruntimmer.

Klockan blev åtta och den halte agitatorn som Ebon trott vara en predikant satte opp en affisch på gaveln till Hushållningsgillets lada. Nere vid snickeriet kurade Ebon invid planket med tidningspacken bredvid sig i väntan på att arbetarna skulle komma ut på matrast. Då kom Petrus Wilhelmsson. Ebon hade lurat till och hann inte vakna ordentligt förrän han stod och läste Folkviljan framför honom. Han såg honom i grodperspektiv och de stakiga benen tycktes osannolikt långa i snäva rutiga byxor.

— Kom med in på kontoret, sa Wilhelmsson

— Si jag sulle bara, det var meningen på matrasten, stammade Ebon. Men den andre teg och gick med lång kutig rygg före över gården där plankbärarna kom knäande med svajande bördor och inte kunde väja så att Wilhelmsson och Ebon kom att gå i krokiga sick-sacklinjer fram till kontorsbyggnaden.

Inne på kontoret fick Ebon vänta länge. Han vågade inte lägga ifrån sig tidningspacken. Armen domnade och mössan kunde han inte få av sig.

Wilhelmsson satt och skrev. Bakom honom på väggen var räkningar och fraktsedlar spetsade på ståltrådshängare. Han hade ett enkelt skrivdon av bleckplåt med bläckhorn av glas och sanddosa. Han skrev på gulaktigt halmpapper av den allra billigaste sorten och allt som oftast fastnade små halmflittror i pennspetsen så att han måste upphöra med skrivandet och rengöra den. Han använde en penntorkare som liknade en liten spetsig pung.

— Hur många tidningar har du i bunten? frågade han plötsligt.

— Hundra! nästan skrek Ebon. Han var torr i mun. Han trodde att han skulle pinka på sig.

— Jag ger dig fem kronor för hela bunten.

Ebon hade munnen på vid gavel. Wilhelmsson fortsatte att fila med stålpennans spets i den lilla pungen som var fläckad av blått bläck.

— Lägg dom där.

Han pekade med pennskaftet.

— Kan du få fatt på fler?

— Jaa då!

Ebon var skräckslaget villig och höll på att gno iväg utan att få betalt. Men han fick i alla fall tag i sedeln och kramade ihop den i byxfickan samtidigt som han äntligen kom sig för med att stryka av mössan.

— Tack!

Han mindes att brodern Valfrid som var bodgosse hos gästgivar Isaksson sagt att det hette tackar allra mjukast i affärssammanhang, men det kom han sig inte för med att säga. Han rusade i väg till det hus där smeden Erikssons änka hyrde ut rum och redovisade för agitatorn.

— Du var en redig påg, utbrast den lille mannen häpen. Di måste ha rivit dom ur händerna på dig!

Ebon störtade åstad med ytterligare hundra Folkviljor i en bunt. Han sprang tills lagret var slut. Han fick inte ta mer än hundra i taget sa Wilhelmsson. Men annars var det inga begränsningar. Och Ebon häpnade över att han betalade femkrona efter femkrona, denne man som var så snål att han påstods äta välling med syl.

Inte helt utan sakliga skäl ansåg Valfrid Johansson sin bror Ebon vara idiot. Därför trodde han knappt vad han såg när brodern kom in i Isakssons hökeri med utspekulerat långsamma rörelser och fläktande sig med provisionen för förmiddagens tidningsförsäljning som han höll i nypan. Han petade i luften med den glappande skon när han gick. En liten stund fortsatte kaffebönorna att rassla ner i påsen av egen tyngd medan Valfrid stod och stirrade på honom.

— Var har du fått pengarna ifrån?

Ebon talade om det. Samtidigt stack gästgivarn in huvudet och undrade vad det var fråga om, rutinmässigt. Han inväntade inget svar.

Valfrid tyckte om att läsa. Han läste skrifter om propellrar och morsetelegrafi, om elektricitet, apor och förbränningsmotorer och Jesu liv. Han visste hur det gick till vid tsar Nikolaus I:s dödsbädd och när Siemens gjorde sina första försök med elektrisk järnväg i Berlin. Det var inte många år han hade haft denna smak för de stora händelserna och framstegen i världen. I Ebons ålder hade han fortfarande legat med ena handen under täcket och läst Vålnaden, Det sprittande hjärtat, Berättelser ur afgrunden, En glädjeflickas memoarer med flera. Hela tiden hade hans käkar malt och ältat en brännande söt massa av kandisocker, russin och kaksmulor från boden. Men det var länge sen. Kvällen innan hade han läst så länge ljuset från vindsfönstret räckt och det häfte han stoppat under kudden hette Huru den enskilda människan kan påverka historiens gång.

— Idiot! sa han till Ebon slagen av hur groteskt verkligheten kunde förvränga de oskurna häftenas sanningar. Vet du vad socialismen är?

— Ja, det är när di tar ifrån en allting som en äger, sa Ebon prompt. Inte så mycke som en soppske får en behålla.

— Din moron! stönade Valfrid och höll sig för pannan för att antyda att det svindlade för honom när han lutade sig över den avgrund som Ebons debilitet utgjorde. I samma ögonblick kände han också att han hade varma sympatier för socialismen.

— Jaha, nu har du ställt te så att inte en människa i det här samhället får veta vad socialismen är. Är du nöjd nu?

— Vad är det frågan om här? röt gästgivarn på nytt i dörren och den här gången hördes det att han krävde svar och Ebon glappade ut ur boden.

Han var i själva verket en gosse med ganska gott förstånd, så gott att inte ens skräcken som han känt uppe hos Wilhelmsson för någon längre tid lyckats hålla det fjättrat. Han hade kommit att tänka på att Wilhelmsson för ett par år sen hade betalat tvåhundra kronor till samhället för rätten till ölutskänkning. Men han hade inte skänkt ut något öl, han ville bara försäkra sig om att tre andra sökande nekades rättigheter. När Ebon hade sprungit fram och tillbaka mellan agitatorn och snickeriet med tidningarna hade han begripit mer och mer. Hans samvete började kännas luckert och mosigt som gammal snö i mars. Det var därför han tagit till den mest förstockade definition av socialismen han visste när Valfrid frågat. Den härrörde från Skur-Ärna som knappt ägde en soppsked i denna världen. Nu gick Ebon brådskande in hos hökare Levander och köpte opp hela provisionen innan hans samvete blev så murket att han klev igenom och fastnade. Han satte sig med påsarna på en kolbrygga och funderade.

Nej, Valfrid hade fel. En blåblek halvsvält hade skymt Ebons förstånd i tretton år. Men nu när han behövde tänka upptäckte han att han kunde det. Han beslöt sig för att söka opp sin bror Wilhelm som arbetade i snickeriet.

På Alexander Lindhs skrivbord stod en örn i brons och höll med två kraftiga kloförsedda fötter fast en slagen hare. Örnen satt upprätt med vaksam blick och utgjorde en bild av djärv handlingskraft. Haren däremot låg utsträckt med nästan lascivt behag på bronsplattan och sträckte slappt ut lemmarna från den uppslitsade buken. Lindh brukade lägga handen på örnens huvud när han ville ge eftertryck åt någonting och därför hade den efter sju år fått en blankgniden flint. Men nu höll sig grosshandlaren i örnen av nervositet.

Municipalstyrelsen och doktor Didriksson höll på att stiga in på kontoret. Han hade flyttat mötet från stinsbostaden till sitt eget kontor men han vågade inte tro att han lyckats förrän han verkligen hade Cederfalk sittande. Stationsinspektoren var samhällets ordningsman och municipalstyrelsens ordförande. Han stod fortfarande under porträttet av Europas mest bildade monark och höll händerna på ryggen. Han var ganska missnöjd.

Lindh hyrde numera en hel våning till kontor av byggmästare Magnusson. När mamsell Winlöfs pigor steg in med korgar vars innehåll klirrade under linneservietter hördes ljudet av deras steg närma sig det innersta kontoret på tre rums håll. Personalen stod opp vid pulpeter och skrivbord. Lindh hade lockat styrelsen över spåren med löfte om frukost.

Stationsskrivaren baron Fogel gned händerna ovanför korgarna. Han och Didriksson var matvrak och hade varit lättast att lura över spåren. Magnusson hade inte kommit och Petrus Wilhelmsson hade Lindh med avsikt gett fel tid. Han var nykterist och kunde inte lockas med frukost. Det var grosshandlarns djärvaste drag och det kunde lätt bli avslöjat. Vaccinatör och fältskär hade också fått bud att de skulle komma en timme senare för Lindh kunde inte förvänta sig att Cederfalk och Fogel skulle frukostera i deras sällskap. De skulle tillsammans med doktorn och municipalstyrelsen företa en inspektionstur i samhället för att kontrollera att hälsovårdsnämndens beslut efterlevdes. Makt, härlighet och järnvägsuniformer måste demonstreras för att få innevånarna att använda soptunnor och latrinkärl i stället för gropar och backar.

De svartklädda flickorna från järnvägshotellet bredde en duk över skrivbordet och Fogel slog ihop händerna av förtjusning. Det luktade rent linne och varm flicka, kumminbrännvin och fisk kokt med lagerbärsblad. Pigorna stjälpte inkokt kummel ur formen och tog opp rädisor ur en skål med isvatten. De var skurna och slog ut som rosor i värmen. Det fanns skivad skinka och två sorters sill, färskt bröd och lagrad ost. Smöret kom i en lerkruka med dubbla väggar och var källarsvalt och mörkgult. Krogpigorna tog sina tomma korgar och neg i dörren, fick pengar av Lindh och neg igen. Då vaknade Cederfalk opp ur sin tankfullhet och letade fram en läderbörs och gav flickorna varsin tjugofemöring och först nu vågade Alexander Lindh andas lugnt och bjuda herrarna fram till bordet.

— Skål, sa Fogel. Ta kummin. Det dövar luktsinnet inför det

som förestår oss.

Fogel och Cederfalk böjde huvudena lätt mot varandra. De var båda långa raka män i sina uniformer. Cederfalks mage var liten och globlik, prydd med guldkedja. Uniformsrockens och västens mörkblå kläde var skulpterade över dess välvning. Didriksson var lika lång som de två men tung och han andades flåsande. Alexander Lindh var den minste. Men hans kraftiga satta kropp ägde avsevärd tyngd.

Nu brakade en dörr i kontorets entré, glasrutor klirrade och de hörde Magnussons grova röst och trampet av hans tvärtåade stövlar när han marscherade rakt igenom kontorsrummen och fick personalen att halvt om halvt resa sig igen av förskräckelse. Han viftade med ett papperssjok framför sig och han svor när han kastade det på Lindhs skrivbord utan att se dukningen så att han i själva verket med största eftertryck klämde ner det i fiskaladåben.

— Läs!

— Hatare av kungadöme, krigsgalenskap och prästvälde inbjudas till möte midsommarafton. Klockan sju. I händelse av regn hålles mötet inne å Hushållningsgillets vind, läste Fogel med spefull röst. Jaha! Låt oss nu för guds skull rädda aladåben i alla fall.

Han lossade försiktigt affischen och vek ihop den kring det gelé som fastnat på baksidan. Han räckte den mot dörren där kontorspersonalen trängdes men skaran vek undan och släppte fram den enda kvinnliga kontoristen, fröken Tyra Hedberg. Hon sköt opp klänningsärmarna innan hon tog emot paketet.

— Den där idioten Lundbom! Vem lät Gillet anställa honom? Men ladan är fortfarande min! röt Magnusson.

— Det har ingen förnekat.

— Vi ska självklart avstyra det här, men det finns ingen anledning att bli så upprörd, sa Cederfalk som åter gått och ställt sig under porträttet av monarken och från detta avstånd tittade tämligen kritiskt på Magnusson

— Det är avstyrt redan! Ladan är min och där hålls inga uppviglarmöten.

— Nå nå, sa Cederfalk. Saken tycks vara utagerad. Jag tror

förresten personligen att våra arbetare är för kloka för att låta de socialdemokratiska galenskaperna anfäkta sig. Det är ett bete som bara mycket hungriga fiskar sväljer.

Alexander Lindh delade hans åsikt men sa ingenting. Han hade gått och ställt sig under det andra porträttet på kontoret. Det var en oljemålning som föreställde hans far, gjord efter fotografi nu snart tio år efter hans död. Artisten hade gett brukspatron Lindh alltför långa ben och tungt huvud men så var det också hans första människa. Han var älgmålare. Lindh lyssnade utan att lyssna. Enskildheterna undgick honom. Magnusson brölade och tillrättavisades. Hans käkar krossade rädisor. Ölglas klirrade, Fogel noppade åt sig sillbitar på en lång spetsig gaffel och sa att vem än Lundbom var så tycktes han vara arbetarälskare. Idiot! Bara vanlig idiot, försäkrade Magnusson med munnen full och sen bad han Cederfalk att ta sig en svalkare och räckte honom ölet. Stationsinspektoren låg tåligt. Lindh stod under sin far som avporträtterats med alltför långa ben som skogens konung och han tackade inom sig på sitt avmätta sätt försynen för att den sänt en agitator till Magnussons och Hushållningsgillets lada. För nu hade municipalstyrelsen för första gången samlats på hans kontor och ingen hade ens diskuterat mötesplatsens lämplighet.

Deras porträtt är för länge sen målade och hängda. Cederfalk med handen innanför blått kläde, mustaschernas V vänt åt motsatt håll mot mössans vingar på hjulet. Hans ögon är vit och blå emalj som skylten på dörren: bettleri förbjudet. Men det var lögn redan när porträttet målades för små kärl hade brustit och flutit ut, emaljen fläckats av rost och gula strimmor och hans sunda kraftigt genomblödda hud hade redan fått samma färg som det bleka vintersmöret.

Så få människor omkring honom. Men pigor, skrofulösa barn med tjocka läppar, folk som luktade surt. Om morgonen steg han ofta ner i dessa helveteskretsar, drog opp sin nattskjorta. Men hans vakenhet steg med solen.

Under flugkupan på matsalsbordet irrade också sju åtta flugor kvävt surrande, berusade av arraksdoft och spritånga. De dränktes i den gula punschen med sega avtagande rörelser.

Alexander Lindh målades med Bocharamattan framför sig så att dess brasröda sken skulle slå opp i hans ansikte. Men hälsan, den torra nyktra doften av frisk hud, rena naglar, avstående, den fanns inte i bilden, kunde inte återges.

Hans samhälle var en rundel kantad med slipad vit kvarts. Allra närmast kanten fanns de låga bladväxterna utan blom och sen följde cirkel efter cirkel: den låga bruna sammetsblomman och brudslöjans anspråkslösa skyar, vinteriberis och stel pärleternell. Ingen inkräktade på de andras utrymme; den mörklila astilbe böjde sig och lät sina fjädervippor skugga den växande flockliljan när den var som ömtåligast och det tårtliknande arrangemanget växte mot mitten med mörkblå Aconitum och bolltistel. I mitten stod de kraftiga fruktbärande stånden av grön majs.

Postmästarinnan hade också sin rundel. Ännu i den gryniga vinterskymningen, innan snön hade kommit, rasslade majsstånden.

Banvalls-Britas äldste son Valentin hade ibland arbete i Lindhs magasin, han sprang med en kärra, träbottnarna klapprade. Han var harmynt men Didriksson hade sytt ihop honom. Nu sprang han med en drög till snickeriet, Ebon bredvid honom. Men vid ingången blev Ebon kvar för han fick inte synas. Brodern Wilhelm bar plank därinne, han hade masat en timma och redan fått två tillsägelser. När Valentin anlände med drögen gick han ur kurs med den svajande plankbördan och närmade sig honom.

— Där är det, sa han och nickade mot kontorstrappan. Skynda dig.

Förmannen närmade sig redan och Wilhelm tog knäande ett nytt tag och försvann bland staplarna.

Fabrikören var på utgående när Valentin kom. Förmannen var redan halvvägs i trappan och försökte hindra det omaka mötet genom att fånga hans söndriga rockskört. Men det var för sent.

— Det var om papper te gipsrosetter, sa Valentin och sluddrade andfått och harmynt.

— Vabefalls?

— Grosshandlarn har inge papper. Han är alldeles ställd. Han hade glömt att di sulle med tolvtåge.

— Hade grosshandlarn glömt? sa Wilhelmsson misstroget.

— Nä, Fredriksson på lagre. Men grosshandlarn är ställd för han har inget å packa takrosetter i. Di ska iväg med tolvtåge.

— Vill han ha krollsplint? Spån? Vad är det frågan om?

— Papper, sa Valentin. Det duger med vanligt tidningspapper äss det är så han har någe. Lättare å packa.

— Vi har inget papper här.

— Han ville köpa . . .

— Tidningspapper?

— Ja, det gör inget om det är tidningspapper, sa Valentin och stirrade Wilhelmsson stint i ögonen tills den äldre mannen äntligen vände sig om och tittade på tidningspackarna på golvet.

Ebon vid planket hade inte räknat med att fabrikören var på utgående. Han väntade med sprängande hjärta och höll på att rusa fram rätt i armarna på Wilhelmsson som gick bredvid drögen. Den var lastad med Folkviljor. Sakta lät sig Ebon sjunka bland nässlorna vid planket tills han kom så långt ner att inte ens mösskullen syntes. Nässlorna stank och brände men han höll ut.

En regnskur strök över taken och över torgplatsen som blivit upp-harvad och gräsbesådd om våren men som var trädlös och oskyddad. En springgosse från Lindhs fångade opp Wilhelmsson innan han gick över spåren och sa att mötesplatsen ändrats till grosshandlarns kontor. Wilhelmsson tänkte inte så mycket på det. Han tyckte det var skönt att så fort som möjligt komma i skydd för regnet. Redan i tamburen mötte Alexander Lindh med agitatorns affisch som fröken Tyra hade gjort ren.

— Ja, jag har själv haft en del omak av den där figuren, sa Wilhelmsson. Fick du tidningarna?

— Vilka tidningar?

— Har de inte kommit än?

Sen tystnade han och såg skarpt på grosshandlarn.

— Du skulle skicka takrosetter med tolvtåget?

— Vad för slag!

Nu slöt sig Wilhelmssons ansikte munnen blev en skåra och de beniga ögonbrynsvalkarna skuggade blicken.

— Jag misstar mig, sa han kort. Låt det vara.

Herrarna kom nu från det inre kontoret, de förde med sig doften av mat och brännvin till Wilhelmsson som stod i egna tankar och baron Fogel var så uppspelt att han ett ögonblick måste sätta sig på galoschhyllan och samla sig. Nu kom andre bokhållaren in från balkongen och meddelade att regnet upphört men för säkerhets skull förde Alexander Lindh med sig ett stort svart bomullsparaply när de avtågade. Wilhelmsson dröjde sig kvar och höll andre bokhållaren i rockuppslaget.

— Finns någon anställd i magasinet som är harmynt?

— Det vet jag inte säkert, men jag kan naturligtvis ta reda på det!

— Gör det.

Bokhållaren befallde kontorsbudet att springa över och fråga magasinsföreståndare Fredriksson. Municipalstyrelsens hälsovårdsinspektion hade hunnit över spåren och in på järnvägshotellets område innan budet hann ifatt troppen. Fältskären och vaccinatören gick sist och deras kavajer var genomvåta av att de hade stått ute i regnet och väntat.

— En harmynt gosse som heter Valentin brukar hjälpa till med lastning! Senast i maj trodde Fredriksson.

— Efternamn?

— Det kände han inte.

— Vad gäller saken? frågade Lindh. Är det någon av mina anställda?

— Ingenting, sa Wilhelmsson kort. Bara en förväxling.

Ett tåg från Stockholm kom in till stationen. Kupétaken blänkte efter regnskuren. Åtta högtidligt klädda herrar som stod i en halvcirkel kring en gödselhög tittade på passagerarna som steg av och en av dem, stationsinspektor Cederfalk, tog på sina kungligt långa och spensliga ben några steg åt sidan så att han kom ifrån gödselhögen. Grevliga gäster till helgen kom ut ur förstaklasskupéer och gick mot vagnarna från fideikommisset som höll på stationsplanen. Hästarna var ljusbruna och högbenta med virkade hättor trädda över de nervöst klippande öronen. Kusken hade svårt att hålla dem stilla så länge som det tog att samla damernas kjolar ombord i den lätta vagnen. I den andra stapplades bagaget och ett par lådor vin som en av betjänterna kom med från Stockholm. Vagnshjulen började rulla och Cederfalk stirrade efter dem med stela fjärrskådande ögon.

Det fanns ett bättre liv. Det fanns en tillvaro som inte genomkorsades av sura diken och slaskgravar, inte bestod av oändliga vintereftermiddagar och regniga pass på den grå träperrongen.

När tåget gick stod hälsovårdsnämnd och municipalstyrelse fortfarande i en dyster halvkrets med händerna på ryggen runt den stora gödselstan vid stationskarlarnas svinhus.

De bevakades inifrån järnvägsrestauranten av en man som aldrig annars brukade sätta sin fot på utskänkningsställen men som nu fattat posto bakom en palm i en kruka och gläntade lite på en gardin så att han fick fri sikt. Det var ormen vid deras barm, smolket i deras mjölk och saltet i det sura ögat, folkskolläraren Edvin G. Norrelius. Sju män och tre kvinnor hade sökt folkskollärartjänsten i samhället och Norrelius, en smålänning, hade man fastnat för imponerad av hans betyg och röstat igenom med över femtusen fyrk. Greven hade skickat in sin förvaltare med fullmakt och önskan om att få rösta sist men det var ändå väl känt att greven önskade tillsätta en av sina egna skollärare. Han hade nära sjutusen i fyrktal och kunde i alla frågor överrösta ett enigt samhälle. Men den här gången avstod han och förklarade att han inte ville gå emot samhällets uttalade vilja. Och man fick Norrelius.

Nu skorrade dennes småländska på varje möte dit han rimligtvis ägde eller kunde bereda sig tillträde. Han hade lett en falang som försökt rösta in gästgivar Isaksson i municipalstyret men misslyckats. Han understödde Petrus Wilhelmssons aktion för att minska utskänkningsrättigheterna. Det fanns elva utskänkningsställen på åttahundra innevånare och det fanns ännu fler som sålde under disk. Wilhelmsson handlade åtminstone i religiöst nit men det fanns de som påstod att Norrelius religion var i svalaste laget för en barnens fostrare och ledare. Däremot var han omåttligt intresserad av samhällsfrågor. Han satt nu bakom gardinen för att bevaka sitt äskande att alla gödselstackar inom stationens område måtte avlägsnas. Han var en svinens fiende och krävde förbud mot deras hållande i samhället.

Han hade rätt. Men han hade ofta alltför mycket rätt och han drev med skorrande logik sina yrkanden långt över gränsen för det möjliga. Även om man höll med honom om att samhället i princip borde befrias från svinstior innebar ett förbud att man satte ett käpp i hjulet för det företag som hittills lett samhällsutvecklingen — järnvägsrestauranten. Mamsell Winlöfs hushållning byggde på en naturlig kretsgång och hennes svin var nu så förfinade att de ratade skulor som surnat. Dessutom kostade transporter pengar.

Bevakad av Norrelius gjorde nu hälsovårdsordföranden doktor Didriksson en stor och svepande gest framför gödselstacken som antydde dess avlägsnande. Cederfalk svarade med en lugnande vinkning till tecken på samtycke och därefter en befallande semaforering bort mot stationskarlarna vid väggen. Ingen som såg detta stumma spel kunde missta sig på dess innebörd. Det var så verkningsfullt att det knappast skulle ha förvånat om gödselstacken genom mystisk elevation avlägsnats från stationsområdet och majestätiskt glidit bort i dusket.

När Norrelius i fönstersmygen fått sitt ställde man sig med ryggarna mot mamsell Winlöfs stora svingårdar som låg bredvid gästgiveriet och betraktade Katthavet, den svarta damm där järnvägens vattenreservoarer fylldes på. Det hade varit en torr och blåsig vår och Katthavets resurser var så uttömda att två årtiondens skrot spretade opp ur bottenskylan och vid kanterna skymtade halvt förmultnade säckar som i bästa fall innehöll sten och dränkta katter.

— Rensning, befallde grosshandlare Lindh och vaccinatören protokollförde.

— Järnvägens område, sa doktor Didriksson och Cederfalk nickade långsamt med de kupiga ögonlocken sänkta.

Så gick man vidare, på samhällets norrsida fortfarande, och postmästarinnan vinkade åt dem ur halvskymningen bakom lövverket på verandan. Men granne med postmästarens bodde fortfarande Skur-Ärnas syster med sina katter och sin orenlighet. På många ställen var brunnarna stängda med lock liksom här och det var förbjudet att använda vattnet sen doktor Didriksson hade tagit prover och förklarat den ena efter den andra för osund och sjukdomsalstrande. Alla samhällets pigor travade nu över järnvägen till järnvägsarbetare Dahlgrens tomt invid torget och fick sitt vatten ur hans brunn. Han ägde traktens enda bykstuga för Slaskgravens vatten flöt genom hans tomt och han upplät den mot avgift. Men nyckfull och självhärlig kunde han avstänga vilket hushåll som helst.

Nämnd och styrelse gick nu över till södra sidan och fann ingen anmärkning hos Dahlgren. Hans brunn var rensad, täckt och låst, hans sopkärl tömda. Man gick vidare, spetade över dikena på tunna spänger och mötte den yngre Abraham Krona som körde bort latrintunnor i sista minuten före inspektionen. Vaccinatören protokollförde ett förslag att körningarna endast fick ske nattetid och Krona skyldrade med piskan. Han satt hög och orörlig på lasset och liknade mycket fadern som en gång fått dessa osande transporter på entreprenad. Men hans tveskägg var fortfarande ungdomligt rött.

En svans av ungar följde inspektionen på allt närmare håll bland svinhus, soplårar och avträden. De jublade när råttor med röda fötter skrämda for ut ur sina gömställen och de satt på ett uthustak och följde spänt utvecklingen när baron Fogel petade med käppen i en dynghög efter en upphöjning som han trodde var mäsk som satts till jäsning men endast fann en självdöd gris. Med näsdukar för munnen drog troppen vidare.

Många arbetare hade slutat tidigt eller firade. Gårdarnas tunna grus var krattat och de grå träbroarna lövade. Den söta lukten av förruttnelse blandades med doft av beskt björklöv och av utblommad syrén. Enradiga dragspel hade börjat tona och det luktade brännvin och såptvättade halsar om man steg så nära som grosshandlare Lindh gjorde när han inspekterade. I sopgrop efter sopgrop fann han outtröttlig de märkligaste ting att förhöra sig om. Cederfalk var halvdöd av leda och släpade sig av ren viljekraft från gård till gård och bakom dem växte svansen. Halvvuxna arbetare sällade sig till ungarna, ett dragspel gnällde försåtligt kommenterande. När inspektionen hade lämnat öltappare Svenssons gård med den förfärliga sopgropen i sluttningen ner mot mejeristens kom knekten Lans fram ur öltapparns källarnergång varifrån han gjort observationer. Knekten var dragen och på ett överdådigt gott humör för han skulle på kalas till sadelmakare Löfgren i Åsen och hade redan börjat fira. Nu stegade han på samma sätt som Cederfalk gjort och det var förunderligt hur han lyckades få sin lilla kropp att likna stationsinspektorens. Han spretade med benen och fick dem att se längre ut, han fick en förnäm böjning på ryggen och han blickade med halvslutna ögon. Efter honom kom hopen av ungar, arbetskarlar och dragspelare förväntansfullt hojtande. Knekten la händerna på ryggen när han böjde sig över sopgropen som öltappare

Svenssons försökt täcka över med bräder på morgonen.

— Jaha, vad hava vi här? sa han och lyfte på en bräda. Ock ock ock. Det sir mörkt ut som gubben sa när han titta gumman sin i ändan.

Cederfalk såg uppträdet på håll och insåg att det började bli spektakel av inspektionen och skickade fältskärn med bud till konstapel Roos att han skulle hålla mängden på avstånd. Därför visste inte folket vad som skedde när inspektionen steg fram till det hus där änkan efter skräddaren Korta Ben bodde. Hon hade ingen latrintömning men var i gengäld känd för sina saftiga trädgårdsland. Hennes hus och uthus låg i fyrkant och ingångarna spärrades av öppna diken. Tidigt om morgonen hade änkan dragit in spängerna och nu stod hon och neg på insidan. Baron Fogel irrade på egen hand mellan uthusen för att hitta en ingång och han prövade kanten av ett jäsande dike med spetsen av sin chevreauxsko. Då dök änkan opp hos honom och neg lika vackert men åskådarna som hölls i schack av Roos kunde inte höra vad som sas.

Mellan prevetet och vedboden tornade en sophög opp sig och skar av tillfarten. Den långe Cederfalk syntes sträcka på halsen för att kika över den. Barnen som låg på de tjärknottriga uthustaken och spejade meddelade att det enda han fick se var änkan Korta Ben som stod nigande innanför sophögen och tilltalade honom i största ödmjukhet.

När inspektionen hade ledsnat på att glutta in i änkans frodiga trädgård och trampa ner sig vid dikeskanterna gav den sig iväg och folket kom springande för att höra med henne vad som försiggått.

— Vad sa di? frågade man änkan. Vad sa di, moster?

— Di fråga: hur ska en komma in här då?

— Och vad svara moster?

— Det blir te å gå runterikring då, svara jag.

Och änkan Korta Ben neg fortfarande när hon upprepade vad hon sagt till herrarna.

— Det var bra svarat, moster! jublade folk. Vad sa di då?

— Det vet jag inte för jag vart så altererader.

Men det blev överallt snabbt känt hur bra hon hade svarat och på mindre än en timma hade spänger och plankbitar dragits in, bråte tornat opp sig i portgångarna och höga soplårar stod fastkilade mellan uthusväggarna. Grosshandlare Lindh var röd i nacken och Cederfalk röt som han annars bara gjorde inom spårområdet. Men överallt fick de besked av undergivna inbyggare som skickades fram mot dem att det kanske vore bäst att gå runterikring.

Sara Sabina Lans fick vänta halva dan på sina ungar som skulle komma med prostens stärksaker. Hade de haft något förstånd att tala om skulle hon ha gått i förväg till Vallmsta och litat på att de kommit efter med korgen. Hon hade velat ha blötläggningen undangjord före kvällen så att hon skulle hinna komma iväg till Åsen med ungarna och få någon del av kalasmaten hos Löfgren. Hon tvättade åt prosten för femtio öre om dan och husmamsellen ville inte gärna låtsas om de kvällstimmar blötläggningen tog. Men Sara Sabina var inte den som drog sig för att påminna.

När Tora och Rickard kom var hon arg och de försökte blidka henne med att berätta om vad de sett i samhället. De talade om hur änkan Korta Ben hade svarat överheten och om all den bråte som plötsligt växt opp mellan husen och hindrat framkomsten.

— Så di gick runterikring skammen då, sa Sara Sabina.

Tora blev tyst en stund.

— Det roliga är te för att en inte ska märka skammen, sa mormodern men Tora förstod henne inte.

— Vad är det för en skam di har därinne då? frågade hon till slut.

— Det kan du fråga.

Mormodern vände ryggen till.

— Den fattige han har skam.

— Varför har han det? frågade Tora.

— För att skammen döljer nöden.

— Ja, det är ju för väl, sa Tora gammalförståndigt fast hon inte begrep.

Mormodern hade satt en panna i trefoten och kokade gröt åt dem innan hon gick.

— Men nöden, sa hon, han döljer ingenting. Han säger som det är.

Tora förstod inte dessa ord heller. Hon måste tänka efter. Skammen var kanske samma en som hon hört talas om förut. Skam träffar en på överallt. Han är som hästlort på vägarna. Ibland sa de Gamle Skam. Hon såg en kutig halvherre i rundkullig hatt som snek om ett hörn.

Men först kom det roliga och det visste en ju vad det var. Det var när knekten dansade med gubbarna och ville ha mor att sjunga och göra takten med tungan smällande mot gommen. Men ville hon inte göra ljud då slog han henne över mun. Hon satte sig bredbent och gjorde som han sa och då dansade gubbarna knäande och slog ihop händerna framför sig. Ja, nu börjar det roliga sa gubben när han spöa kärringen!

Nöden måste vara barnet i trälådan som hon sett tillsammans med mormodern en gång, ett barn som inte tittade. Lådan stod på bockar och inuti hade de bäddat med hyvelspån och lagt på tyll med silverstjärnor. Förklaringen hade hon fått av en grannkvinna som stod vid dörren.

— Det är nöden, sa hon.

Ja, nöden var ett istervitt barnlik med blåa skuggor runt mun. Hon skulle berätta för Rickard när de gått och lagt sig. Men när hon själv skulle sova blev det en dans av orden. Först kom den dammgråe halvherrn struttande och vek kring hörnen och sen kom det vita barnet som inte tittade. Sen kom det roliga det var den dansande gubben som slog gumman tills hon sjöng.

Dagen hade klarnat mot middag, de oroliga molnen drev bort över sankmarkerna och det såg ut att bli en kylig men ganska vacker midsommarafton. Valentin och Ebon hade sålt varenda exemplar av Folkviljan ur drögen för andra gången och satt nu bakom syrénhäcken vid Klot-Kalles källare och drack öl som de köpt ut för förtjänsten. Att gå till agitatorn och redovisa en gång till var ju inte görligt. Valentin hade ingen moral och Ebon fann det efter något funderande förenligt med sin att behålla pengarna. Han visste att det fanns en hake någonstans men hans huvud var yrt av det ljumma ölet och han kom inte på vad det var.

De hade sålt ett exemplar till folkskollärare Norrelius som hade förvånat dem med att komma ut från järnvägshotellet. Han hade läst i Fäderneslandet om den berömda Folkviljan som omfattades av en skräddare och två skomakare i landet och sa sig vara nyfiken på den. När de senare på eftermiddagen gick förbi skolhuset med en säck öl som de bar försiktigt för att den inte skulle skramla satt han och spisade middag på skolhusets veranda med Folkviljan uppslagen framför sig. Han vinkade dem till sig och Valentin lät försiktigt säcken glida ner i diket.

— Var håller agitatorn sitt möte? frågade Norrelius.

— Han sulle ha hållit det ve Gillets lada men där vart han bortkörd av Magnusson själver när han fick se affischen, berättade Ebon morskt fast han talade till en skollärare. Sen fick han lov te å vara hos arrendatorn på Kvistertorp men så sulle greven få främmat och di åkte förbi Kvistertorp när di kom från station och fick se affischen. Då vart han bortkörder därifrån också.

Norrelius satt länge tyst och stirrade ner i sin tallrik där Ebon såg att det låg potatisskal och sillben. Han fann det underligt att skolläraren inte åt annan mat än han själv skulle få när han kom hem och han vågade lyfta blicken från sillbenen och granska Norrelius ansikte för första gången. Skolläraren var en blek man med regelbundna drag och en mjuk mörkbrun mustasch.

— Var är agitatorn, vet ni det? frågade han.

— Hos smen Erikssons änka och spisar midda!

Han befallde dem att hämta honom.

— Jag är arbetarvän, hälsade skolläraren och tryckte kraftigt agitatorns hand. Men jag vill på en gång säga er att jag inte omfattar era åsikter. Oblygt uppträdande och obilliga krav gagnar inte arbetarens sak! Jag vill säga er att de upplopp ni kallar strejker, fortfor han men blev tvärt avbruten i sitt anförande av agitatorn som var huvudet kortare än han:

— Ni må ha vilka åsikter ni vill, herre. Men pågarna sa mig att ni hade en plats för mötet? Är det riktigt?

— Ja och nej, svarade Norrelius kraftfullt.

Det dröjde ganska länge innan den lille agitatorn förstod att priset för en mötesplats i skollärarbostadens trädgård var en disputation med Norrelius. Ebon och Valentin kröp ner bakom tattarhattar och åbrodd i fru Norrelius rabatt och lyddes till meningsutbytet. Nog var Norrelius sig lik från municipalstämmans möten, skarp och logisk och skorrande. Men den lille var en etterbigg, han gav sig inte. Han tog flera gånger loven av Norrelius och körde sitt borstiga hakskägg rakt fram i ansiktet på honom och hackade kraftigt med käppens doppsko i verandagolvet. Orden förstod inte Ebon, inte förrän agitatorn började berätta att han om förmiddagen när han sökte efter mötesplats hade företagit en promenad och kommit ända ut till Vallmaren. Där hade han funnit fyrtiofem man stående på en lång rad efter sjöstranden sysselsatta med att skräda sparr. Den skulle gå på export till England och agitatorn hade erfarit att det var så bråttom med den order som låg inne att man antagligen måste ta hela midsommarafton till hjälp för att hinna.

— En grosshandlare som heter Lindh hade bådat opp allt som fanns av torpare och dagkarlar i trakten, sa agitatorn, och där gick hans förman och hetsade männen att tävla med varandra. Är det vad ni kallar fri tävlan, skollärare?

— På den punkten ger jag mig inte, svarade Norrelius. En fri tävlan mellan människor stärker karaktären och gagnar såväl det enskilda som det allmänna i längden. Ta bort den tävlingslust som sporrar mannen till krafttag och ni tar bort själva grunden för samhällsbyggandet!

— Men svara mig: vem vinner denna tävlan när dagkarlen Andersson och torparen Johansson har skrätt sparr i tolv timmar och försökt visa varandra vem som är den störste kraftkarlen? Andesson får oförändrat en och femtio i daglön men förmannen bedömer att Johansson tagit i kraftigare och ger honom en och sjuttiofem. Men vem vinner egentligen denna ädla tävlan mellan fria män?

Nu teg Norrelius en stund och då hände det något märkligt med Ebon. Han tyckte att han kände en stark drift att svara när agitatorn frågade, så stark och trängande att han glömde all rädsla och halvt om halvt reste sig bakom tattarhattarna. Han tyckte också att han visste svaret, att det låg som ett ägg i hans mun. Men själva ordet kunde han inte säga.

Hans far skrädde sparr vid Vallmaren denna midsommarafton. Nu mindes han att det varit likadant på pingstafton. Även då hade en båt legat inne i Göteborgs hamn och väntat på att den sista delen av lasten skulle komma med järnvägsvagnarna. Den gången hade grosshandlare Lindh själv varit ute och förklarat brådskan för karlarna. Detta visste inte agitatorn om. Ändå sa han:

— Vad kan det komma sig att brådskan blir så stor just på en helgdagsafton?

Nu kände Ebon samma starka drift att svara och det var egentligen underligt när han befann sig inom hörhåll för en skollärare. Han stod opp på knä och hans mun med de tjocka läpparna började tyst forma ord. Agitatorn fick ögonen på honom och uppmanade honom att tala. Då sa Ebon:

— Det beror på att det är helgda dan etter.

— Varav följer? sa agitatorn och pekade på honom med ett tunt finger. Norrelius stirrade på Ebon som höjt sig ur rabatten lik ett fult och köttigt rabarberskott bland blommorna.

— Att di får vila, sa han. Utan att det går bort näge arbete.

Nu stöp Valentin bredvid honom i gräset och fnissade våldsamt åt att Ebon vågat klyva näbb och därtill så allvarsamt. Men Ebon hörde honom inte längre. Det var honom alldeles likgiltigt vad Valentin tänkte.

På pingstafton hade de väntat till fram emot nio på fadern. Han och Lina hade stått i fönstret och sett honom komma nere i hagen när det började skymma. Men han gick underligt.

— Spring och si etter vad det är, sa modern.

Han hittade honom på den lilla stenknäppan där det brukade växa kattfot om sommaren. Han hade sjunkit ner på den flata hällen och vilade på armbågen. Det högg av rädsla i Ebon när han sprang emot honom i skumrasket men när han kom nära såg han att fadern skrattade fast hans ansikte var grått i skymningen.

— Det är bara bena som inte bär, sa han. Det var helvitte vad det sökte mig i alla fall.

Men värst hade han varit.

— Ja, var lugn för det, hade gubben sagt och så hade han skrattat och spottat en lång ljusbrun stråle i riktning mot stugan Nasareth dit han längtade men inte kunde nå förrän han fått benen att bära igen.

— Jag delar inte era åsikter, sa Norrelius och reste sig och räckte agitatorn handen till tecken på att disputationen var slut. Men i det fria meningsutbytets namn inbjuder jag er att hålla ert möte i skolans trädgård.

— Edvard! sa fru Norrelius som längre kretsat oroligt runt dem. Han tycktes inte höra henne.

— Edvard! Edvard!

Men agitatorn och skolläraren hade nu så kraftigt och länge skakat hand att hon förstod att det inte fanns något att göra åt mannens beslut och hon gick in och drog halvsnyftande igen dörren efter sig.

— Men nu ska vi pröva taktik, sa Norrelius och höjde pekfingret åt agitatorn och det förekom Ebon mitt i hans stora allvar att de hade viftat ganska mycket med pekfingrarna åt varandra denna eftermiddag.

— Inte ett ord om mötet förrän efter klockan fyra! Men då sätter ni på nytt opp affischerna och de här raska gossarna hjälper er att sprida nyheten. Klockan fyra börjar en middag ute på Gertrudsborg som grosshandlare Lindh håller för municipalstyrelsen och delar av hälsovårdsnämnden, det har jag mig bekant. Efter fyra är det fritt fram!

Ebon gick sakta mot Nasareth för att se om han kunde få någon middag så sent. Men egentligen var han inte hungrig. För första gången i sitt liv tyckte han att han såg sig själv. Han såg en ganska trasig slarv i svart kavaj med ljusa ränder och korta blanknötta ärmar. Han såg den våmliga mössan med skärm så tydligt att han måste ta i den oppe på huvudet. Det var märkvärdigt! En alltigenom underlig morgon hade det varit. Han brukade vanligtvis inte ägna många tankar åt vad som hade skett, men nu kunde han se sig själv traska i dusket av kyliga morgnar långt långt tillbaka i tiden. Han kunde se sig. Det var så märkvärdigt: han hade blivit sedd och namngiven. Återigen måste han ta på mössan och for sen med handen över sitt ansikte som om han kände det för första gången.

När han kom hem hade modern satt rönn i en bunke på köksbordet. Det doftade kärvt ur kvistarnas brott. Den minsta flickan hade tagit hem dem, hon var så liten att hon inte kände skillnad på rönn och björk sa modern och skrattade. Han blev osäker på om han sett henne skratta förr. Hon var så noga med att nypa ihop läpparna över sina trasiga framtänder. Han kunde inte heller minnas att han någonsin känt en lukt så tydligt som denna beska doft av rönn.

Nu frågade hon vad han haft för sig. Han visste inte vad han skulle svara. Det var alltför mycket, det kunde inte berättas. Plötsligt tog han vedkorgen och sprang ut med den. Sen satt han på huggkubben och kände försiktigt på sitt ansikte. Kinderna var våta av tårar utan att han märkt hur de kommit dit. Det var som att ha fått ett sår i sömnen och vakna blödande och ovetande.

På planen framför Gertrudsborgs mangårdsbyggnad kom kokerskan ut och gick så häftigt mot grinden att gruset sprutade om hennes svarta finskor. Efter henne kom en köksa med gråtsvullet ansikte och bar två kappsäckar.

— Ställ tillbaka dom! ropade kokerskan och slog ut med armarna åt flickan. Både dom och kofferten får skickas efter mig. Låt henne gå igenom dom! Jag vet vad jag kan bli beskylld för!

Hon lämnade grinden öppen och började gå mot samhället i björkallén. Kommen knappt halvvägs fick hon skjuts av en arrendator och undgick på det viset att möta grosshandlarn som var på hemväg. När han kom in i sitt hus satt köksan och bölade vid foten av trappan i hallen och från övre våningen hörde han de välkända korta och andfådda skriken som inledde hustruns hysteriska anfall. Husan sprang förbi honom på väg opp med glas och flaska på en bricka.

— Var är Lilibeth? frågade han.

— I trädgården med miss Preston, sa husan andtrutet och försvann i trappkröken. Brickan klirrade och skriken steg däroppe. Efter en stund lugnade de ner sig, tonade ut och kvävdes av snyftningar och småjämmer. Sen blev det plötsligt alldeles tyst. Alexander Lindh stod kvar och väntade orörlig. I tystnaden började kanariefågeln sjunga från övre hallen.

Han gick inte opp för trappan utan satte sig i matsalen och läste sin tidning. Först när allt verkade lugnt igen tog han in husan till sig och fick veta att kokerskan gått ifrån oxsvanssoppan osilad och lämnat en fjällad gös på köksbänken som ingen människa visste vad man skulle göra med.

Grosshandlarn var inte ovan vid husliga katastrofer. Men hans middagsgäster skulle anlända om två timmar. Han skickade bud till samhället och restauratrisen, mamsell Winlöf. Fortfarande gick han inte opp för trappan. Lilibeth som nu var nio år kom in med sin engelska bonne och fadern förklarade för henne att modern blivit opasslig. Hon tog emot beskedet utan att ändra en min i sitt långsmala ansikte.

Han väntade tills mamsell Winlöf anlänt i en vagn med sina flickor och sina korgar. Då gick han opp för trappan och in i hustruns sovrum där gardinerna var nerdragna och en blå halvskymning rådde. Han såg henne inte. Han såg bara en obestämd anhopning av tyg och kuddar längst opp i den stora imperialsängen.

— Alexander, viskade hon och han hörde att hon redan sluddrade. Jag är förtvivlad! Alltsammans är mitt fel!

Han teg.

— Är du ond? Ja, det är klart att du är ond! Nu har jag förstört din middag. Har du skickat återbud?

— Nej.

— Men köksan klarar inte av maten, Alexander!

— Järnvägsrestauranten kommer hit.

Det blev tyst. Sen kände han, fast han stod invid dörren och hade åtminstone tre meter fram till henne, att hennes osynliga kropp styvnade i halvmörkret, anade hur ryggen spändes tills den stod i en båge, hur hon andades kortare och längre och längre opp mot halsen.

— Tyst!

— Järnvägsrestauranten! Du menar — den där kvinnan. Du kan inte! Inte här i vårt hus!

Han tog ett steg åt sidan och fattade tag i gardinsnöret. När gardinen som var hårt spänd for opp med ett ljud som en kraftig örfil tystnade hon tvärt. Sen satt hon och stirrade på honom med gråblekt ansikte och hängande svart hår som hon försökte peta under mössan. Han visste att skriket lurade som ett litet djur i hennes halsgrop. På nattygsbordet stod portvinsflaskan och glaset. Där stod också medicinflaskan från doktor Didriksson men den hade hon inte rört.

— Du får opp en flaska portvin till. Sen är du tyst. Hela kvällen. Jag vill inte höra ett ljud häruppifrån.

Hon kröp ner under täcket och sjalarna som låg bredda över sängen. Han gick fram och försökte finna henne, letade efter hennes tunna hand bland täcke och yllesjalar. När han hittade den var den slapp och kall. Han försökte gnida fram lite värme i den. Så vek han undan lakanet och hittade hennes öra, petade bort de stela blanka hårslingorna. Han sa lågt rakt in i örat:

— Du vet att du måste vara tyst. Jag kommer att skicka bort dig, Caroline. Var tyst så går det bra.

Han la tillbaka lakanet och vek täcket över den kalla handen som hon knöt så hårt att knogarna blev rödstrimmiga och vita.

Mamsell Winlöf lät sila soppan och redde själv av den. Hon hade ställt gösen i ugnen, beströdd med skorpsmulor och begjuten med smör och hon spädde vid sidan om den med grädde och lät köksan bryna knubbiga champinjoner att omgärda den med. Från järnvägsrestauranten hade hon med sig kall uppskuren kalkon i gelé och de sallater som hörde till. Det fattades henne bara en passande grönrätt. Husan dukade och fick hjälp av en restaurantpiga att breda ut dukarna. Engelskan skrev placeringskorten med en fruktansvärd stavning. Ute på köksverandan satt en annan piga från restauranten och drog glacemaskinen. Det knastrade av salt och is på golvet.

När gösen var fint brynt och hans ryggfena spröd tog Alma Winlöf av sig förkläde och ärmskydd och överlät serveringen åt husan och en av krogpigorna. Hon hittade en spegel i serveringsgången där hon kunde kamma sitt mörka hår och försiktigt lägga lite rispuder på spisrosorna. Under middagen stod hon vid buffén i matsalen och övervakade serveringen. Friherre Cederfalk och baron Fogel hälsade på henne genom att ta i hand. Doktor Didriksson tog efter men byggmästare Magnusson endast grymtade åt henne. Det tycktes henne likgiltigt vilket. Hon hälsade på samma avmätt vänliga sätt på honom och hennes uppmärksamhet på flickorna som bar in soppan slappnade inte ett ögonblick. Ingen av fruarna hälsade på mamsell Winlöf annat än genom att anlägga samma min av allmän välvilja som kvinnor brukar ha då det finns barn eller djur i rummet.

Lindh talade redan till soppan och hälsade dem välkomna. Han påminde dem om deras värv på förmiddagen men gjorde det på ett sätt så att det i efterhand föreföll både luktfritt och upphöjt. Vidare önskade han att samhället finge förkovra sig i endräkt och ro. Han ville att de med gemensamma krafter skulle undvika den fruktansvärda kamp som kringflackande uppviglare ville störta klasserna i och härvid skällde byggmästare Magnusson hest som en råbock till tecken på att han understödde talaren. Lindh framhöll det orätta och gagnlösa i att den ena samhällsklassen bekämpade den andra och slutade med att mana fram det framtida samhället: där var och en arbetade efter sin förmåga och inom sitt område till det allmännas gagn. Herrarna sträckte sina glas mot mitten av bordet där mamsell Winlöf ställt den flaggkrönta krokanen som skulle brytas till glassen.

Hon gjorde i ordning en bricka där det fanns en nätt portion upplagd av allting, till och med ett coupeglas med glass ställt i en ytterskål med krossad is. Husan skickades opp i övre våningen med den och kom ner igen och sa att frun behållit den.

Fruarna frågade efter Caroline. En efter en la de huvudet på sned och frågade grosshandlarn med låg förtrolig röst hur hans stackars hustru mådde. Hennes åkomma kallades offentligt för en svår migrän men det var lika offentligt känt att hon smuttade.

Middagen måste komprimeras för stationsinspektoren skulle senast klockan sju öppna midsommardansen på stationsplan och de skulle alla ge sig av dit. Cederfalk fick därför fruktansvärt bråttom när han vid glassen och ruinerna av krokanen skulle hålla sitt tacktal.

— Väl skugga icke traditionens månghundraåriga ekar våra gator och torg, började han. Men näringsflitens och samhällsbyggandets späda lindar äro planterade i fädrens jord och de stå nu i grönskan av sin första kraft! Postmästarinnan Lagerlöf som började bli en gammal dam men som hade kvar sin ironiska ådra lyckades med en enda blick på den korte och satte men kraftfulle Lindh få byggmästare Magnusson att tro att Cederfalks anspelning var ett skämt i den högre stilen och lurade honom att frusta och ropa bravo.

Invid buffén stod mamsell Winlöf orörlig och lyssnade, det var bara hennes bruna ögon som rörde sig från den ene till den andre. När de brutit opp från bordet stod hon kvar en stund och tittade på de skrynkliga servietterna och den smuliga duken. Husan kom ner från övervåningen med brickan men Caroline Lindh hade inte rört den, bara behållit den hos sig i nästan två timmar. Hon hade suttit upprätt i sängen och stirrat på soppan som långsamt fick ett glansigt skinn. Hon såg glassen smälta till sås och grädden torka in över fiskbitarna. Då och då tog hon en klunk av det söta portvinet. Till slut ringde hon på husan.

— Ta ner maten till mamsell Winlöf, sa hon och sköt ifrån sig brickan. Husan trodde i förstone att hon gjort någonting med maten och tittade med stelt ansikte efter något vämjeligt på tallrikarna. Caroline hade dragit opp överläppen så att framtänderna syntes, spetsiga och svagt välvda som på en gnagare.

Gästgivar Isaksson satt och söp, håglöst. Han var varken hickmanit eller malinit längre, ja uppriktigt och ärligt talat så gav han fan i om godtemplarna hade negrer i logerna eller inte. "Glädjekällan" hade midsommarmöte någonstans, förmodligen hos Petrus Wilhelmsson. Han var inte med längre. "Rena källan" firade också midsommar. En gång före splittringen hade Isaksson inträtt i "Källan" som varit den ursprungliga logen och han hade tänkt ta det måttligt med både sprit och nykterhet, allt för den förbannade politikens skull. Han hade hållit sig till den nye skolläraren Norrelius som åtog sig att lansera honom som kandidat till ordförandeposten i municipalstyret. Men allt hade gått åt helvete, hela den isakssonska falangen hade stupat i valet och gästgivarn själv skyllde på skollärarens småländska, ett läte som ingen ärlig sörmlänning tålde.

Han mindes skollärare Malm från Backe. En redlig man som lärt att jorden tre gånger varit översvämmad. Varför hade de inte haft så mycket förstånd att de tagit honom som greven föreslagit? Och till allt helvete denna förödmjukelse när den grevliga röstningen av nåd inställdes för att de skulle få som de ville! De kunde lika gärna ha fått in en säck huggormar i skolhuset.

Isakssons samröre med bönderna hade dessutom legat honom i fatet. De stövlade ut och in i gästgivargården och besökte aldrig järnvägsrestauranten. Men i samhället hade det kommit en generation som inte ville låta sig styras av sockenbönderna och deras representant. Isaksson åkte på aschlet som Magnusson så riktigt hade sagt.

Allt hade blivit så fint. Lokförarfruar gick i hatt och hälsade nådigt på eldarfruar tvärsöver farstun men umgicks inte. Karlarna satt på järnvägsrestauranten och läppjade söta drycker. Man önskade sig musikpaviljong och rökrum. Men i gästgiveriet osade det fortfarande bonde som de hade gjort i tjugo år. Kunderna i affären gick över till hökare Levander och handlare Plantin. Isaksson var inte knäckt men han var passerad. Han skulle tillbringa sin midsommarafton supande med bönder.

På vindsrummet var Valfrid färdig och vred sig framför spegelbiten under tsar Nikolaus. Han tog klockan från spiken och fäste kedjan i ett västknapphål. Lösbladet ville bukta sig så han måste anlägga en värdigt framåtlutad hållning för att hålla det slätt. Visslande spatserade han nedför vindstrappan men gick tyst förbi köksdörren för att inte väcka opp gästgivarfruns instinkter att begära tjänster av honom.

Det regnade ute. Majstången på stationsplanen låg forfarande på sina bockar och flaggan slokade blött. Han hade ingenting uppgjort och funderade på att gå över spåren och titta vad man hade för sig på andra sidan. Men mitt i spårområdet mötte han brodern Ebon och Valentin den harmynte.

— Nu ska tjyvgubbarna som styr det här samhället få sig en omgång oppe vid skolan, sa Valentin. Kom med och hör på.

— Jag tänkte gå på dansen, sa Valfrid.

— Där blir det bara kärringar. Kom med opp till skolan.

När de gick den långa backen opp till skolhuset slöt sig Valentins syster Frida till dem. Hon var ungefär så gammal som Valfrid. Hon hade hatt. Den var lackerad blank och svart och genomkorsad av två stora nålar. Eftersom hon var syster till den obotligt snörvlande Valentin ville han helst inte bry sig om henne. Men hon var också Banvalls-Britas dotter och det skrämde honom lite. Hon hade lika genomskinligt blek hy som modern och snabba hungriga ögon.

— Det var värst vad folk det ser ut te å bli, sa han rätt ut i luften.

Varken Ebon eller Valentin svarade förstås på så galant tilltal.

— Nog är det allraminst trehundra stycken, sa Frida.

— Inte trodde jag att socialismen var en sån begivenhet, sa Valfrid med en trött suck.

Att få dragspelare till festen på stationsplan hade varit lätt. Men Cederfalk ville ha fiolspelman. Han hade skickat bud till Lasse i Vanstorp men han ville inte.

— Ska nån spela så är det Spel-Ulla, sa han. Det jag kan, det har jag lärt mig å henne.

Han skickade Spel-Ulla när det var så dags och Cederfalk var inte glad åt bytet. Hon var en fet femtio års kvinna med tjocka stabbiga ben och hon satte opp ett outgrundligt slött ansikte mot de festkommitterade.

— Ja herre gud, människa, sa Cederfalk, det är inte mycket att göra. Men kan ni spela?

— En får fälle försöka, sa Ulla.

Det lät inte alltför illa när hon började. Men värre var hur hon såg ut. Festkommittens damer tittade på hennes kjol som gick i ett med livstycket och drogs opp av hennes kullriga rygg och stora bröst så att resultatet blev att benen syntes opp på halva vaden. Hon hade en stor fiol och den höll hon mellan knäna som en cello.

Tyvärr regnade det nästan utan uppehåll. I början försökte man vara ute en stund men sen måste man fly in i väntsalen som för säkerhets skull hade lövats. Korgar med förtäring hade kommit från fideikommisset som vanligt och husmamsellen överlämnade dem till Cederfalk som utbringade ett leve för greveparet. Sen spelade Spel-Ulla till Lekstugans uppvisning och det gjorde hon nätt och trevligt tyckte telegrafkommissariens hustru. Mamsell Winlöf hade lånat ut två palmer i kruka och dessa hade anbragts framför Ullas plats och dolde henne till hälften.

Lekstugan bestod av ungdomar i sockendräkter. Baron Fogels brorssöner från Lilla Himmelsö hade lappdräkter av mjukt ylle och rökpipa mellan tänderna, otända förstås. En av dem dansade med Lilibeth Lindh i Leksandsdräkt. Hon hade sämskskinnsjacka av gul sammet och fårskinnskanten var av fjunigt svandun. I toppen på den långa mössan vippade silkesbollar.

Efter Lekstugan dansade två pojkar från Ängeby Oxdansen. Men det kom genast ett skorrande läte i fiolen tyckte postmästarinnan och inte heller var det riktigt trevligt med de hårda stampningarna och de nästan väl illusoriska örfilarna som de två rivalerna gav varandra.

— Det blir så lätt överdrifter, förklarade Cederfalk. Men det är hyggliga pojkar.

En ton av råhet hade dock smugit sig in, inte minst i fiolspelet. När den allmänna dansen började hade Cederfalk velat ha en vals att öppna med men det blev en polska. Han fick nej från sin dam, i den underliga sugande rytmen kunde hon inte dansa. Han bjöd då opp husmamsellen från fideikommisset.

Spel-Ulla spelade med halvöppen mun, framåtlutad med fiolen mellan knäna. Det var inte längre så många som dansade för takten hade blivit vildare. Par efter par gick och satte sig eller ställde sig vid serveringsbordet och drack lemonad. Men i väntsalens mitt dansade stationsinspektoren runt med den lilla husmamsellen som nu var alldeles gråvit om läpparna. Hon bad honom om förlåtelse — men nu orkade hon inte längre! Kunde de inte gå och sätta sig?

De var ensamma. Han struttade ut mot salens kanter och måste för varje sväng nästan lyfta sin dam. De sparkade till en spottkopp av emaljerad bleckplåt som slamrande for utåt golvet och nästan överröstade fiolen. Det tycktes ge Spel-Ulla anledning att ta i på nytt med ännu gällare ton.

— Kom och sitt här, kära vänner! ropade postmästarinnan. Vila er en stund! Jag slår opp lite lemonad åt fröken Nebelius.

Men han hörde henne inte. Stötigt for han runt med husmamsellen. Hon såg på honom med stela runda ögon.

— Sluta! ropade hon åt fiolspelerskan. Jag orkar inte!

Men Spel-Ulla satt med nerböjt huvud och hon tittade bara opp under ögonbrynen som var buskiga som på en karl. Hon spelade vilt och fult. De gälla uppstråken sved som piskslängar. Cederfalk tittade inte på henne, han for runt med allt stelare ben och hans läppar var vita. Gång efter annan sparkade han till spottkoppen och det var till slut som om det skramlande kärlet hade dansat med dem in i väntsalens alla illaluktande hörn.

Plötsligt, som om hon ledsnat på en tråkig syssla som hennes händer men inte hennes själ utfört, tog Spel-Ulla ner stråken och reste sig. Cederfalk slutade tvärt att dansa och husmamsellen som blev utan stöd vacklade och gick baklänges rakt i armarna på postmästarinnan.

Cederfalk tog opp sin näsduk och höll den ett ögonblick tryckt mot munnen. Sen gick han utan att tala med någon ut genom dörren åt spårsidan. Spel-Ulla tog sin fiol och försvann genom dörren åt stationsplanen. Hon gick utan brådska i regnet.

Det skvalade ner och när festdeltagarna i väntsalen tittade ut såg de en liten mager och tarvlig person utan paraply som strävade framåt på den uppblötta planen i spetsen för en tropp människor som alla höll tidningar och utbredda sjalar över huvudena. Två eller trehundra människor hade hört agitatorn tala oppe vid skolan och många följde nu med till station för att få dansa i väntsalen. Agitatorn skulle fara med sista kvällståget. Grosshandlare Lindh hade låtit skicka efter en dragspelare och festen började komma igång igen fast den fått en annan karaktär och honoratiores beredde sig att gå hem. Cederfalk hade vilat sig en stund inne på sitt tjänsterum och kom tillbaka i samma stund som agitatorn och hans sällskap ville stiga in i väntsalen.

— Här är en privat fest för samhällets innevånare, sa Lindh som mötte i dörröppningen. Ni får vänta utanför.

— Jag har aldrig hört talas om att väntsalen på en järnvägsstation är en privatlokal, sa agitatorn som var precis lika lång som Lindh.

— Då hör ni det nu!

Cederfalk stod framför honom och syntes väl återhämtad.

— Då mina vänner, sa agitatorn och svepte runt med armarna så att han kom att innefatta inte bara sin egen regnblöta skara utan också dem som stod längs väggarna i den lövade väntsalen, då låter vi dem som anse en statlig järnvägsstation för en lokal lämplig för de högre klassernas sällskapsspektakel och välgörenhet stanna härinne och vi andra inväntar under fri himmel tågets ankomst!

Det blev rörelse när troppen marscherade genom väntsalen och Alexander Lindh trodde ett ögonblick att den skulle tömmas på folk och att bara han och hans middagsgäster skulle bli kvar. Men så illa var det inte. Den halte agitatorn lyckades bara få med sig ett tiotal av de dansande och Cederfalk gav tecken till dragspelaren att han skulle fortsätta. Men så fort han gjorde paus hörde de regnet smattra på taket och utifrån perrongen kom sången som den lille agitatorn anförde i ösregnet.

— Vad är det man sjunger? frågade postmästarinnan.

— Det vet jag verkligen inte, sa Cederfalk.

— Men jag vet! sa baron Fogel glädjestrålande. Arbetets söner! Det är en sång av en korkskärare Menander.

Iskall och våt och med uppblött lösblad sjöng Valfrid ute på perrongen. Han kramade Fridas hand och sjöng så att han ibland hörde sin egen röst högt över de andras och såg Valentin stöta Ebon i sidan och göra sig rolig över honom. Men vad brydde han sig om det! Stod här inte en som hade blivit översköljd av spott och spe ända sen han började agitera och hade det gett honom annat än mera resning? Valfrid hade aldrig sett, aldrig hört någonting så urstyvt som denne agitator. Och det tycktes honom som om kroppens litenhet och hältan nästan vore förutsättningarna för att denna själens storhet skulle komma fram. O, den som vore halt ändå! ropade Valfrid i sitt hjärta och sjöng så att det slog lock för hans egna öron.

Efter anförandet hade han rusat fram och tryckt agitatorns hand och utan att nämna någonting om sin bror Ebons nattsvarta förbrytelse med Folkviljorna hade han talat om att han ville viga sitt liv åt arbetarrörelsen och synnerligast åt socialdemokratin. Valfrid visste inte att Ebon sålt tidningarna en gång till och agitatorn visste inte att de var bröder. Men han erbjöd Valfrid att bli tidningsförsäljare och slog till så snabbt att det var omöjligt, att ändra sig. Han som varit beredd att följa honom direkt, att resa med första tåg ut i landet och tala till människomassor och bli bespottad som en hans jämlike.

Nu for agitatorn och Valfrid och Ebon stod kvar med varsin packe tidningar under armen. Det var uppgjort att en ny sändning skulle komma med järnvägen så fort det nya numret var ute. Det var alltså för sent att ändra någonting.

Men vad gjorde det! Och vad spelade det för roll att han var kall och blöt — hur skulle inte agitatorn själv känna sig? Han var här, tänkte Valfrid, och inte så mycket som ett paraply hade vi att erbjuda honom.

— Man lär inte kunna borteskamotera det faktum att vi idag ha mött en stor man, sa han och kramade Fridas hand. Hur gärna gåve han inte sina friska långa ben och sin gängliga kropp för att fyllas av storhet! Och skulle inte först en lytt och bräcklig kropp rätt kunna uttrycka en storhet som kom inifrån? O, om han vore halt ändå!

Det småregnade ännu på midsommarnattens morgon då ormbunken skulle till att blomma. Men Johannes Lans var full och trodde att han var på väg ut i krig och att han gick med dundrande stövlar.

När en konungens knekt, en soldat utav Sverige var ute och marscherade då stod solen full och rund som om hon blåste i trumpet! Landsvägsdammet stod som en krutrök om stövlarna. Inte fan regnade det!

Men Lans marscherade, tyvärr, inte allena för bakom honom kom med kängor som läckte i blötan den lebetan till kärring, Sara Sabina Lans. Hon hade aldrig hunnit komma med på sadelmakarns kalas. Hon gick fortare och fortare på sina stickor till ben och när knekten märkte vartåt det lutade tog han ut stegen.

Bara med sin gråhet, sin leda uppsyn påminde hon honom att han var ute och drömde. Nästa möte skulle han stå vid kokgropen igen i styv och nersmord läderrock i stället för uniformsjacka. Snart var han utgammal, korpral skulle han aldrig bli. Han mindes inte längre hur många gånger han blivit straffad för fylla i tjänsten. Hemma låg skam och löje i kökssoffan och höll varandra svettigt i handen. Alla visste att den ena ungen var Edlas och att den andra var hans egen på gamla dar.

Sara Sabina gick för att hämta hem honom till Äppelrik och hon var arg och trött. Knekten tog en sväng om gästgivargården där det stod ungdomar vid fållorna i hagen och väntade på att få dricka nysilad mjölk innan de gick hem efter dansen. Pigorna var redan på väg ut med spannarna.

Knekten vinkade och gol åt dem och så satte han av över stationsplanen och för att lura käringen tog han ett språng rakt opp i den största kolhögen i upplaget när han kom ut vid spåren. Han började klättra och kolet rasslade under händer och knän och han gled hela tiden ett steg tillbaka för två som han tog sig oppåt. Men till sist var han på toppen och såg ner på Sara Sabina som satt sig att vila på kolbryggan i den grå morgonen.

— Å skata ho satt på källebotak! sjöng och jublade han däroppe. Neråt bar det åt andra hållet i ett ras av kol och damm. Men nu hade en stationskarl fått syn på honom och började springa efter svärande. Knekten som nu var lätt om foten som en ung pojke lattrade med honom och sprang i öglor över spåren. Ett tidigt tåg kom in och knekten ville hinna undan men satte snarskank för sig själv. Han skrattade ännu när tåget körde över honom.

— Emelleromtid och emedan, sa knekten Lans till sin gumma för han hade sällan någon annan åhörare sen tåget klippte benen av honom och han blev sittande hemma. Emelleromtid och emedan är jag född i Stegsjö socken på Stora Kedevi säteri av okända föräldrar.

— Det vet vi, sa Sara Sabina. Men läs nu.

— Gi mig si! En syndig man som låg i syndens dvala.

Hon ville lära sig läsa, vad det nu skulle tjäna till.

— En himlaröst så hörde till sig tala: Wak upp, wak upp! hör ordet som hugsvalar. Se hvilket ljus beskiner berg och dalar!

Han läste ståtligt och helst utantill. Men gumman var otålig och sköt boken framför honom. Hennes läppar rörde sig efter hans.

Ja, nu var det slut med det roliga! Här satt han med en käring och en psalmbok! Värst var det om vintern då han inte hade så mycket att titta på. Han kände varje kvistöga i golvet. Här hade han en gång i tiden dansat med de andra gubbarna. Med Getskogen, Malstugen och Stora Smen, med Vargmosen och Löskebogubben. Då hade det sannerligen varit livat och två friska ben hade han haft.

Om sommaren kunde de åtminstone ställa opp dörren och flytta hans stol närmare så att han kunde sitta och titta efter leksnar och ekorrar. På stabben innanför dörren kunde han inte sitta, han måste ha ryggstöd för han var ju som en kruka med saltfläsk, en kropp men inga ben. Och det roliga var det slut med! Både Getskogen och Stora Smen var döda och Löskebogubben satt på fattighuset. Vargmosen fick de ingen bukt med, han satt kvar i sin stuga men for illa i ensamheten. Den enda som dök opp någongång var Malstugen, men han var inte rolig han heller, en gammal tandlös sture som satt och gnällde över ont i bena. Ont i bena!

— Ja, den som hade såna bekymmer, sa Lans och sen försökte han sjunga sin gamla knektvisa för Malstugen för att liva opp hans minne.

Å ja har lura bönner
å ja har lura präst
å flecker har ja lura
trehundrasextisex
i min ungdom!

Men den hade ingen verkan. Malstugens ögon rann och hans haka skakade.

På sätt och vis hade de ändå haft tur. Han hade fått tjugofyra kronors pension efter olyckan och fått behålla stugan och ett par skäppland kring knutarna. Äppelrik hade i varje protokoll räknats som ett bristande och ofullständigt soldattorp. Men det hade passat Lans utmärkt att hemkallet höjdes i vederlag för bristerna för han var ingen odlare. Och nu fick han sitta kvar i nåder. Det blev billigare för bönderna än att ta hand om knekt käring och ungar på socknen.

Sara Sabina hade alltid någonting med sig hem när hon varit borta och bykt eller skurat. Men knekten visste inget av eller ville inget veta. Fortfarande skröt han över sin oförmåga att ta emot välgärningar och allmosor. Men man log åt honom på ryggen för det var väl känt att gumman i hemlighet nästan tiggde. I varje fall fanns det ingenting som hon ratade om hon blev erbjuden.

Så drog de sig fram i vardagslag, men de stora händelserna, hur förutsedda de än var, gjorde dem rådlösa. När Rickard skulle börja skolan var hans byxor så slut att ändan syntes. Den lyste skär mellan glesa trådar. Jo, där såg man tydligt vådan av att skaffa sig barn när man blev gammal och fattig.

— Det blir ingen skola för den, sa Lans när han stirrat sin lehet på den bara ändan.

— Då får vi väl te byxer av sockna, trodde Sara Sabina.

— Allri i min ti, sa knekten stolt.

Men det fanns byxtyg i huset. Sara Sabina kunde den sommaren knappast ta ögonen ifrån det. Och till slut slog hon fram om saken.

— Om vi skulle ta det som är över på dina.

— Va?

Hon måste säga det både två och tre gånger. Sen teg han förbluffad. Efter en lång stund spände han ögonen i henne och sa:

— Det lät du allt bli.

För att hon skulle förstå att det var bittraste allvar väntade han en hel dag innan han tog opp saken igen. Men då sa han strax innan de skulle sova och hon lyft över hans kropp till sängen i kammarn:

— Mina byxer rör du inte. Inte så länge jag lever.

Hon hade nog tänkt låta dem vara för hon förstod att han menade allvar och att de tomma byxbenen som hon vikt opp och näst fast åt honom betydde något för honom. Men ju mer hon såg på det felfria tyget som gott och väl skulle räcka till ett par pojkbyxor desto mindre förstod hon vad det kunde spela för roll om de där tomma byxholkarna hängde där eller inte. Han kunde ju i alla fall inte ha något hopp om att någonsin få användning för dem.

Rickard var ivrig att börja skolan och hon tyckte synd om honom. Sent en augustikväll beslöt hon sig. Sen låg hon på spänn nästan hela natten för att vakna tillräckligt tidigt. Hon måste ha ljuset av den första dagbräckningen, men han fick inte vara vaken själv.

Tyst gick hon in och nappade åt sig byxorna från stolen och stängde sen kammardörren som hon hade smort med ister i förväg. Gryningen var så tidig att ljuset ännu var färglöst och utanför fönstren lyste bladverket på äppelträden gråvitt. Hon bredde ut byxorna på bordet och klippte raskt.

Det räckte till pojkbyxor och innan knekten och ungarna vaknat hade hon sytt dem halvfärdiga. Hon hade dessutom vikt in den klippta kanten på knektens byxor och sytt igen dem med små täta stygn. När han fick dem i handen sjönk hans haka ner och började darra som Malstugens. Allt hade hon varit beredd på i fråga om vredesutbrott och det mesta hade hon tänkt ut svar på.

Men han vägrade att låta sig sättas i de benlösa byxorna. Han sa inte ett ord. Han bara rullade över på sida i sängen så att han vände ryggen åt rummet och han ville inte bli upplyftad och satt i stolen.

Det blev ett värre elände än hon någonsin kunnat föreställa sig. Rickard blev rädd när fadern bara låg och han vägrade först att sätta på sig de nya byxorna. Hon måste ta i ordentligt med honom och fick slutligen iväg honom till skolan. Han pinnade iväg med stela rörelser som om hans lilla kropp varit rädd för beröringen med det styva tyget. Och i kammaren låg knekten som ett paket och jämrade svagt. Han var långt bortom all mänsklig värdighet. Men i herrans namn! Inte hade hon trott att den satt i ett par tomma byxben.

Hon talade med honom och fick honom att gå med på att bli påklädd och satt i stolen. Det hade gått ett par dar och det var misstänkt lätt att övertala honom. Han hade tappat gadden alldeles. Då insåg hon att hon måste göra någonting.

Hon unnade dem ingenting denna höst. Varje femtioöring som hon tjänade på bykning sparade hon tills hon kunde gå och köpa honom ett par byxor av en klädmånglerska på torget i samhället.

— Och det är inte vemsomhelst som har haft dom, sa hon när hon bredde ut dem på hans sängtäcke.

— Vem då?

— Det får du gissa.

De var vida i midjan, nästan sfäriska ner till den punkt där benen började. De måste ha suttit kring en präktig buk.

— Kan det vara Klot-Kalle, han som hade ölkällarn förr? Har han vurti döer?

— Det är inte efter nån som är dö, sa hon. Det är efter bättre folk förresten.

Han tänkte på hökare Levander och till och med på mejeristen. Men ingen som han visste om hade en så rund vällevnadsmage. Till slut förstod han.

— Är det möjligt? sa han.

Hon nickade.

— Grosshandlarn?

— Ja, sa Sara Sabina. Han själv. Grosshandlar Lindh. Di har blivit bortskänkta en gång förstås. Men det var nån som bara ville ha brännvin och sålde dom. Så nu är dom dina.

Utan några utläggningar om saken vek hon opp byxbenen och näste fast dem med en påträdd nål som hon haft i beredskap. Han ville däremot inte att hon skulle ändra omfånget. Han tyckte det var roligt att föra dem ut och in över magen och visa vilken väldig grosshandlare de tillhört och vilka korta ben denne hade ändå.

Ja, han var sig lik igen. Hon trodde nästan att han hade glömt alltihop efter ett tag. Men själv glömde hon inte. Man måste ödmjuka sig i fattigdomen, det visste hon bättre än de flesta. Hon hade försökt lära honom någonting om den saken när han låg hjälplös och gnällde efter sina avklippta byxben. Men tydligen fanns det en gräns för varje människa utöver vilken hon inte kunde ödmjuka sig, inte ens för fattigdomen, utan att hon förlorade sig själv. Det glömde hon inte. Hon undrade om hon själv hade någon sådan gräns och när hon skulle nå ner till den.

De blev i alla fall ett bekymmer fattigare när sadelmakar Löfgren tog Rickard till sig och lovade att låta honom bli lärpojke hos sig så fort han slutat skolan. Det stod nu klart för sadelmakaren att han aldrig skulle få någon pojke själv. Han hade två feta och mörkhåriga döttrar som var hans ögonstenar. Men han ville också lära opp någon i yrket efter sig.

Men det blev tomt efter pojken. De sista åren hade knekten talat en hel del med honom. Han var ju i alla fall ett mankön. Nu satt Lans i den öppna dörren och lyssnade efter ljud i skogen.

— Jaja, sa han åt sig själv, det var annat förr. Då var det gott humör på folk åtminstone. Det är strävare och mera vrångt nuförtin.

Sara Sabina blängde till på honom, men han talade bara för sig själv. Jämt hörde han också så mycket från skogen: röster, jägarhorn. Men när hon kom och lyssnade var det ingenting, bara koltrastdrillar och skogsduvornas eviga byt sju! för tu!

Tora brukade leka på stenhällen framför dörren, hon brydde sig sällan om vad han pratade för det var i alla fall inte till henne. Men ibland talade de gamla med varandra. Hon vaknade i tidiga morgnar av deras röster men kunde inte höra vad de sa. De lät låga och ivriga som hon aldrig hade hört dem annars. En gång somnade hon inte om meddetsamma utan såg mormodern bära fram den benlösa gubbkroppen till fönstret och sätta honom på en stol. Han var otålig.

— Kommer han snart? frågade han. Sir du'n?

Tora satte sig opp så att hon också kunde se ut genom fönstret. Det var gryning och allting såg underligt ut för ljuset kom från galet håll. Söderväggen på lagårn låg ännu i djup skugga, det hade hon aldrig sett förr.

Men hon kunde inte se någon som kom. I det svekfulla morgonljuset var ingenting som vanligt. Därute fanns det mycket som skrämde henne. Det hördes röster och skrik från kärret. Hon stoppade fingrarna i öronen och stirrade ut med svidande sömniga ögon. Grå skuggor försvann prasslande i stenfoten på lagårn. Men ingen kom. Nere på ängen virvlade dimrökar opp dunstade bort. Nu såg man häxringarna i gräset. Därnere vågade hon aldrig leka.

Hon blev större och inte så rädd av sig och fick inte leka jämnt heller. Allra minst fick hon sitta med sysslolösa händer. Hon stickade svarta strumpor åt sig själv och åt Rickard och hatade dem redan innan hon fick dem på sig för att de kliade så obarmhärtigt. Hålen på hälarna gapade snart och så fick hon stoppa. Det blev murklor sa mormodern och Rickard klagade att han inte kunde gå på hennes knöliga stoppar.

Det enda som var riktigt roligt var att klippa mattrasor av prostinnans och hennes döttrars klänningar när Sara Sabina skulle väva mattor åt dem. Tora satt under skuggmorellen och det var nästan som en lek men hon aktade sig för att säga att det var roligt. Remsorna av tunn linong och annat fint tyg slingrade sig om hennes bara fötter. Hon undrade vad de haft för sig i dessa kläder. Mycket måste kasseras fast det var alldeles helt. Det var för tunt och sladdrigt och skulle inte bli starka trasor.

Hon fick hålla i rompan när mormodern svepte på. Så småningom kunde hon solva bättre än Sara Sabina för hennes ögon var starkare. Men det dröjde innan hon fick sån kraft i armarna att hon kunde slå de tunga trasmattevävarna eller orka med degrodret när de hade satt deg till potatislimpor.

— Arbeta med role, flecka, sa mormodern och Tora tog i. Det var tungt. Den styva degen ville inte runt i tråget.

När Tora första gången skurade köksgolvet satt knekten bredvid dörren och Sara Sabina lyfte både honom och stolen utanför tröskeln. Han satt vänd inåt köket och tittade på när flickan skurade.

— Ja, nu är det slut med det roliga, sa han. Nu börjar allvare.

Utöver en och annan åthutning hade han egentligen aldrig sagt någonting åt henne. Sen han miste benen visste hon inte vad hon skulle tro om honom. På sätt och vis var han densamme och hon var lika rädd för honom. Men det hon hade tagit mest intryck av var just hans ben i kraftiga stövlar. De brukade gå hela vägen till Åsen för att hälsa på sadelmakaren förr om åren. Han dundrade på i landsvägsdammet, aldrig att han vände sig om för att se om Rickard och hon hängde med. Och inte ett ord sa han till dem på hela vägen. Ungar ska säta. Det var hela saken. Men hon hade tyckt att hans långa steg i de trubbnosiga stövlarna var ståtliga — han var ändå soldat och inte vilken torparfnatt som helst. Och han var hennes morfar. För varje fjärdingsväg hade han vilat vid milstolpen och tänt sin pipa. Men han hade vänt ryggen åt ungarna när de rastade och tigit hade han förstås gjort.

Nu var han gammal och benlös och satt på en stabbe invid dörren. Rickard hade snickrat ett ryggstöd åt honom för annars kunde han inte sitta. Då ramlade han över ända som en fullastad kruka.

— Ja det blev andra tider, sannerligen. Det blev det.

Det blev allt tydligare att han talade till henne, inte bara rakt ut i luften. Sara Sabina var borta på arbete. Rickard hade flyttat.

— Ja, nu är det slut på det roliga, du flecka, sa han.

— Då kommer väl skammen och nöden, sa hon fortare än hon hann tänka sig för. Var hon fick det ifrån visste hon inte, men väl att de hörde ihop.

De tog varandra i hand och dansade i hennes tankar, den hale herrn, det blåvita barnet och gubben med käppen.

— Va säger du för sla?

Det var första gången hon vågat svara honom och då flög det ur henne något så dumt. Hon teg förskräckt och vågade inte förklara sig.

— Ho är antagligen lite efter, sa knekten till Sara Sabina. Nån annan förklaring finns det inte.

Sen talade han inte mer till henne. Men han visade i alla fall lite fåfänga för hennes skull. Han brukade fråga Sara Sabina om flickan gjorde bra ifrån sig i skolan.

— Mor hennes var inte dum.

Det svarade inte Sara Sabina på. Men när knekten fortsatte att lägga ut texten om hur obegripligt fort Edla tagit sig igenom bokstäver och hopstavningskonst avbröt hon honom vasst som ett saxklipp:

— Vem hade nån glädje av det? Ho fick komma ut och tjäna två år tidigare bara.

— Ja, då hade ho åtminstone maten, sa knekten.

Nu vände sig Sara Sabina om så att han såg hennes ansikte. Hon hade aldrig förr talat om Edlas olycka.

— Ho hade inte gått och läst ens, sa hon.

Knekten tog åt sig blicken och såg ut som om han ville svara men ovanligt nog fick han ingenting över läpparna.

Om Edla fanns det bara en enda berättelse. Tora hade hört den första gången när hon var riktigt liten och då var det egentligen berättelsen om den kloka gubben i Oxkällan, han som kletade socker och versnät på sår och botade från flicksjuka genom läsning. Han hade haft en liten Spertus under vänster ringfinger, sa knekten Lans. Den födde han med en droppe blod varje kväll. Men Sara Sabina tog denna berättelse från knekten och snart visste Tora att också Edla suttit därinne hos Oxkällen när han läst över en piga som hette Hanna. Så mycket klokare och varsammare än vi är berättelserna att Tora med åren lärde sig förstå att båda pigorna hade hukat under gubbens läsning. Han lade en sax på bordet när han läste över flickor, förklarade Sara Sabina. Den ena skänkeln pekade mot norr och den andra mot flickans liv. Så skulle det vara om det skulle ha någon verkan.

Varsamt lade berättelsen till ännu en kunskap som Tora måste ha: Edla var inte hennes syster som hon alltid trott och den ena av saxens skänklar hade pekat mot Hanns liv, den andra mot Edlas.

— Hjälpte det?

Då krusades Sara Sabinas mun som nu var så tunn och rynkad att den såg ut som om den blivit hopsydd och hon huckrade lågt. Långsamt lärde sig Tora förstå denna berättelse utan rädsla.

Men Sara Sabina hade inte behövt ängslas för att Tora skulle bli för fort färdig i skolan och komma ut för tidigt. Hon var inte dum men tillhörde inte de läsbegåvade. När hon gick och läste frågade knekten ängsligt:

— Ho hör väl inte te de ättersta?

Nej, hon behövde inte gå i trögroten och stod inte bland de sista i gången. Hon var längre och kraftigare än Edla varit. De hade underligt nog haft det bättre med mat åt de yngsta barnen. Till konfirmationen hade Sara Sabina av föreståndarskan på fattighuset köpt en klänning efter en död gumma som hon färgat med bresiljesvart. Med fiskben i livet såg Tora både smal och ståtlig ut. Hon var kraftig på de rätta ställena menade knekten. Men hatten som hon lånat kunde han inte förlika sig med. Först hade han tänkt förbjuda henne den i tron att det bara var en viss sorts fruntimmer som bar hatt, förutom bättre folk. Han fick lära om. Nuförtiden bar konfirmanderna hattar som svävade högt oppe på hjässan fästa med nålar rakt genom hårknuten. Men han tyckte inte om det.

— Förresten var flecko rundare i ansiktet och mera pussmunta när di hade schalett, sa han. Det var annat.

Men Tora kunde inte föreställa sig att flickor ens förr i tiden hade velat pussa honom. Hans vita skägg skiftade alltmer i grönt runt mun.

Egentligen hade inte Sara Sabina velat att den yngsta flickan skulle behöva slita hos bönder, men det var inte heller tal om att Tora skulle få komma till samhället hur gärna hon än ville. Flera gånger hade restauratrisen själv, mamsell Winlöf, hejdat henne på väg från skolan och pratat med henne som om hon kände henne sen gammalt. Det tyckte Tora var underligt.

— Du är lik Edla, sa Sara Sabina kort.

Hon kunde få plats i köket hos mamsell berättade hon när

hon gick och läste. Men Sara Sabina sa nej. Hon sa nej tveklöst och utan att ge skäl. Vanmaktsgråten steg i Tora. En gång mindes hon att hon blivit uppklädd i klänning och svarta kängor på julfesten som samhällets nödhjälpsförening hade varje år. Hon hade fått sitta finklädd och se på fyra sällskapsspektakel med den vackre baron Fogel som var stationsskrivare i alla fyra manliga huvudrollerna. Det var En orolig natt och Rosen på Kungsholmen, båda lustspel i en akt och det var den oförglömliga De båda direktörerna där telegrafkommissarien fått eld i mustascherna sen han helt utanför pjäsen snavat i rampen och vält en fotogenlampa. Tora hade tillsammans med tre andra barn läst stationsinspektor Cederfalks prolog till festen och hennes verser hade lytt:

Fast vi ej ha gator som lysa
så ha vi dock hjärtan helst visst!
Ty här finnes piltar som frysa
och lida af nöd och af brist.

När julens stjärna syns brinna
på himmelens mörkblåa päll
en stråle sin väg skall då finna
jämväl till den fattiges tjäll.

Hon glömde dem aldrig. Men när hon kom hem till Äppelrik med klänningen och kängorna och det stått klart för morfadern att hon skulle få behålla dem även sen festen var över sa han klippt ifrån. Han tog inte emot allmosor. Så måste hon full av hat och uppror lämna tillbaka den helaste klänning hon någonsin haft.

Och nu vägrade mormodern att ens höra på vad mamsell Winlöf sagt. Hon gnodde runt bland bönder i stället och när läsningen slutat och Tora gått fram fanns det en pigplats åt henne hos en av Sara Sabinas släktingar. Gården hette Änga och bonden var välbärgad. Första gången knektkäringen var där och talade för sin dotterdotter var det söndag och en kokt höna med vit sås sattes fram på köksbordet. Sara Sabina tyckte att det såg betryggande ut, till och med flugorna verkade feta och långsamma i detta stora kök. Men först efteråt kom hon på att hon aldrig sett hur många denna höna skulle räcka åt och det var sannerligen ingen som bett henne stanna.

Tora Lans var femton år när hon kom till Änga. Hon var stark och passade bra för arbete som hennes mormor framhöll. Hon var ljus och kraftig. Kanske var hon ändå lite dum, ängslades Sara Sabina för sig själv. Men huvudsaken var ändå att hon var stark och rådde med. Hon hade åtminstone femtio arbetsår framför sig. Det naturliga var väl att hon träffade en dräng i samma ålder så småningom. Man fick hoppas att de kunde ta torp och slapp ta stat. Men allra helst hade Sara Sabina sett att hon kommit till en herrgård och fått lära sig något annat än grovarbete. Hon hade en dröm efter alla sina år av skitigt slabbgöra. Hon drömde att Tora blev mejerska. Men det var en hemlig dröm.

Hon gick ofta till Änga för att se hur flickan hade det. Av moran blev hon beskylld för att försöka komma över någonting att ta med sig hem. Men hon fräste ifrån sig och slutade inte opp med att gå dit, för hon hade redan allra första gången hon följt Tora dit blivit fundersam. Då hade de stannat och vilat benen intill en lada som stod i utkanten av Ängas marker. Som hon satt där fick hon syn på något som var skrivet på ladväggen, det var djupt ristat med en spik och skriften tycktes hållas öppen av många för den verkade gammal och ständigt ifylld.

Här går vägen till Svältas Äng
här stannar varken piga eller dräng

Men Tora stannade.

På hösten 1894 kom hon hem. Hon var då sjutton år gammal. Hon hade sina knyten med sig och tänkte inte gå tillbaka till Änga efter helgen. Sara Sabina fick veta att moran kört iväg henne.

Hon borde ha skaffat henne ny städsel så fort som möjligt, men ganska snart förstod hon att det inte tjänade någonting till. Tora började berätta, först ovilligt. Den berättelsen tog hela vintern och den var mest lik visan om den arma drängen som grät så otröstligt för att han ville sova på flickans arm. Men det hade inte varit någon dräng förstås utan en hemmason, blivande bonde på

Änga. Vad hade hon inbillat sig, arma flickkrake?

När han väl fått sova på armen hade han varit lika utom sig av längtan att få komma mellan hennes ben. Och precis som det var skrivet så förgicks han sen av åstundan att stoppa in den och att få jucka opp och ner. Allt hade hon så småningom tillåtit honom, för hon hade aldrig förr träffat på kärleken som kunde drabba stora karlar så starkt att de grät som små barn. Hon hade känt sig som alla goda gåvors givare och dessutom hade hon trott att varenda litet juck förde henne närmare framtiden som mora på gården med den leda och snåla svärmodern på undantag. Det hade inte varit svårt att härda ut med halvsvälten när man hade en sådan framtid inom räckhåll.

Var hon inte lite dum ändå som Sara Sabina hade misstänkt? Nej, inte nu längre.

När hon blev rund blev hon iväggkörd och hemmasonen hade varit otröstlig förstås. Han hade lätt för att gråta den pojken. Men han lydde sin mor och i den allra sista uppgörelsen tog han ögonen åt sig och mumlade bara att han inte visste vad han skulle tro. Det var när Tora skrek åt honom att hans mor påstod att han inte varit ensam om henne.

Sveket var den del av berättelsen som hon hade svårast att få ur sig. Efter detta skulle förebråelserna ha kommit, ja utskällningen. Men berättandet hade dragit ut på tiden och Sara Sabina fick aldrig ur sig det hon borde ha sagt. Hon var också alltför ängslig för Toras hälsa. Ja, knekten tyckte det var skrattretande med tanke på hur frisk och stark flickan var.

Den allra första månaden sen hon kom hem var hon också vackrare än hon någonsin skulle bli i sitt liv. Sen grovnade hon och fick käringgrimma. Eftersom hon hade känt det allra största medlidandet med hemmasonen i höskörden skulle barnet komma i början av april. Hela vårvintern sprang Sara Sabina till ett barnlöst par i Stegsjö och försökte övertala dem att bestämma sig för att ta Toras barn.

De hade ett hemman men han var också kakelugnsmakare och de levde gott om än ganska snålt. Deras stora sorg var barnlösheten. Båda närmade sig de femtio och det fanns inte längre minsta hopp. Det var flera år sen de börjat tala om att ta fosterbarn efter någon frisk och bra flicka. Men nu när allt såg så bra ut kunde de inte bestämma sig. Sara Sabina var rädd för att hon nötte ut ett par skosulor på den vinterns spring till Stegsjö. Varje gång hon kom dit satte de sig likadant vid köksbordet och runkade huvudena åt samma håll och kunde inte bestämma sig. Hon måste till slut uppfinna ett skomakarpar i samhället som också ville ta barnet och då bestämde de sig äntligen fast i stor själavånda. Hon tog emot femtio kronor av dem för att Tora skulle få bra mat under den sista tiden hon bar på barnet. Nu fick det ju inte på minsta sätt fara illa, manade kakelugnsmakaren. Femtiolappen välsignade Sara Sabina på mer än ett sätt. Den stod nu mellan paret i Stegsjö och deras vankelmod. De kunde inte gärna ta den tillbaka.

I påskveckan fick Tora sitt barn. Sara Sabina var ensam om att förlösa henne. Knekten hade hon burit till sängs ute i köket. Sara Sabina var den mest ängsliga av de två. Men Tora var frisk och arbetade som ett djur i över tjugo timmar. Då fick hon en stor och stadig pojke och gumman hade aldrig sett en barnaföderska vara så kvick att resa sig och sträcka armarna efter barnet.

— Det låter vi vara, sa Sara Sabina.

Kakelugnsmakarn och hans kvinna satt redan ute i köket hos knekten och väntade. Det var deras absoluta villkor att barnet inte fick vara hos modern. De var rädda att hon skulle vilja ta tillbaka det.

— Ge mig ungen, sa Tora. Jag ska hålla i'n en timme åtminstone. Sen får di ha'n hela livet.

Hon lät ilsken trots sin trötthet och försökte ta sig ur sängen och fram till mormodern som badat honom och höll på att göra ett paket av honom.

— Han klarar sig inte utan mjölken!

— Di har en som kan amma åt dom.

— Ge mig honom!

Hon fick en blödning och stirrade förskräckt ner på sina ben. Långsamt hasade hon sig opp i sängen igen och låg alldeles stilla. Hon var dåsig och trött och somnade fast tårarna rann efter kinderna på henne. Då kom de in från köket och rörde försiktigt vid hennes axel. Hon trodde att de hade barnet och försökte sträcka sig efter det, men i stället fick hon kakelugnsmakarens torra näve i sin. Hon måste högtidligt trycka dem och lova att aldrig befatta sig med barnet mer.

— Jag lovar. Era jävlar, sa Tora.

Kvinnan började gråta.

— Ho är uttröttader, sa Sara Sabina. Bry er inte om va ho säjer.

— Jo, det här var en snygg början, sa kakelugnsmakaren.

— Nu går ni hem, sa Sara Sabina. Det är bäst.

Hon var rädd att de skulle börja ångra sig. Ute i köket låg knekten i soffan och för en gångs skull var han alldeles tyst och bara klippte med ögonen.

Hon stannade inte kvar i Äppelrik mer än en månad. Mormodern tyckte sig inte ha gjort nog, hon ville på nytt försöka skaffa henne städsel på någon gård. Men Tora förklarade att hon skulle till samhället och till mamsell Winlöf som en gång lovat henne arbete.

— Det finns ett annat liv, sa hon.

— Du vet inte vad du pratar om.

— Det jag har tjänat hos bönder, det har jag.

Sen hon gått levde Sara Sabina på hoppet att mamsell Winlöf för länge sen skulle ha glömt sitt löfte. För fast det var klart och tydligt att det kunde gå lika illa för en flicka bland bönder som det gick i samhället så hade hon inte ändrat sig. Bönderna visste en i alla fall var en hade.

Men Tora kom hem i ny svart klänning och packade opp en korg från järnvägsrestauranten. I en bunke låg en oformlig darrande massa som hon sa hade varit en fiskaladåb i form av en pyramid på en stjärna.

— Nu blir det ett annat liv, sa hon. Nu ska I få se.

Korgen innehöll också gammalt bröd och korvsnutar. Men Sara Sabina kunde inte ta ögonen från den darrande fiskmassan.

— Det är inget fel på den, sa Tora. Det är nån som har satt armbågen i'n bara. Det är inkokt kummel.

— Är det människoföda, sa knekten grinigt.

Han blev allt ensammare. Malstugen dog. Ingen mer än Tora och någon gång Rickard kom till Äppelrik och pratade med honom. Han brukade sitta och lyssna ut genom dörren, men det var lögn att få Sara Sabina att höra detsamma som han: jägarhornen och rösterna långt borta.

— Jag tror du börjar höra illa, sa han. Men han hade ingen annan att prata med så han sa till henne som så ofta förr:

— Emelleromtid och emedan så har man väl levat sitt liv. Det började i Stegsjö socken, på Stora Kedevi säteri.

— Ja ja, sa Sara Sabina. Men äss det är så du inte har annat för dig så kan du ta och skriva av den här krumeluren åt mig.

— Vilken då? Hwars är den röst . . .

Hon ville lära sig skriva, nöjde sig inte med att kunna läsa som han lärt henne de första åren han blivit sittande.

— Hwars är den röst som går till hjertegrunden? En Engels från de himmelska förbunden. Ack, sof ej mer, dundrade han för han avstod ogärna från ett tillfälle att läsa högt. Men gumman var lika otålig som någonsin och trädde med pennan framför honom. Hon såg uppmärksamt på när han skrev av den vanskliga och snirklade bokstaven H ur psalmboken. Skrivbokstäverna som han hade lärt sig vid regementet för årtionden sen var han inte längre så säker på. Men han låtsades inte om skillnaden för Sara Sabina.

— Va ska käringar med te å kunna skriva? frågade han. Kan du svara mig på det?

— Det angår dig inte, sa hon.

Just när de skulle gå in och servera soppan viskade Ebba någonting till Tora. Hon hade ingen hand fri så hon hejdade henne med armbågen. Toras öra blev rött. Det var väl värmen från Ebbas mun, men det såg ut som om hennes rodnad hade börjat där. Hon drog djupt efter andan för att hejda fnittret och så steg de in i festvåningens matsal med stela ögon och vågade inte titta på varandra av rädsla för att skrattet skulle brisera. När hon ställde ner sopptallriken framför stationsinspektor Cederfalk böjde han sig lätt framåt med de kupiga ögonlocken halvslutna och blicken slocken. Hans stora välbildade näsa sökte de aromatiska ångorna ovanför tallriken. Han hade ett långt och känsligt luktorgan. Det var gropigt och porigt på ytan. Man fick gärna tanken att luktlökar satt utanpå och förhöjde känsligheten. I Toras ansikte steg rodnaden och ögonen tårfylldes sakta. Med skräckslagen behärskning satte hon ner två sopptallrikar och gick sen stelt utan att se sig om, och framförallt utan att se på Ebba, ut genom dörren till serveringsgången. Där sjönk hon ihop över ett bord med bestickkorgar. Hon försökte skratta tyst men det kom hela tiden små pip ur henne. Hon kände knuffar och hörde de andra varna henne men så kom plötsligt Ebba, varm och med kinderna flödande av skrattårar, och slog armarna om henne. De skrattade och kvävde ljuden mot varandras bröst och halsar. Bröstlappen på Toras stärkta förklä blev vått längst opp vid halsömskanten och Ebbas förut så fint krusade tinninghår låg blött och stripigt mot kinden.

— Akta, akta! flämtade Tora. Mitt förklä!

Sen skilde de på sig. De var tvungna. Ebba sprang nerför trapporna till köket och i nästa vända följde hon de flickor som serverade i mamsell Winlöfs privata matsal.

— Va skratta ni åt? viskade Tekla när hon och Tora passerade varandra med brickorna. Men Tora bara hyssjade. Det gick ändå inte att förklara. För Ebba hade bara sagt:

— Titta på Cederfalks näsa.

Och det var inte ett dugg roligt förrän man visste om att Tora för två år sen då hon kom till järnvägsrestauranten gravallvarligt hade berättat för Ebba att man bara behövde se på en mans näsa för att veta hur han var skapt på ett annat ställe. Det hade hon lärt sig av en som arbetat i gästgiveriet. Men då hade Ebba talat om för henne att det där var fel, fast nästan alla flickor någon gång fick lära sig det. Det var alldeles tvärtom. Och det var bäst att man visste det om man inte skulle råka ut för de gruvligaste besvikelser. Fick man se en ädelt böjd, djärvt framspringande och kanske vackert blåröd näsa kunde man utgå från att i den karlens byxor fanns inte mer än en handfull sladdrigt skinn kring något som liknade en tumme.

— Sån är den enkla sanningen, sa Ebba.

Och sen dess hade de måst hålla andan av skrattlust var gång de passerade de fina och ovetande postmästardöttrarna när de var ute och promenerade med vackra unga män ur stationsbefälet, unga män med djärva näsor. Men Cederfalk var ändå värst, det måste Tora hålla med om. Det fanns annars en ansenlig samling näsor runt det långa bordet i festmatsalen. Det fanns också trutande läppar som sökte vinglasens kant och stod i förbindelse med de skälvande näsorna. Det var tungor, visserligen inte jungfruliga men ännu inte helt sträva och förskämda av cigarrökning och frukostsnapsar som lent vältade kalvbrässen i bouchéerna. Trubbiga men inte okänsliga fingertoppar palperade årets första sparris som var pojkaktigt späd och spenslig. Där fanns också skollärare Norrelius som åt utan att ge närmare akt på vad han lassade in från gaffeln och hela tiden såg sig omkring tuggande för att hitta någon att ta opp en debatt med.

Nu var det nya skolhuset invigt. Det hade kostat nära trettiotusen kronor. Grosshandlare Lindh tog numera sin morgonpromenad förbi järnvägshotellet och vände vid det nya posthuset som var byggt med Riddarhuset i Stockholm som förebild. Givetvis hade man fått krympa och förkorta och givetvis hade det kostat. Men det gällde grismoarnas utplåning, de platta gärdenas förvandling. Därnere vid post- och riddarhuset vände han med stannade kvar på samma sida av gatan. Nu hade han sikt ända fram till sitt eget nybygge. Det var ritat med fideikommisset som grundtanke. Men slottet var en stormaktsskapelse, det var hejdlöst. Man hade fått förminska, jämka, till och med rumphugga ursprungstanken. Men där låg det. Varje morgon beredde honom denna vändning samma njutning och svindelkänsla. Han förundrade sig över att den inte avtog.

Sen brukade han, försiktigt för att undvika gatans hjulspår och gropar, gå över till järnvägsparken och därifrån fortsatte han sin morgonpromenad till Mulles grav. Det var bara perspektivet från posten han ville unna sig extra. Men mittemot stationshuset låg nu det nya tingshuset, visserligen bara av trä och inte mycket större än privathusen uppefter hela Kungsgatan. Men man hade åtminstone en värdigare gudstjänstlokal än den illaluktande vinden ovanpå Hushållningsgillets lada. Han svängde av ut på vägen mot Åsen som i sin början trots ojämnheter och gröpper ägde karaktären av gata. Här låg det nya sparbankshuset, en tegelbyggnad med trappgavlar. Det doftade starkt av medikamenter när han gick förbi. Det irriterade honom ibland att ingenting fick vara blott vad det var. I tingshuset hade man högmässor och nykterhetsföredrag. I sparbankshuset hyrde apoteket in sig. I hans eget patricierhus var hela nedre botten avsedd för kontoret och dessutom hyrde telegraf- och telefonstation lokal hos honom. När man gick förbi de öppna fönstren hörde man morsetelegrafens knattrande och från hans eget kontor de ljusa ivriga telefonsignalerna som inte liknade något annat ljud i världen.

Under den tid då skolhuset byggdes med sina romanska fönster och ett avhugget torn ändrade Alexander Lindh sin morgonpromenad så att den inte längre gick fram till Mulles grav (som förresten svårligen kunde urskiljas längre, stenen hade sjunkit i gräset). Han vände vid sparbankshuset och gick sen tillbaka till Kungsgatan som han följde opp till skolan.

Ännu denna morgon hade han gått opp till skolan och inspekterat anordningarna för invigningen; läktaren där järnvägsmusiken skulle spela, talarstolen med flagga, löv och blommor. Härifrån läste sen Cederfalk sitt versstycke till invigningen och nu satt Lindh och fruktade att den gamle stinsen skulle upprepa det till desserten. Han skulle själv tala. Tankspridd skålade han med skollärarna och stirrade på servitrisen i dörren.

Mamsell Winlöf anställde helst långa friska flickor med starka ben, glada flickor. De sprang i trapporna med fullastade brickor, lämnade dörrarna öppna. I korsdraget svävade den gula cigarröken, värmen och rösterna och steg från våning till våning. De allra första månaderna hade Tora känt det som om röster och värme lyft henne oppför trapporna, en hand under ändan. Sen hade hon gått snett på kängorna. Skaften veckade sig, lädret var för svagt och sladdrigt, det stödde inte vristen. Nu slets klackarna snett och det kändes ända oppe i korsryggen att belastningen hade hamnat fel.

Hon hade en bricka på sin utbredda högerhand. I vänster hand bar hon tre vinflaskor i halsarna. Det var ett fast och vant grepp mellan fingrarna. Hon kunde ta fyra öl på det sättet.

— Skicka servitriser och inte krogpigor, hade grosshandlarn en gång sagt till restauratrisen. Det hade hon berättat för dem, vred och blek under exercisen. Men nu var hon inte där. Hon stod inte som hon brukade, orörlig i svart sidenklänning vid buffén. Tora vägde över kroppstyngden på höger fot och höften sköt ut.

Lindh såg att det var samma flicka som kommit till kontoret på morgonen. Alma kunde telefonera men hon gjorde det inte gärna. I det här fallet antog han att hon velat undvika dispyt.

— Mamsell Winlöf hälsar och säger att hon inte kan ta emot middagsbeställningen ikväll om den inte blir på restauranten!

Flickan hade slussats ända in till hans privata kontor. Broder Adolf hade stått bredvid och klippt med ögonen.

— Varför inte?

— Hon har inte folk. Hon ska ha en annan beställningsmiddag också.

— Då har hon ju inte lokal, sa han. Om festmatsalen är upptagen.

— Nej, den blir i hennes privata.

Flickan hade inte sett honom i ögonen när hon talade. Hennes blickar kröp på inredningsdetaljerna. Efteråt skulle hon berätta för de andra krogpigorna hur det såg ut inne hos Alexander Lindh. Med svårighet behärskade han sig, kramade örnens hjässa och skickade iväg henne.

Hans hus hade inte någon värdinna. Caroline bodde helst kvar ute på Gertrudsborg. Hon klädde sig bara i skrynkliga och tygrika morgonklänningar. Han fordrade att lådorna med dessertvin skulle gå genom hans firma. Annars fordrade han ingenting av Caroline, ingenting. Men han kunde inte ha gäster utan att Alma Winlöf tog hand om de praktiska arrangemangen och han kände bitterhet. Man fyller inte ett nybygge med antikvariskt auktionsgods för att sen få hålla sina representationsmiddagar på lokal!

Han var missnöjd med serveringen. Den gick inte så fort som han var van vid och ett par av flickorna verkade uppsluppna och gav ögon åt Finck och Mandelstam, som om de befunnit sig i den allmänna matsalen. När Alma Winlöfs paradnummer, chaud-froix på kalkon, bars in blev han misstänksam på allvar. Det var inget fel på den uppläggning som bjöds framme hos honom som var värd, men längre ner vid bordet tyckte han sig se en skymt av vitt flottigt papper mellan de glacerade brödskivorna som tornats opp mot den fyllda tryffeln. Gelétärningarna runt fatet verkade också matta och omrörda. Han försökte skärpa blicken dit ner men det var Mandelstam som tog nu och han rörde bara till ytterligare och märkte inte vad han hade för händer. Hans ögon spelade på flickan som serverade.

— Tora verkar glad i dag, sa han tyst.

Hon svarade bara med att färgen på kinderna fördjupades och ögonlocken sänktes. Finck viskade något som skulle lura henne att skratta med det lyckades inte. Hon gick vidare med fatet och de långa styvstärkta förkläsbanden som skulle räcka ända ner till kjolfållen började rulla opp sig så att det såg ut som om ändarna lekte med varandra.

Men Alexander Lindh som skarpt synat serveringen vid nedre bordsändan var nu tämligen säker på att där bjöds uppläggningar som det redan tagits från en gång. Han började undra om brådskan och oron i serveringen berodde på det andra middagssällskapet som Alma utspisade nere hos sig. Men han hade velat att Alma stått på sin plats vid buffén och hållit ett öga på flickorna. Han greps av kallt raseri när han tänkte på att de kanske bjöds av uppläggningar som andra gäster först hade rotat i.

— Vilka är det mamsell Winlöf utspisar inne hos sig? frågade han flickan vid sin armbåge.

— Det är ett privat sällskap, svarade hon och det var alldeles uppenbart att orden inte var hennes egna. Han vinkade till sig Adolf från andra sidan bordet.

— Gå ner och ta reda på vad mamsell Winlöf har för privatsällskap i sin bostad. Men gör det tyst.

Adolf blinkade. Han såg fin ut, han såg ut som en kunglighet. Hans ögon var lika kupiga som Cederfalks, hans näsa böjd. Men han levde i ett tillstånd av behärskad enfald. Hans släpiga röst och stirriga ljusblå blick avslöjade ofta hjälplöshet och förvirring. Men han hade visat sig ha anlag för bokhålleri och han var maniskt noggrann. Det yttre kontoret behärskades nu av honom. Hans prydliga sifferstaplar var ett föredöme liksom hans dammfria ekipering. Det var han som varje vecka klippte ut grosshandlarfirmans försäljningsbarometer ur samhällets tidning. Han nålade opp den inne hos Alexander. Lind sålde nu nästan uteslutande jordbruksmaskiner och stommen i hans försäljning kom från Wärnströms.

MED SVENSKA MASKINER
SKA SVERIGES JORD BRUKAS

lydde den devis som Adolf låtit sätta opp bakom sin brors nacke. I en cirkelrund bild gick en jättelik skördemaskin från Försäljningsaktiebolaget Alexander Lindh fram. Den hade stått på almanackan för Alexander hade förstått värdet av reklam och skämdes inte för den. Men inne i hans huvud formades redan en ny devis.

VÄRLDEN SKA BRUKAS
MED SVENSKA JORDBRUKSMASKINER

Hans export var redan betydande. Han hade snart ensamrätt på hela försäljningen från de flesta tillverkare i landet. Men världen var stor och han ville ha den. Hela världen utom Ryssland, för Ryssland ingav honom skräck.

Han deltog bara tankspritt i samtalet och höll ögonen på dörren. Han väntade Adolf tillbaka men i grunden hoppades han att Alma skulle komma in och ställa sig på sin plats vid buffén. Han visste att hon var missnöjd med honom. Lärarinnorna hade inte inbjudits till middagen efter skolinvigningen. Hans svägerska Malvina var förresten också missnöjd. Han hade påpekat för henne det otänkbara i att anständiga kvinnor tackade ja till en inbjudan som innebar att de, ensamma och ogifta, skulle tillbringa kvällen på lokal.

— Eller också skulle de tacka ja! hade hans svägerska sagt.

— Just det, svarade Alexander syrligt. Då finner jag det finkänsligare att bespara dem den fadäsen. Jag låter bli att bjuda dem.

— Din faderliga omsorg känner inga gränser, sa Malvina. Hemma och i sällskapslivet behärskade Adolf ingenting. Malvina sa och gjorde vad hon ville. Hon var en av de allra första som låtit omvända sig till gångsportsentusiast.

Ingenjör Tucker som hade kallats in från England för att dra opp ritningarna till det engelska mejeriet hade introducerat lawntennisen föregående vår. Så långt var Alexander med och lät bekosta en bana. Han tyckte till och med om åsynen av damer som dröjande slog bollar mellan sig. Men nu hade mrs Tucker som var blek och rödhårig och hade sträv röst hittat på denna nya sport för samhällets damer ur det allra högsta skiktet (som var för tunt för att tåla det allra minsta löje, det var Lindh den förste att inse).

Det var vår. Landsvägen norrut mot Åsen var porig av regngropar. Med uppfästade kjolar och utsirade vandringsstavar marscherade damerna i detta kraterlandskap. Till en början hördes små skrik när det gulbruna lervattnet stänkte. De tog ut stegen som karlar och satte opp hakorna. De gick. Det var gångsporten. De satt inte stilla i sina kanapéer och krökta soffor. De log inte tigande över sybågarna. De kom tillbaka från sina gångsportspromenader och tömde smörgåsfaten på téborden, skämtade med Adolf och frågade Alexander om hans export.

Adolf var tillbaka. Alexander tyckte att han såg generad ut.

Han gled förbi brodern och snuddade bara vid hans öra med orden:

— Jag vet inte. Du får gå själv, bäste Alex, jag vet sannerligen inte.

Middagen hade nu kommit så långt att sinnena började mattas. Snart skulle deras mottaglighet vara alldeles slut. Denna slockenhet, dessa domnade livsandar skulle man mycket väl ha kunnat bjuda ett mycket sämre vin än det som serverades. Men Alexander brydde sig inte om det. Han ursäktade sig otydligt och bröt taffeln. De fick tro vad fan de ville. Han var värd.

— Går ner och skålar med musiken, muttrade han åt Adolfs gapande ansikte som han såg mellan två ljuslågor.

I allmänna matsalen hade han låtit bjuda järnvägsmusiken och en del lägre tjänstemän. En av krogpigorna följde honom ängsligt hela vägen ner och han vinkade till sig ett glas och skålade med de svettiga röda ansiktena. Man hurrade för honom. Det var stimmigt. Den snövita duken på det stora bordet där man hämtade maten hade fått rödbetsfläckar. På andra sidan trängde tågresenärerna ihop sig. För deras skull fanns surmjölken som vanligt på bordet men också kalvstekarna, rostbiffarna och de väldiga tornen med inkokt kummel i gelé. Alexander Lindh vinkade i rökslöjorna och sa med hög röst några ord åt musiken som ingen uppfattade. Man hurrade på nytt.

Han lämnade dem och travade vant den långa serveringsgången och halvtrappan ner till Almas bostad. Två servitriser stötte ihop med honom, men han frågade inte efter Alma. Han ville inte möta henne här. Han ville bara hastigt ta sig en titt på det sällskap hon serverade i sin privata matsal och för vars skull hon lät samhällets honoratiores få sammanrafsade uppläggningar av redan bjuden mat. Tanken på grevar och kunglighet hade farit genom hans huvud, men kungliga matsalen var stängd och mörk.

En tredje servitris kom utfarande med en fullastad bricka när han stod i Almas förmak och han höll på att kollidera med henne i draperiet. När hon gett sig av förde han den röda veckrika sammeten en smula åt sidan. Doften som slog emot honom från matsalen var varm av ljus som sotade, av hud som andades, eau de cologne och matångor. Det var bara kvinnor därinne.

De satt tätt intill varandra hopträngda kring det ovala bordet. Möbler hade flyttats åt sidan och trängts opp efter väggarna. Ändå var det så trångt att palmer kittlade dem i nacken och étageren höll på att välta. Längst uppe vid bordets ena ända satt Alma men hon såg honom inte. Alla de sju lärarinnorna vid skolan satt runt hennes bord. Där fanns också fem sex sympatisörer med Malvina Lindh i spetsen vid motsatta änden av bordet. De var nästan samtliga gångsportsentusiaster.

Alexander Lindh hörde inte till dem som tyckte att det var opassande att kvinnor åt eller ens att de visade att de åt. Men ändå. Detta var någonting som han aldrig sett förr, det var groteskt. Han såg egentligen bara en enda, hans blick fastnade på henne och kom inte vidare. Det var en av lärarinnorna. Hon hette Magnhild Lundberg och var inte helt ung. Såvitt han visste hade hon ingen familj, inga släktingar i samhället. Hon var ogift förstås. Denna ensamma och egentligen beklagansvärda kvinna satt på platsen bredvid Malvina. Hon hade en stor linneserviett utbredd i knät och på den lyste en vinfläck som mörknat till brunviolett. Framför henne på tallriken välvde sig halva bröstet av en liten morkulla, glänsande av sås. Magnhild Lundberg skrattade med de andra men hon skrattade tankspritt för egentligen var hon helt inriktad på fågeln framför sig och på de små krusiga murklorna som hon spetsade en efter en på gaffeln och förde till munnen. Hon var röd om kinderna. Hon tuggade kraftigt och stoppade munnen full. Så satte hon både kniv och gaffel mitt i morkullan och skar till ganska eftertryckligt så att bröstbenet knäcktes. Hon fick loss en stor köttskiva som hon genast förde till munnen och inte tuggade färdigt förrän hon var där med en bit av färsen ur fågelns inre och stoppade på. När Malvina Lindh sa något åt henne kunde hon först inte svara. Hon tuggade, skakade på huvudet och ögonen fylldes av skrattårar.

Han var helt förvirrad. Men en sak hade han klar för sig: efter middagen skulle hon inte sitta som de damer han kände i hennes ålder. När spelborden slogs opp brukade de stanna i sofforna och läppja på bilinervatten, bleka av smärtsamt tillbakahållna fjärtar.

Alma såg honom. Hon var blek, hennes bruna ögon strängt allvarliga. Hastigt lät han sammetsdraperiet falla tillbaka. Han hörde henne ursäkta sig därinne: hon skulle se till arrangemangen i festvåningen.

Hon var klädd i svart siden och bar sina granater. På halsen var hullet så mjukt att de vilade i fördjupningar och glimmade som ögon. Det slog honom att hon måste ha köpt dem åt sig själv. Han hade aldrig gett henne någonting. Hon hade avböjt gåvor med en sällsam skärpa som han inte låtsades förstå.

Han sträckte på sig. Almas midjemått måste ha fördubblats sen han första gången stod här i hennes förmak men hon blev också längre eller verkade längre. Det fanns en rakhet hos henne; hon växte opp ur sig själv.

— Du har middagsbjudning, sa han.

— Ja.

Han steg baklänges och kände att han nästan stötte emot eldskärmen. Han var förtrogen med rummet och slog sällan ner något av alla dess föremål ens när han rörde sig vårdslöst. Men nu var hans rörelser vaksamma och avmätta och han makade sig längre bakåt och handen letade efter eldskärmens kant av brunröd mahogny och följde den tills han hittade den runda knoppen. Han la handen över den.

— Jag föredrog att inte genera lärarinnorna med en inbjudan, sa han.

— Såå?

— Ogifta damer på offentlig lokal, tycker du att det är i sin ordning?

Hon smålog.

— Du skulle ju ha haft din middagsbjudning i Lindhska huset, sa hon och han tyckte sig spåra ironi i benämningen.

— Men jag fick ha den på lokal.

— Nu förblandar du orsaker och följder, sa hon och log ännu öppnare.

Han blev häftigt röd i nacken, kände den strama och bulta och kramade eldskärmens knopp. Han hade lust att svara men mindes hur ursinnet en gång förlett honom till ett svar som blivit en blamage och en god historia i samhället. På sitt kontor hade han rutit:

— Här behövs ingen logik! Här är det jag som bestämmer!

Därför teg han och hon fortsatte:

— Men nu är ju allt i sin ordning när lärarinnorna ändå får sin middagsbjudning och det sker privat.

Han kände hennes kropp så väl att han skulle ha uppfattat fientlighet om hon hyst den. Han skulle ha känt det på hennes andning och om hon stått närmare på lukten från hennes varma hals. Men nu var hon bara road. Då sa han:

— Jag är kanske inte riktigt överens med dig om privatkaraktären av restauratrisens bostad.

Han såg henne för första gången under detta samtal rakt i ögonen. Hon var alldeles orörlig men andades tyngre. Granaterna höjdes i sina mjuka gropar.

— Vill du gå opp och se till dina servitriser, sa han. Det är närmast utskänkning däroppe, inte servering.

Det kunde ha räckt med det, tänkte han. Det kunde ha räckt med det. Han var på väg ut. Han blev plötsligt rädd att snava på en mattfrans eller en liten fotpall.

Ebba rusade förbi Tora och hon luktade armsvett. Hon luktade som en het spis som man har spillt syltparaffin på. Jo, nu blev det grant! Och vad luktar jag själv, tänkte Tora panikslagen för här fick man inte lukta. Inte ens långt fram på natten när man rusade med de allra sista glasbrickorna in i rökdimmorna. Huvudet fick värka, prickar dansa för ögonen och allt medvetande sitta som en darrande nålspets i korsryggen. Men lukta fick man inte.

Renlighet! Renlighet! läste mamsell Winlöf för dem. Detta betydelsefulla och viktiga ord borde stå skrivet i varje kök, stort som litet. De hade ingen annan lön än de drickspengar som gästerna gav, men de hade maten, husrummet och kläderna. Till de svarta klänningarna hörde cirkelrunda lappar av flanell som hon lät dem sy. De måste ha flera lappar till varje klänning och de skulle dubbelvikas och nästas fast mellan ärm och liv på insidan så att de skyddade det svarta tyget mot armhålans utsöndringar. Varje kväll skulle lapparna tvättas. Det fick de göra själva. Annars lät hon deras underkläder gå med i storbyken i Dahlgrens tvättstuga.

Toras kropp hade skött sig själv och hon hade haft både glädje och sorg av den, men allra minst tänkt på den. Så kom hon till restauratrisen och måste börja vakta på den så att den inte berättade någonting om henne: att hon var varm eller sjuk eller trött.

— Det värsta är när en har vari med en karl, sa Ebba. Då hjälper det inte om en håller andan.

För mamsell kom opp i deras rum på Svinefrid och gick själv igenom högarna med kläder när flickorna satt frusna i bara särken bredvid varandra i sängen och höll sig om knäna.

— Renlighet, renlighet! manade hon och lyfte på solkiga plagg. Men fötterna behövde de inte tvätta. Kängorna stängde effektivt inne allting som fötterna hade att berätta om sitt illabefinnande.

Nej, en kropp var egentligen ett elände visste Tora nu. Den svettades och rann och blödde och svullnade. Men ingenting fick märkas, åtminstone inte om man ville vara kvar på Järnvägshotellet. Mamsell lät flickorna virka stoppdukar av ljusvekegarn. Hon godkände inte trasor eller tidningspapper. Men stoppdukarna blev en succé bland skolpojkarna när de hängde i dussintal på strecken vid Dahlgrens tvättstuga och flickorna vägrade att lämna ut dem. Då måste mamsell Winlöf leja ut den penibla tvätten till Löskebogumman som bodde så långt utanför samhället att pojkarna inte hittade dit i första taget.

— Akta dig för mamsell, viskade Tora åt den svettiga Ebba.

— Asch, ho kommer inte opp nåt i kväll.

Det verkade inte som hon tänkte göra det. Grosshandlarn hade varit därnere, nu sipprade det ut vad det var för gäster mamsell hade. Det var Adolf som slapprade. Tora blev tillfrågad av både Mandelstam och Finck men teg. Ebba däremot kunde inte hålla sig utan berättade andlöst om lärarinnorna. Hon fick sjuttiofem öre när Mandelstam och Finck tog adjö, Tora fick femtio av grosshandlarn. Hon neg extra djupt för både Cederfalk och Adolf Lindh men ingenting hände.

— Di där albagga, sa hon till Ebba när hon snörde av sig kängorna. Snåla så gudsigförbarme.

De delade ett smalt rum i det långa höga trähuset som låg mittemot posten. Mamsell Winlöf ägde huset och hyrde ut lägenheter och lokaler men ett par bostäder hade hon låtit dela opp i smårum till sina anställda. Nere på gården skrek restauratrisens svin. De fick skulor på oregelbundna tider, ofta nattetid när krogköket gjordes rent, och de hade vant sig vid att skrika så fort de hörde folk komma innanför planket. Hela gården, det höga smala bostadshuset, svinens längor och mangelboden kallades Svinefrid. Det var nästan aldrig tyst därinne. Järnvägsarbetarna som hyrde huset kom hem från nattpass och svinen skriade fulla av hopp. Sand rasslade mot krogpigornas fönster och oftast slogs andra fönster opp innan de hann svara och kvinnor skällde hårt som hundar.

— Di blir missunnsamma sen di blitt gifta, sa Ebba.

Denna vårnatt hördes gruset knastra under tunna sulor när det blev tyst en stund och sen en belevad vissling, inte olik en kanariefågels första prövande drill. Ebba kikade bakom gardin.

— Det är Mandelstam och den där lille skiten Finck! Han som har såna flickhänder. Såg du det? Men Fincken har liten näsa, fy på sig! Ska jag öppna Tora? Vi kan väl höra vad dom vill.

De ville skåla med Ebba, de hade en sängfösare med sig.

— Fy, sånt gillar jag inte, bjäbbade hon emot.

— Men det är sött och gott vin, lilla Ebba. Var beskedlig nu! Vi fryser om fötterna.

— Det är nog kallt åt dom, sa Ebba inåt rummet åt Tora. Ska vi släppa in dom en stund?

Men Tora svarade inte. Hennes klänning låg över stolen, kängorna stod bredvid med hängande sladdriga skaft. Hon hade krupit ner på sin plats innerst vid väggen och lämnat Ebbas del av sängen fri. Hon snarkade redan.

— Låtsas du? frågade Ebba. Kanariefågeln hördes på nytt men den väckte inte Tora.

— Ä, sa Ebba, du bara låtsas.

Hon gäspade stort och stängde fönstret. När hon lagt sig hörde hon de fina visslingarna en stund och hon smålog när hon somnade.

Hon var femtiotre år och dagdrömde aldrig. Hade för den delen mycket sällan gjort det ens i sin ömtåligaste ungdom. Hon umgicks med verkligheten och människorna levde inget skenliv i hennes önskningar. Hon yttrade sig sparsamt om sig själv och gentemot andra ofta med en viss skärpa. Men hon talade aldrig inom sig med dagdrömmen stympade och oklara men ändå lättflytande meningar.

Det var sant: hennes rörelser var värdiga och denna värdighet härrörde från början från en dröm som hon haft om sig själv. Men hon hade kunnat förverkliga den.

I Alma Winlöfs bostad fanns en enda möbel från likkistmakar Erikssons upplösta hem, den enda hon behållit efter föräldrarnas död. Det var en sekretär av ljus björk tillverkad av en finsnickare i Stora Kedevi. Här hade hon i flera år i små gula lådor förvarat medel att leva i verkligheten med människorna.

Hon hade vänskapsförbindelser som sträckte sig med fina förgreningar ner tvärsigenom samhällets strata super strata. Det fanns beroenden som härrörde ur låneförbindelser och ingångna avtal. Men också sådant som bara kändes i nerverna: anade möjligheter, leenden, eftergifter och lätta tryck som kunde ökas, som kanske aldrig behövde ökas.

I lådorna med de gula benknapparna hade hon i många år förvarat reverser. Men viktigast för henne hade ändå Alexander Lindhs oskrivna skuldförbindelser varit. Han hade lånat överallt där det var möjligt i samhället ty under hans första år hade det varit ont om pengar. Nu var marknadsläget ett annat, sa Alexander Lindh. Det var goda tider. Han hade för länge sen betalat igen allting.

Denna natt unnar hon sig den sällsynta lyxen av en nattlig vakendröm. Hon sitter vid sekretären. För en liten stund är hela järnvägshotellet tyst. Ända in i hennes förmak har tobakslukten trängt. Hon brukar kunna hålla den ute, lukten av offentlig lokal. Så minns hon att Malvina Lindh och två av lärarinnorna har rökt efter maten.

Hon har släckt alla lampor utom den enda på sekretären. Nu hör hon Alexander Lindh i sin dröm. Hon hör hans fotsteg och hans energiska andning. Nu står han i mörkret borta vid draperiet. Hennes rygg känner honom. Hon har skruvat ner lampan så lågt att bara en cirkel kring hennes hand som vilar på sekretärens björkskiva är belyst. Hon kan aldrig se sin hand numera utan att tänka på dess torrhet. Överallt annars på hennes kropp håller hullet huden utspänd och slät men på handryggen har hon fått ett rutmönster av torra rynkor. En ödlehand, tänker hon med vämjelse. En torr snabb hand med en åldrande kvinnas hud. Hon har låtit honom stå kvar därute i draperiet medan hon tittat på sin hand. Nu tar hon fram honom. Han går några steg över mattan.

— Alma!

Hans röst är låg. Han vädjar till henne. Hon vänder sig inte om men hennes runda rygg i det hårt spända svarta sidenet raknar.

— Alma, förlåt mig det jag sa. Du känner ju mitt ursinne.

Hon småler ner mot handen som vilar på den polerade björkskivan med dess slöjor och ögon. Jo, hon känner hans ursinne. Det driver honom framåt; ursinnets pistonger, den heta ångan i honom. Nu tittar hon först en stund på sin hand sen vänder hon sig långsamt mot honom, ja i drömmen är alla hennes rörelser långsamma och fyllda av medvetenhet.

— Käre Alex, säger hon och samtidigt som hon sitter kvar vid sekretären och sjunker ihop en smula reser hon sig i sin dröm och går emot honom med öppna händer.

— I många år har du alltså besökt en offentlig lokal när du har kommit till mig. Jag vet det, Alex. Det var ingen nyhet för mig. Jag vet att det skulle ha skadat din ställning obotligt om du haft en förbindelse med någon annan än restauratrisen.

Hon måste hejda sig och svälja.

— Men en sak måste förbrylla dina vänner. Om de tittar i uppbördslängden så står jag överst med en inkomst av nära åttatusen kronor. Sen kommer du med något över femtusen per år. Därefter Cederfalk, Wilhelmsson, Wärnström. Och så vidare.

Hon ler lite.

— Dina vänner måste alltså konstatera att det inte är nöden som drivit mig.

I samma ögonblick bestämmer hon sig för att ingenting ha sagt om uppbördslängden och inkomsterna. Detta ska hon i stället tänka och hon ska sitta kvar vid sekretären när hon tänker det. Först därefter reser hon sig och går emot honom; hans ansikte som är en skuggfläck.

— Du behöver inte be mig om förlåtelse, käre Alex. Jag visste för länge sen vad du lät dina vänner tro. Min vänskap för dig har tålt det. Ja, den har innefattat också din —

— feghet, tänker hon. Ett ord som är fett och slirigt. Din feghet, Alex. Hon vill kasta opp. Hon böjer sig ner över skrivklaffen och hennes liv rister av illamåendet. Kallsvetten kommer och hon öppnar handen och ser fukten i handflatans fåror och inser att den inte hör till drömmen. Hon kommer kanske att vomera på mattan.

Då hörs ytterdörrens glasrutor klirra, dörren till serveringsgången smäller, snabba steg och en knackning. Han kommer! tänker hon mot allt förnuft för stegen är flicksnabba. Han kommer i alla fall!

Det är Tora Lans. Hon har öppnat utan att vänta på svar. Hon har en sjal om sig, klänningen är oknäppt och särklivet syns.

— Tora!

— Det brinner, mamsell!

Almas illamående har gått över. Hon knäpper händerna ovanpå skrivskivan och ser småleende på Tora.

— Så dramatiskt, kära Tora.

Hon är tämligen van vid dessa larm. Flottet i rökgångarna ovanför den stora järnspisen brukar ta eld. En gång har en gardin flammat opp i gästvåningen.

— Nej! skriker Tora. Det är riktigt! Svinefrid brinner! Hör inte mamsell?

Och först nu hör restauratrisen växelloket utanför som far av och an och tjuter med visslan och hon förstår att hon kanske har hört det länge.

— Knäpp din klänning, Tora, säger hon och reser sig. Vi går tillsammans.

När Svinefrid brann osade det stekt fläsk ända till Backe och

Vallmsta sas det.

Men inte en enda gris brann inne. Det första man gjorde var att öppna dörrarna till svinstallet och femton gödsvin rusade ut genom kedjan av stakapojkar som stod och försökte hålla folk på avstånd. Deras rödvita stänger splittrades, folk och grisar bröt igenom från varsitt håll.

Fabrikspipan tjöt hos Wilhelmssons och Wärnströms långt borta på andra sidan järnvägen. Gårdsägare Helmer Svensson som tillhörde brandcorpset sprang av och an mellan husen och tutade i en lur.

Man kommenterade. Man drog sig åt det flammande Svinefrid som aldrig tett sig så stolt. Elden dånade, fönsterrutor hettades opp och sprack. Det klirrade och väste i hettan. Lokomotivet som hela tiden backade och for framåt, backade och for framåt tjöt och ångan sprutade vit. Femton galopperande grisar föstes med kvastskaft, stacks med avbrutna käppar och skrek i ångest och folkilska. I restauratrisens lager exploderade ölfaten och i hökarboden på nedre botten flammade och sköt faten med olja och fotogen.

Nu klampade grova uniformskängor och stövlar i trapporna. Det var det vingade hjulets folk som flydde undan den röde hanen som tidningens redaktör senare rapporterade. Men det var sanningen att säga också tunnsulade lackskor som flydde nerför trapporna och det applåderades ute på gården när bland andra den lille Finck kom utstörtande med flaxande hängslen och efter honom en av krogpigorna som hette Tekla med hans frack över armen. Ebba som stod urrig och frusen med allt sitt pyngle i ett knyte vid fötterna fnös.

Men i andra änden på huset måste man fira sig ut på sammansnodda lakan och man kom dunsande i bara särken och lokomotiveldaren Ervin Adolfsson fick applåd för sina maskinstickade underbenkläder. Ja, det var mycket som var annorlunda mot förr i tiden då man gått man ur huse och alla tagit sin tomma hink med till brandplatsen för att ställa sig i langningskedjan. Nu såg man många stå bredbenta och med en farlig glimt i ögat. Siffror flög mellan männen — det var restauratrisens brandförsäkring man gissade på. Men det var bara antaganden, det ena mer fantastiskt än det andra. Så kom då till slut mamsell Winlöf med en piga i släp. Hon ställde sig rak att titta och hettan slog henne i ansiktet men hon rörde sig inte. Den djärvaste av åskådarna menade halvhögt:

— Jaja, det tar sig sa bonn när skithuse brann.

Så kom äntligen brandcorpset med de båda stora sprutvagnarna. Befälhavaren, friherren och stationsinspektoren Gustaf Adolf Cederfalk, hade ännu frackbyxorna på. Han hickade av den kalla nattluften. Sprutorna monterades, hästarna spändes ifrån och man försökte jaga undan grisar och folk. Nu riktade sprutförarna strålarna som till att börja med kom ojämnt och pulserande innan de sexton karlarna vid pumparna fått in takten. Men någonting var vaj, ena föraren snodde runt och skrek en fråga och den först raka strålen av tjockt vatten från Katthavet sattes i ryggen på Cederfalk som dansade bort som om han gripits av en hård hand i nacken. Sprutföraren vinglade förskräckt och strålen gjorde en båge över åskådarna och duschade dem och ljöt brunt vatten i deras öppna munnar och deras råa jubel. Cederfalk vände och fick med flaxande armar tillbaka balansen och skrek de ord som alla källor, de petiga dagböckernas bruna bläckskrift, tidningsurklippen, breven som snart faller sönder, har bevarat med samstämmighet ända in i stavningen:

— Ärr du galen plåtslagare!!!

Ja, sprutorna var rostiga och stegarna ruttna, det är i alla fall sant. Men det är lögn att snickarmästare Fredriksson som skulle ge signalen vid corpsets utryckande aldrig kom med utan satt avdomnad nedanför en lyktstolpe. Han var vindögd, så långt är det riktigt.

När ännu folk firade sig ner från den bortre delen av huset kom Valfrid Johansson och hans bror Ebon fram till Tora och frågade hur hon räddat sig. Det var nu ingenting dramatiskt med Toras och Ebbas utrymning, de hade vaknat av skrik och hade genast känt röklukten. — Fick ni med er allting? frågade Valfrid men då satt Tora plötsligt handen för munnen som hon alltid gjorde när hon ofrivilligt gapade eller skrattade, för hon hade mist en tand.

Hon var blyg för Valfrid. Länge hade hon trott att han var

hennes far. Men det var när hon var yngre och dummare. Till slut hade han förstått vad hon trodde och han hade blivit generad.

— Jag var bara tolv år, hade han sagt. Såna tankar ska du inte ha. Och jag vet ingenting om den där saken som du tänker på.

Men Edla kunde han aldrig glömma hade han sagt.

— Vad är det, Tora?

— Jag glömde fotografit, sa hon. Hon tog handen från munnen och svalde och branden var inte rolig längre och hon frös ynkligt.

— Vilket fotografi?

— Av Edla.

Hon sa aldrig mor om flickan på fotografiet. Han visste vilken bild det var. Hon hade fått den av sin mormor och på den hade Edla rutig klänning. Men hennes ansikte höll på att utplånas. Ja, det var som aska som skulle blåsa bort i första vind som kom.

— Vilket elände, sa Valfrid. Det var väl det enda du hade efter mor din.

— Då får du väl gå in och rädda't åt na, sa Ebon och ett vansinnigt hopp lyste opp Tora så att hon glömde att stänga munnen om sin felande tand. Men sen förstod hon ju att Ebon skämtade. Hon var rädd för honom. Han stod och tittade på branden med händerna i byxfickorna och den rundkulliga hatten tillbakaskjuten i nacken. Han var en uppviglare, det var fabrikör Wärnströms ord. På verkstan och på Wilhelmssons snickeri var han portförbjuden och han åkte som bromsare nu. När hon serverade på trean hade han försökt prata med henne. Men hon var rädd, han var inte alls lik sin äldre bror.

Sen hände någonting underligt och storartat. Men Tora fick inte se det. Hon kom ifrån bröderna Johansson, de gled isär bland grisar folk och hästar. Själv tog hon en hink och ställde sig i langningskedjan från Katthavet opp till mangelboden. Svinstall och bostadshus brann räddningslöst och brandbefälet röt vanmäktigt åt sprutförare och pumpkarlar som snavade över varandra och över de sönderrostade sprutorna. Då sa en käring:

— Nu brinner snart mangelboa.

Och en annan sa:

— Det vore synn.

Det fanns inte bättre mangel att hyra i samhället än den där restauratrisens pigor manglade hotellets dukar hårda och glänsande mellan två stora stenhallar. Då bemäktigade sig två av samhällets kvinnor de bästa assuranssprutorna, något som senare kom i brandbefälets långa utredningsprotokoll vilket i mycket kom att likna en sjöförklaring. Vidare ställde så många käringar som fanns inom synhåll opp sig på dubbel langningskedja från Katthavet till mangelboden och de langade så det fräste. Något skvalpades väl i glädjen och i hettan och i ivern och ilskan, men det mesta kom fram och blötte bodens svedda väggar och räddade den stora mangeln.

Men Svinefrid brann ner i ståtliga flammor och dånande hetta. Det brann ner till själva grundstenarna och alla dess råttor kilade mellan fötterna på skrikande människor och gjorde för några ögonblick gatan luden när de tog sig över till Katthavet och där vände de fräsande framför vattnet och kilade in i hål och i plank och häckar.

När det underliga och storartade skedde stod Tora och langade vatten och fick ingenting se. Men man berättade sedan för henne att Ebon Johansson hade stigit fram till den ännu oskadade ingången på norra gaveln och tittat oppåt. Han hade frågat Ebba var deras rum låg. Sen satte han sin hårda rundkulliga hatt tillrätta på huvudet, ja, han sköt ner den så långt i pannan han kunde, knäppte kavajen och steg så rakt in i den rökfyllda trappuppgången. Kvinnor skrek och brandbefälet röt efter honom och den största sprutan riktades mot ingången där han försvunnit.

Två gånger syntes han i trappfönstren. Elden fladdrade redan i lekfulla fransar kring fönsterbågarna.

— Han har gjort av med sig! skrek en kvinna och det verkade riktigt för han kom aldrig tillbaka i dörren. Nu brast redan rutorna och elden vrålade i trapphuset.

Men på andra sidan såg folk när han tog sig ut med ett lakan som bara räckte halvvägs ner och hur han hoppade och landade med sviktande knän.

Men på gårdssidan var det många som trodde att Ebon Johansson var död och att Svinefrids brand hade tagit ett liv. Han hittade Tora i trängseln och gav henne fotografiet. Det var osvett men buckligt.

Det finns mörka rum dit du kanske bör gå.

Men många är som Tora. Hon hade snabba fötter och starka ben. Kvick att räkna. Det hade skolläraren aldrig märkt, men nu var det verklighet och gällde ölhalvor, vinbuteljer, vichyvatten och punsch. Till mörka rum sökte hon sig inte. Det som har varit, det har varit. Ibland får man ändå spindelvävar i ansiktet, det är svårt att värja sig mot det osynliga. Och skitorden.

I gästgiveriets bottenvåning hyrde numera mamsell Winlöf. Där var det musikcafé i den gamla krogsalen och röksalong med palmer i skänkrummet. Det luktade färskt av målarfärg på förmiddagarna innan tobaksröken lagt sig. Den röda schaggen var ny och golven hade korkmattor. Aldrig gjorde sig Tora ärende in till gästgivarn. Därinne var det urtid. Det var skrämmande gammalt och grymt, som om det varit mycket mer än tjugo år sen Edla kom dit.

Tora ryggade för smutsen och de unkna lukterna av durnat öl och gamla skurgolv. Gästgivarfrun var död och om henne gick det historier. Hon hade varit hård. Men Tora ville ingenting höra.

Första gången hon stod där var hon skickad i ett ärende av mamsell till Isaksson. Hon gjorde det fort ifrån sig. Ändå stannade hon nedanför trappan när hon var på väg tillbaka. Denna enda gång.

Trappan ledde opp till klubbsalen. Där oppe hade Edla legat på det stora bordet. Hon gick oppför trappan i mörkret och in i salen och kände igen allting från Valfrids berättelser. Där var kakelugnarna, de stela porträtten, det stora fläckiga golvet. Rummet var stort och utkylt.

Vem var det?

Nu stod hon här i alla fall som om hon trodde att de mörknade väggarna och golvet med sina feta springor skulle ge ifrån sig hemligheten.

Valfrid? Nej, han var bara en barnunge då. En resande. Isaksson själv eller en full bonde. Kördrängarna . . .

Det drog om ryggen för dörren stod öppen ut mot trappan. Därnere var det en smatt med dörrar och en av dem ledde direkt ut i krogsalen. Det var lätt att gå fel i dörrarna om man skulle gå ut och pissa. Förr i tiden.

Det var som om någon velat tvinga henne att lyssna efter steg ute i trappan. Som om ett ansikte snart skulle dyka opp och hon måste se det i ögonen och tvingas känna sånt som hon inte ville. Hat kanhända. Förakt, vämjelse. Kanske till och med medlidande.

Nej! Hon ville inte veta några svar. Aldrig i hela livet ville hon veta. Hon ville härifrån! Hon nöjde sig med svaret som satt i de gamla väggarna och golven: det var mörkret självt och det hade inget ansikte. Kanske hade inte ens Edla sett något ansikte. Vem kunde inte ta fel på en dörr och stabbla oppför trappan till klubbrummet? Fylla och mörker. Var det grymhet?

Då var grymheten blind och ansiktslös. Hon blev med ens viss om att hon inte hade någon annan far än det fräna mörkret som var omkring henne.

Det finns ett medlidande mellan människor, längst inne i mörka rum. Men vi orkar det inte.

Valfrid Johansson drog in på gästgiveriet med ett förgyllt svärd och ett parti dödskallar under armen. I sin ungdom hade han blivit bortmotad och avskedad från sin tjänst som bodgosse för att han sålt ett blad som Isaksson inte ens skulle vilja ha att torka sig i — ja, inte någonstans med. Valfrid älskade inte råa ord. Men han mindes dem bittert.

Många Folkviljor hade han inte sålt. Däremot hade han blivit driftkucku i samhället och överöst med ord som han led av. Feta, osande, slaskiga — alla sorter.

Ebon sålde också Folkviljor men han fick bara stryk. Så underlig är världen. Det hände förresten inte många gånger och han sålde mycket. I flera års tid var han en av den halte agitatorns bästa försäljare. Men Valfrid hade till slut fått plats hos hökare Levander mot att han upphörde med tidningsförsäljningen. Det gjorde han utan samvetsstrider för så mycket begrep han som att socialdemokratin inte stod och föll med de få exemplar han lyckades prångla på de mest beskänkta av sina offer.

Valfrid blev bodbetjänt och han blev så småningom förste. Han blev hökarns högra hand i den expanderande rörelsen. Levander var nästan grosshandlare nu. Det var framtid hos honom.

Men Valfrid hade inte övergett sin ungdoms tro. Närsomhelst, förklarade han, skulle han våga deklarera för vemsomhelst att den socialistiska övertygelsen stod hans hjärta allra närmast. Vad skilde egentligen människa från människa? Ingenting.

Det var bara det att han som mognande människa insett, tyvärr insett, att den socialistiska grundtanken är orealistisk. Sådan är människans natur att den socialistiska tanken inte går att förverkliga. Han önskade dock alla dem lycka till som ville förverkliga den, ja av fullaste hjärta önskade han dem framgång.

En strid har det alltid varit på jorden och människan är människans varg. I alla tider har det funnits orättvisor och i alla tider kommer den ena människan att klättra på den andra. Det är något som man, tyvärr, inte kan borteskamotera hur gärna man än ville.

Men.

Tvärtemot vad de argaste agitatorerna säger så ljusnar det hela tiden. Ekonomisk utveckling, folkbildning, humanisering — se där begrepp som äro stadda i växande, sa Valfrid.

På dessa två grundstenar vilade hans världsåskådning.

Han la det förgyllda svärdet på dess sammetshyende och ställde resväskan med dödskallarna i en garderob. Isaksson hälsade tämligen respektfullt på honom för Ordens Sällskapet Urdar betalade en kraftig hyra för den gamla klubbsalen på övre våningen i gästgiveriet. Det fanns en bryggare och en veterinär i Urdar, hökaren som var på gränsen till grosshandlare och en välrenommerad urmakare. Frisör och fotograf valdes inte in. Körsnären däremot och gjutar Berg hade initierats under stor gripenhet. Valfrid hade givetvis inte ens den lägsta grad i orden men hans arbetsgivare var stormästare och det var Valfrid som fått uppdraget att omgestalta det gamla klubbrummet. Han hade låtit måla och tapetsera det och belagt golven med ljusbruna korkmattor i persiskt mönster. Nu hängde han opp de tretton stjärnorna på väggarna och de krossade sköldarna bakom podiet. Han ställde en Kristusbild av vit gips i ena kakelugnsnischen och en bild av Dödens Ängel i den andra. Han täckte det nya bordet med en svart sammetsduk belagd med förgyllda siffergrupper. Resten — svarta kåpor, spiror, förgyllda kättingar, örn, plåtharnesk, hyenden, pappmoln, balloteringskoppar, biblar, löshår och liar — la han tillsammans med dödskallarna i garderoben och låste om dem. Han höll nyckeln under näsan på Isaksson och förklarade för honom att han som hyresvärd var ansvarig för att inget fifflande förekom.

— Orden Urdar verkar *gott,* sa Valfrid. Hur den *gör* när den verkar är inte vår sak. Så inge mixter med låset.

Unga herrar som frekventerade musikcaféet på nedre botten gläntade på en övertapetserad dörr till klubbrummet, vidgade en springa i de påspikade brädorna och gjorde hål med en pennkniv i tapeten. Med Isakssons goda minne roade de sig sen med att kika på Urdars mysterier. De lockade serveringsflickorna med sig opp och kikade kind vid kind. Därinne fanns inte längre någonting som Tora tyckte var skrämmande. Det var övertapetserat. Dödskallar skrämde henne inte, inte ens om de var försilvrade. Valfrid berättade för henne att Urdar de första året av sin tillvaro satte av 478 kronor och 43 öre åt behövande barn.

— Huvudsakligast till fotbeklädnader.

— Hörs, sa Tora. Fyrtitre öre också.

— Jag för böckerna åt dem, förklarade Valfrid.

Hon vågade inte berätta för honom att hon bekikat hela invigningsritualen då gjutar Berg upptogs i orden. Men för Ebon berättade hon och för hans vän Valentin. Gjutarn hade gripits av djup rörelse när han låg på knä i svart kåpa.

— Vad fattas dig, o broder? frågade urmakar Palmquist.

— Vishet, snörvlade gjutarn.

— Vad söker du, o broder? frågade Valfrids arbetsgivare inifrån kåpans mörker.

— Vishetens brunn.

Men när han skulle svara på det andra frågeparet: godhet! och godhetens källa! blev han kraftigt rörd och grät på bibelbladen framför sig så att det tunna pappret började lösas opp. Det var en fest!

De satt vid Mulles grav och hörde på järnvägsmusiken när Tora berättade. Valentin kved av skratt och försökte härma gjutar Berg på hans knävandring fram mot vishetens brunn.

— Sluta, sa Ebon. Jag har fått arbete på gjuteriet så jag känner den söte jäveln. Jag vet vad det är för ett as.

— Det är ju det vi säger, sa Tora och torkade skrattårarna.

— Nej!

Han reste sig och körde ner nävarna i byxfickorna. Tora hyssjade. Det satt och halvlåg folk överallt i gräset och lyssnade till musiken.

— Nej, sa Ebon. Han är inte löjlig. Han är farlig.

— Äsch, du skulle ha sett en.

— Jag har sett en slå ner lärpojkar. Har du sett Döva Lund?

Han arbeta åt gjutarn ända till i våras. Har du sett en?

— Ja ja. Men gjutarn var då bara löjlig när han stod och flåsa och grät över bibeln.

— Ni skrattar åt allting, sa Ebon med låg spänd röst. Han satte sig på huk framför dem så att de skulle höra honom fast han inte talade högt. Han balanserade på hälarna och höll händerna i byxfickorna.

— Ni skrattar. Men det finns för lite hat i det här samhället.

Tora vände sig halvt ifrån honom och lyssnade uppmärksamt på musiken. Det var Lustspelsouvertyr av Keler-Bela. Hon kände varje stycke från musikcaféet. Hon var hitkommen för att sitta i gräset och lyssna och hon ville lyssna.

— Kom Tora, sa Ebon. Kom med mig ska du få känna hur hat luktar.

Hon såg på hans ansikte som aldrig tycktes bli riktigt rent från gjuteridammet men som nu var blekt och svettigt och hon begrep att han var arg igen och att det bara skulle bli bråk om hon envisades med att sitta kvar. Hon reste sig och samlade ihop kjolen och började gå efter honom på den välkända stigen mot Lusknäppan, torpet som nu var rivet. Bakom den tomma danspaviljongen satte sig Ebon och bröt av kvistar. Han bröt rönnsly rakt av på mitten så att pinnar med vita brott stod opp framför dem.

— Du ska få känna lukten av hat, Tora.

Hon var arg för att hon kände sig tvungen att följa med honom. Hon ville inte gå avsides med sin nya kjol. Hon ville inte ha fläckar därbak och hon ville visa sig för folk så länge kjolen var snygg.

Men nu gick hon med Ebon. Från början hade det bara blivit så. Alla visste vad han hade gjort när Svinefrid brann. Visst kände hon Ebon innan. Hon hade haft hans vargögon på sig när hon serverade och han hade försökt prata med henne. Han var inte ett enda dugg lik Valfrid. Han var inte lättsam.

— Det har alltid funnits överdrifter i Ebons väsen, sa Valfrid åt henne. Som liten var han närmast idiot. Nu läser han för mycket. Och det är bara politik och smädesgift han läser.

Vargögon hade han; det var det för all del många karlar som

hade. Så kallade hon de alltför hungriga ögonen. Men Ebons kunde bli gula. Men har man ett skratt och snabba fötter när man svänger iväg med brickan så klarar man sig mången gång från att bli indragen i underliga samtal. Sen hade hon aldrig behövt servera på trean mer och inte sett till honom. Men så brann Svinefrid och han gjorde vad han gjorde för henne. Då gick hon med honom efter en dans oppe vid Lusknäppan. De talade om Edla och fotografiet. Det var ju det minsta han kunde begära av henne.

Han hade hårda händer. De gick den långa Kärleksstigen som började i björkallén men sen vek av från den riktiga Promenaden och slingrade i fukt och lövdunkel ända ner till en udde i Vallmaren. Hon vande sig vid Ebons hårda händer, men hon skrattade aldrig när hon var med honom.

Han var målmedveten. Han förödmjukade henne inte. Aldrig ett ord sa han om hennes unge ute i Stegsjö, den som alla visste om, han som var en stor pojke nu och som hon aldrig hade sett. Aldrig ett ord, inte ens alla de veckor och månader då han fick nej och de bara gick bredvid varandra, mest tigande. Så fort de kom ut ur samhället låg hans hårda händer om hennes midja och hon kunde knappt vända ansiktet mot honom förrän munnen var där, fordrande och sökande. Alltid, alltid försökte han. Det var som om han inte kunde tänka på något annat.

Till och med nu. Det blev inget mer talat om hat. Han lät henne lukta på kvistar av rönn bara. Hon begrep inte meningen med det och tyckte hans berättelser var långrandiga.

— Akta kjolen, sa hon.

För det var nu länge sen Ebon hade fått som han ville. Det hade blivit så. Men en sak hade hon klart för sig: inte en unge till! Det fick inte ske.

Det hände att hon stötte ut honom med all kraft, sköt ifrån med höfterna och magen och uppdragna lår så häftigt att han hamnade på rygg bredvid henne. För hon ville inte ha en unge till, inte ogift i alla fall. Nej, det fick bara inte ske! Och den rädslan var starkare än rädslan för Ebon — som aldrig riktigt släppte.

Han låg matt av chocken bredvid henne, ursinnet bultade. Han hade svårt att andas.

— Du är inte klok.

— Det kanhända.

— Det var långt kvar för mig.

Och han försökte lägga ner henne igen, tog hårt om hennes underarmar och pressade dem ner mot marken, satte knät mellan hennes ben och bände långsamt isär dem. Men det underliga var att den ena rädslan fortfarande var större än den andra och gjorde henne stark. Hon kastade med kroppen och satt opp, fri.

— Du låter bli.

— Jag hade långt kvar har jag sagt.

Hon svarade inte. Men när han låg ner, blek och med ögonen hårt slutna, satt hon och tittade på hans lem som fortfarande var svullen. Då tog hon med pekfingret på den yttersta spetsen och fångade droppen som satt där. Den luktade jord.

— Det är bäst vi slutar, sa hon.

— Jag hade långt kvar, sa han igen.

— Du vet inte vad du pratar om.

— Ja vadå? sa han. Det vore väl inte hela världen. Det har väl hänt förr.

Men han menade inte som hon trodde först. Hon hade fått så många stickord att hon blivit stingslig och anade förakt överallt. Han menade bara:

— Då gifter vi oss väl.

Det svarade hon inte på och ingenting ändrade sig mellan dem.

Lusknäppan var inte alltid så dyster som när Tora och Ebon satt där ensamma och han bröt sönder de små rönnarna så att bara skraggar stod kvar runt paviljongen. Arbetarföreningen gjorde utflykter dit och då var det folk i varenda buske. Flaggor smällde och velocipeder låg välta i gräset. Man bredde ut filtar och dukade opp mat.

Naturligtvis ville inte Ebon gå med, inte egentligen.

— Vad är det för fel på Arbetarföreningen nu då? sa Tora. Är inte den bra åtminstone. Finns det ingenting som är bra åt dig?

Han föraktade dem; Arbetarnas Ring, Arbetarföreningen, IOI-mannaföreningen. De var betydelselösa. Promenader och faninvigningar. Spektakel. Fi fan.

— Men det blir sjukpengar och pengar te begravning, sa Tora.

Är det nåt fel på det?

— Arbetarna ska inte köpa likvagn åt varandra, sa Ebon. Det finns det som är viktigare.

— Nej, du är förstås nöjd med att dras på flakvagn när din tid kommer.

— Arbetarna ska inte begrava varandra, sa Ebon. Di ska överleva.

Men han gick med till Lusknäppan därför att han ville träffa arbetare från Wärnströms verkstad och ännu en gång försöka övertala dem att bilda fackförening. Det var tolv år sen Wilhelmssons arbetare organiserade sig och snart tio år sen Grovarbetareförbundet fick en avdelning i samhället. Järnvägsmannaförbundet hade alldeles nyss bildat sin och det var bara arbetarna hos Wärnströms som vägrade att låta tala med sig.

Tora satt på filten och såg honom gå runt, såg honom väcka olust och förargelse denna vackra söndagseftermiddag. Valentin kom som vanligt och satte sig bredvid henne. Hon var irriterad på honom. Han var så harmynt och hopplös. Han sluddrade med sin kluvna läpp och han var så hjärtligt tillgiven. Här satt hon med armarna runt knäna och hade ingen annan än honom att prata med och Ebon gick runt och förargade folk.

— Det blir inget av hos Wärnströms, sa Valentin. Di vågar inte.

— Näha, sa Tora trött. Jag har hört att di har det för bra annars. Att di tyckte det var onödigt. Di får ju sjukhjälp av Wärnström själv om di råkar illa ut.

— Di får *låna,* sa Valentin dystert.

— Ja, du kan väl inte begära att han ska skänka bort pengarna.

— Nej, sa Valentin, han lånar ut pengar åt dom. Och sen kan di inte byta arbete. Och inte törs di bilda fackförening för då klämmer han åt dom och ska ha igen sina lån. Där har du slaveriet.

— Nä, allri i livets tider! sa Tora och reste sig. Hon var rasande. Hon tog in luft för att få röst och satte händerna i höfterna och ställde sig över Valentin som började hasa baklänges på filten. Hon hade inte skällt så här sen hon serverade på trean. Ilskan kom i skölja efter skölja genom hennes kropp och hon tyckte det var första gången på månader som hon kunde andas ordentligt.

— Nu vill jag inte höra ett ord till! Slaveri! Jag känner folk som jobbar hos Wärnströms och jag är inte idiot. Han håller inte kvar folk på det där viset, det var en evig lögn! Skratta åt en när han sitter i kapellet och himlar sig för Jesus i taket om du vill. Men kom inte och påstå att han håller kvar folk på verkstan om di vill därifrån. För sanningen är att di inte vill därifrån! Di har det bättre hos Wärnström än nån annanstans här. Fråga vem du vill! Fråga Ludde Eriksson, han sitter där. Gör det!

Ludde tog åt sig blicken och makade sig iväg mot saftbordet men annars stirrade alla, till och med Lundholm som skötte fiskdammen stack opp huvudet ovanför skynket.

— Men för jösse namn, sluddrade Valentin och tycktes mer kluven och hopplös än någonsin. Man började dra på mun runt omkring dem. Tora svängde om så häftigt att kjolen svepte runt näsan på Valentin som försökte resa sig utan att välta smörgåskorgen och flaskorna. Så tog hon ett stadigt tag i kjolen och gick därifrån.

— Tora! ropade Valentin. Vänta! Jag kommer!

Vägen var full av folk som kom med hundar i band, ungar på armen och till och med i barnvagnar av Wärnströms tillverkning. Hon uppfattade både tomt stirrande ansikten och tveksamma skratt när hon marscherade fram rödfläckig i ansiktet och med den olyckan Valentin halvspringande efter. Hon gick av vägen rakt ut i skogsdungen och kängornas smala klackar fastnade i trädrötter och sten. Gudskelov hittade hon en gångstig efter en stund men hon blev tvärarg igen när hon förstod att hon kommit opp på Kärleksstigen och att hon fortfarande hade Valentin efter sig. Hon var nästan ända nere vid sjön när hon vände sig om igen och då fick hon se att de var ett helt litet tåg. Först kom hon själv och Valentin. Sen syntes Ebon med händerna i byxfickorna och allra sist kom en svart- och vitfläckig hund.

— Ge er iväg! skrek hon. Jag är le på er!

Valentin stannade.

— Ja, gå hem med dig. Jag vill inte se dig.

Han vände och började långsamt gå tillbaka. Men flera gånger såg han på henne över axeln och stod stilla med hängande armar som om han väntade att hon skulle ångra sig. Tora lutade sig mot en sten och försökte andas lugnt. Det högg i mellangärdet. Ebon kom sakta närmare på stigen och hon blundade ända tills han var alldeles inpå henne.

— Gå din väg.

Hunden hängde fortfarande med och började hoppa på hennes kjol och slicka henne på handen.

— Isch, sa Tora. Försvinn.

— Det är bara Lundholms Mutte.

Tora vände sig in mot stenblocket och la ansiktet i armarna.

— Jag vill vara ifred. Jag har fått nog av er båda två. Jag vill ha roligt en enda gång utan att det blir så här.

— Men jag tror att du hade rätt, sa Ebon. Di är inte rädda för Wärnström och di har det bättre där än på många andra ställen. Jag tror att di tycker bra om honom.

— Ja då så!

— Slaveriet är inte bara piskan, Tora. Det sitter i ryggarna också.

— Jag vet inte vad du menar och jag bryr mig inte omet heller.

— Kom nu.

Hundrackan hoppade omkring dem. Ebon tog Tora i armen och drog henne mot bänken vid sjön. Han satte henne som om hon varit en stor lealös docka.

— Låt bli, sa hon men hade inga krafter längre. Han drog ur nålarna i hennes hatt, först den ena och sen den andra, och la dem på bänken. Sen fortsatte han med hårnålarna. Hon försökte värja sig men han la tillbaka hennes händer i knät. Hela tiden pratade han med låg röst.

— Wärnström och den där skära Jesus som han har låtit måla i taket på kapellet, det är vad di skrattar åt, sa han. Och Lindh och hans franska böcker som han inte kan läsa i.

— Låt bli valkarna.

Men han tog dem ur hennes hår och la dem på bänken.

— Nu ska du va så här. Och Wärnström han går på södra sidan om järnvägen, mitt i gatan med sin vingåkerskäpp med silverknopp. Bryggarvagnen får hålla och handkärrorna väja och folk tar av sig mössan. Lindh går på norra sidan, mitt i gatan med lång käpp också fast hans har guldknopp.

— Det var lögn!

— Kanske. Men vingåkerskäpp har han. Folk vill ha dom så där. Di vill skratta åt dom och bli omskötta av dom och di vill ha det bra. Tora! Di kan inte hata dom.

Hon satt maktlös och såg Lundholms Mutte dra iväg med hennes hårvalkar. Ebon drog bort hennes händer när hon försökte ta i håret. Det var tunt och ljust. Hon skämdes för det. Det blev aldrig så långt som hon ville för det började gå av när det växt till axeln och sen blev striporna tunna och ojämna.

— Di kan inte hata.

— Du pratar så — dumt.

— Nej.

Mutte grävde ner valkarna. Han var ivrig. Mossan yrde.

— Jag hatar dom, sa Ebon. Det är inget fel på mig för det. Ibland tror jag att det är den enda kraft jag har att räkna med.

— Vadå för? Va har di gjort dig?

Han satt med händerna om hennes huvud och hade trätt fingrarna i det tunna flygiga håret. Han viskade.

— För barna på verkstäderna. Grabbarna. Men di är barn. För smutsen. För fingerklipparmaskinerna. För Döva Lund.

Han hasade ner från bänken och la huvudet i hennes knä. Mutte kom tillbaka och ville hämta hennes hatt men hon knäppte honom på nosen med sin fria hand och sen satte hon på sig hatten fast håret hängde.

— Men du skrattar ju åt dom du också, sa hon. När di går mitt i gatan.

— Nej.

— Jaså. Va gör du då?

— Jag känner äckel och vrede, sa han långt nere i hennes kjol och tryckte huvudet hårt mot hennes mage. Han hade andats så länge mot tyget att det hettade mot huden.

— Var tyst nu, sa hon.

Lundholms racka vågade inte fram mer. Han skällde ett par gånger och sen sprang han sin väg på stigen. Han lyste svartvit mellan alarna och försvann. När Ebon tystnade hörde hon änder snattra långt ute. Det växte tjockt med al i strandkanten och man hade fällt en del framför bänken. Men man såg ändå mest vass. Den växte i ett tjockt bälte och rasslade när vinden tog i. Långt därute blänkte lite vatten. Hon frös. Det hettade bara i gropen där han andades, annars frös hon.

Ute i Äppelrik hade hon helst inte velat låtsas om Ebon. Men pratet nådde överallt. Knekten var inte nöjd med att hon gick och drog med en uppviglare.

— För jag har hört att det ska vara en sån där, sa han. Och såna får ingen städsel behålla.

— Äsch städsel, sa Tora. Han är på gjuteriet.

Men han var inte nöjd med Rickard heller och det gjorde det lite lättare för henne. Rickard hade stannat hos sadelmakaren i Åsen och fått sin fulla utbildning i yrket. Han hade bara att välja mellan de två döttrarna, den ena behagligare än den andra. Till att börja med förstod man att han drog sig för ett avgörande för det måste bli lite kinkigt när båda två var lika förälskade i honom. Rickard var så ovanlig sa de. Rickard var svarthårig och lång och smidig i kroppen. Han rörde sig vigt och fort. Han hade ett förskräckligt humör när han blev retad men var dessemellan glad och hade snabba svar på allting. Rickard Lans var de båda mörkhåriga och feta och behagliga systrarna Löfgrens hjälte.

På försommaren åttiosju var han ute på arbete för sadelmakarens räkning. Han låg på Stora Kedevi säteri och gick igenom allt vad de hade av remtyg, selar, sadlar och stoppningar i vagnssäten och på kuskbockar. Därifrån for han direkt till Nord-Amerika med pigan och knektdottern Stella Johannesson från Vallmsta och avhördes inte förrän han var vigd vid henne och skrev hem att de fått en son som blivit nordamerikansk medborgare av födseln och döpts till Karl Abel.

Systrarna Löfgren sjuknade en tid. Sadelmakarn själv tog slaget mycket hårt för han hade haft stort förtroende för Rickard och aldrig hört ett ord om att han tänkt lämna dem. Han hade haft födan hos dem från åtta års ålder och han hade fått lära sig ett yrke. Det var egentligen ofattbart det han hade gjort.

Stella Johannesson hade varit sexton år när hon kom till Stora Kedevi. Där uppmärksammades hon av Emelie Högel som var brorsdotter till Högel själv och sysslade med måleri. Hon tog Stella som modell när hon skulle göra en stor oljemålning föreställande Ofelia.

Varje förmiddag fick hon sitta för fröken Högel. En betjänt hämtade blommor och vass och någon näckros som hon skulle avbildas med. Han visade stor irritation — men inte så att fröken Högel hörde det — över att han som stod skyhögt över pigan varje morgon tvingades klafsa i den dyiga strandkanten på jakt efter näckros och kaveldun. Till slut sa han något nedsättande om modellen och det blev den första sammanstötningen mellan honom och sadelmakaregesällen.

Stella skulle sitta absolut stilla med blommorna över armen, tillbakalutad och blickande mot en urna. Hon fick inte se porträttet medan fröken Högel arbetade på det. När det var färdigt hade hon farit iväg med Rickard Lans. Men hennes föräldrar inbjöds att beskåda det och de kom en söndag efter högmässan och knekten Johannesson bar paraduniform med plym och plåt. Han visste att hans flicka var mycket grann och han var inte onöjd med likheten. Detta framhöll han. Vidare sa han (han tyckte att han borde yttra några ord eftersom tillfället var högtidligt):

— Det lär väl komma att kosta stora pengar, förstår jag.

Detta förnekade inte fröken Högel som satt på en stol invid sitt porträtt.

— Det är redan sålt, sa hon och talade så lågmält att knektparet hade svårt att uppfatta henne. De tyckte också att hon sa något om att tavlan skulle iväg till England, men de vågade inte fråga om.

— Att få födan och kläderna i så många års tid, sa knekten Lans. Och husrummet. Att få lära sig yrket. Och inte ha så mycket vett att man förstår att man är tack skyldig utan ge sig iväg till Amerika. Och gifta sig med en vansinnig piga.

— Det var inte Stella som var vansinnig, sa Tora. Det var hon i teaterpjäsen.

— Nån likhet måtte det väl ha funnits, sa Lans. Annars hade

ho väl inte måla na.

Rickard fick inte heller se tavlan med Ofelia. Men han hade mött Stella redan första dagen han kom till Stora Kedevi. Det var den vackraste kvinna han någonsin hade sett.

Medan Rickards öden så ofattbart och dramatiskt ändrades gick Tora fortfarande med Ebon Johansson. Men hon fick mindre och mindre tid att vara ute och flamsa med serveringsflickorna. Mamsell Winlöf hade sålt hela rörelsen och dragit sig tillbaka med sin lilla hynda Mimi till en nybyggd villa mittemot Petrus Wilhelmssons.

Den nye ägaren var en källarmästare från Stockholm som hette Oscar Wilhelm Winther och han kom med två stora hundar och en skinnbrämad överrock i september. Det blev stora ändringar. Musikcaféet i gamla gästgivaregården fick ännu fler palmer och kallades Wintherträdgården. Han observerade sin personal i precis fyra veckor och sen fick sex serveringsflickor gå. Två av dem fick stanna och servera på trean om de ville. Men då fick två andra gå därifrån förstås, så de sa nej. A la bonne heure! sa Winther. Ni gör som ni vill.

Tora fick stanna och hon fick till och med nya arbetsuppgifter. Hon fick ansvara för linneförrådet och sköta beställningarna från bageriet. Men efter tre månader blev hon inkallad på hans kontor. Nu är det färdigt, tänkte hon och bytte förklä fast det hon hade på sig var alldeles rent.

— Tänk på mig, sa hon till Tekla.

— Äsch, du har väl inget att vara rädd för. Då ginge väl skam på torra land om han...

— Tyst. Ta i trä. Nu går jag.

Men hon hann se i spegeln när hon fäste lite hår som letat sig loss neråt halsen att Tekla tittade allvarligt efter henne.

De stora blågrå hundarna lyfte nosarna när hon kom in och det lät svagt i deras strupar. Winther skrev någonting, han tecknade åt henne att vänta. Pennan raspade iväg. Han var alltid snabb i vändningarna.

— Tora! sa han utan att titta opp. Le!

När han skrivit färdigt och tittade opp på hennes ansikte stirrade hon bara på honom blek och häpen.

— Men le lite! sa han.

Det for vanvettiga gissningar genom hennes huvud. Hon blev torr i mun. Kanske tyckte han att hon var för allvarlig med gästerna. Hade hon blivit högdragen och dyster? Men hon hade aktat sig för flams och krogpigefasoner sen han lät de sex flickorna gå.

— Det är väl inte så farligt, sa han. Le lite mot mig bara. Såå... nej. Inte med slutna läppar. Inte Mona Lisa!

Hon drog isär läpparna mot honom, ögonen blinkade inte. Han satt med pennan lyftad över brevpappret och tittade opp på henne. Han tittade mycket ingående och det stramade runt mun på Tora.

— Jaha. Skulle Tora vilja bli kassörska?

Nu fann hon sig i alla fall, svalde och sa kraftigt och tydligt:

— Ja.

— Det var bra. Då vet vi var vi har varann. Då ska Tora göra någonting åt den där tanden som felas.

— Va?

Han visade hela sitt bett för henne och knackade med pennskaften på framtänderna.

— Som kassörska sitter man hela dagarna med ansiktet mot gästerna. Det är restaurantens ansikte, Tora! Skaffa tänder.

Nu var hon het i ansiktet, måste vara mörkröd.

— Det har jag inte rå te... det finns inga möjligheter.

— Låna, sa han och skrev.

Hon visste inte vad hon skulle svara och började gå baklänges mot dörren.

— Låna av mig om så är, sa han. Nu får ju Tora lön. Tänk på saken.

— Tack, sa Tora. Tack så mycket. Jag ska tänka på saken.

För Ebon berättade hon inte om tänderna. Men hon sa att hon kunde få bli kassörska.

— Men di andra?

— Vilka andra?

— Kamraterna! Di som går kvar, sa Ebon.

— Ja, vad tror du? Att di kan bli kassörsker allihop? Du är

dig lik. Men det här kan ändra allting för mig. Jag skulle få lön.

— Och di andra går kvar för arbetskläderna och maten.

— Di har vad di får av gästerna, det vet du lika bra som jag.

— Det är du själv som har sagt att di enda som är generösa är horerna när di kommer resande från arbetsinrättningen i Norrköping och gör tågbyte.

Då skrattade Tora.

— Det är sant.

— Tora, Tora, sa han. Den där Winther kommer att göra som han vill med flickerna. Och då har di ingen som törs säga ifrån. Inte om du sätter dig i kassan.

— Jag vore väl idiot annars!

Han satt där med sitt rönnspö och tittade på henne.

— Prata kan du! bröt hon ut. Men kan du behålla ett arbete? Svara mig på det! Du predikar tess du blir utsparkad. Ingen tål dig! Du vänder på allting — nu är det bara *di där* som är hyggliga mot flickerna! Såna där.

— Horer, sa han leende. Pyscher.

— Håll du mun!

— Di har varit krogpiger många av dom själva, ser du lilla Tora. Di vet hur det är.

— Men jag är kassörska nu, sa Tora och reste sig.

— Jaså. Du hade redan bestämt dig.

— Nej. Men jag gör det nu.

Nej, hon var inte rädd för Ebon längre. Snart var hon tjugofem år och Winthers kassörska. Hon såg inte illa ut heller. Hon hade svart kjol som var sydd i fyra våder och mycket snäv över höfterna. Hon hade resårskärp i midjan med blankt spänne och hon drömde om en klocka att hänga i skärpet. Blusen var vit med hålsömmar på kragen. Längst opp i halsgropen hade hon en rund porslinsbrosch med små målade rosor på. Hon hade ytterligare två blusar i skåpet. Nu bodde hon ensam. Ebon fick komma opp till henne ibland. Men ute i hagar och skogsbackar gick hon inte längre och la sig. För det första var hon rädd om kläderna. Men hon sa också rent ut: det kan bli prat. Jag är kassörska hos Winther nu. En får tänka sig för.

Nej, bland gökärt och förgätmigej hade hon inget mer att göra.

I mars 1901 var den stora snöstormen. Dagarna innan hade solen bländat, smältvatten runnit från de tjärade uthustaken och hästbullarna som gråsparvarna slogs om hade jäst opp och spruckit. Men talgoxen sökte inte föda, han sjöng.

Snön kom en fredagsnatt med blåst som hårdnade till storm och packade höga drivor på bangården. Inga plogar förmådde längre någonting för den var tung och våt. Lördagen blev ingen dag utan en lång skum kvällning som stundtals blundade mörkt. Stormen vrålade i skorstenarna. Mot aftonen stillnade det men snöfallet upphörde inte utan blev bara torrare och tätare.

På Göteborgståget som inte hade kommit förbi ingångsväxeln satt en ung man och spådde viskande och leende att snöfallet aldrig skulle upphöra. Han hette F. A. Otter. Trycket sjönk i gasbehållarna och det hårda lampljuset i kupéerna blev gulare och varmare och skuggor växte ur hörnen. Kylan kom sakta. Pyskranar och dörrar som slog hördes ännu en stund, rösterna sänktes. Så blev det tyst.

Men man började frysa och måste röra på sig. Handelsresande frös och predikanter och virkesuppköpare och hennes nåd på Lilla Himmelsö som återvände från en Englandsresa. Ja, man ska inte resa på vintern om man kan undvika det.

Passagerarna fick stiga ur. Sjunkande och famlande i snödjupet tog de sig in i samhället där grindstolpar och staket för länge sen hade försvunnit.

— Det kanske är evighetssnön, sa F. A. Otter och ingen visste om han skämtade. Långt framför dem blinkade banvakternas lyktor. De förstod att de var inne, att gator kanhända låg under deras fötter när stora hästar med plogar efter sig växte opp ur mörkret och ingenting förmådde. Snön yrde i deras ögon.

På tingshuset hade det varit stämma på lördagen och stora salen var full av bönder som inte kunde resa hem. Man spelade priffe och bondtolva och väntade på flickorna från järnvägsrestauranten som kom med korgar med kaffe, biffstek och smörgås. Rum fanns inte längre att uppbringa när Göteborgstågets passagerare kom in. Winther hyrde ut Toras rum till en resande som protegerades av stationsskrivare Finck.

Hennes rum var besynnerligt. Winther hade byggt om mamsell Winlöfs bostad till kontor och förråd och längst bort i en korridor som uppstått vid ombyggnaden låg Toras rum. Det var fyllt av skåp för hotellets linneförråd och längst in fanns kakelugnen i mamsell Winlöfs förmak kvar och ett av fönstren. Det var kakelugnen som ingett Winther tanken att någon kunde bo där.

Han satt på sängen när hon kom tillbaka för att se om hon låst alla linneskåpen. Det var sent på natten och lampan var nerskruvad. Han försökte dra av sig ena kängan men den var genomsur och kärvade mot strumpan. Han såg missnöjd ut när han tittade opp och Tora bad om ursäkt.

— Jag skulle bara titta om jag hade låst om linnet, sa hon.

Hon skämdes genast. Det var inte underligt att han såg ännu missnöjdare ut. Det var en ganska fin karl. Hon såg på hans rock som låg över stolen och på hans händer. Nu hade han fått av sig kängan.

— Hämta varmvatten, sa han.

Han trodde att hon var en av pigorna och hon sa så vänligt hon kunde för att förta intrycket av dumheten hon sagt om linnet:

— Jag ska skicka en av flickorna.

Han tittade opp. Nu såg hon att han var blek, nästan vit i ansiktet och hon kände en underlig oro. Den bara foten hängde ut över sängkanten och hon tittade på den. Ankeln var smal som på en flicka, smalare än hennes. Han hade ett högt vackert fotvalv och raka tår som låg tätt tillsammans. På hälen var skinnet rosafärgat men annars var foten så vit att han måste vara nära förfrysning.

— Skynda på, sa han.

Hon kom själv tillbaka med vattnet som hon hade värmt. Hon visste inte varför. Det fanns fortfarande flickor vakna och oppe. Han låg som förut men när hon kom in med bleckfatet och en hink satte han sig opp och började ta av den andra kängan. Hon tog hans rock för att hänga opp den. Innanför kragen satt en liten lapp från ett skrädderi i Göteborg och under den namnlappen: F. A. Otter.

— Nu ska det bli varmt, sa Tora.

Han satte fötterna i bleckfatet och hon dröjde en sekund innan hon började hälla på vattnet från hinken. Båda fötterna var lika vackra.

Det är klart. Vad dum en är, tänkte hon. Har man en vacker fot så är den andra likadan. Men det var ändå som om hon haft svårt att tro att det kunde vara så fulländat och det var därför hon själv hade kommit tillbaka med vattnet.

— Men vad i jösse namen, har det slocknat? sa hon och gick fram och öppnade kakelugnsluckorna. Det är ingen som har tänt en gång! Undra på att det är kallt.

Hon knäppte opp manschetterna och vek opp blusärmarna en bit. Han satt och tittade på henne.

— Ska ni tända själv? frågade han.

Då blev hon ängslig att han skulle tro någonting om henne som var för märkvärdigt och sa:

— Jag är kassörska hos Winther. Men nog vet jag hur man tänder i den här.

Hon var på väg att säga att det var hennes rum men ångrade sig. När hon fått fart på brasan stängde hon luckorna och kände på kakelugnen.

— Det är inte så länge sen det slockna, sa hon. Han är varm fortfarande. Lite varm i alla fall.

Fast han satt så allvarlig med fötterna i baljan och tittade på henne kände hon sig uppspelt. Hon slog armarna om den ännu ljumma kakelugnen.

— Jag brukar kalla'n för min fästman, sa hon. Det är jag som bor här.

Då skrattade han. Men nu skämdes hon igen för att hon inte tänkt sig för utan pratat precis som den krogpiga han hade tagit henne för. Hon stod kvar med armarna runt kakelugnen därför att kinderna brände och väntade bara att han skulle börja raljera: men det är väl inte enda fästmannen, förstår jag! Men när hon slutligen vände sig om, het och generad, satt han fortfarande bara och tittade på henne och han log. Han frågade inte ens var hon skulle bo i natt. Han sa bara:

— Det var vänligt av er att avstå från ert rum.

— Nu ska jag hämta handdukar, sa Tora.

Hon låste opp ett av skåpen och tog fram tjocka kyprade handdukar till hans fötter.

— Snöar det fortfarande? frågade han och nu hördes hans Göteborgsdialekt.

Hon gläntade på gardinen.

— Det är precis som förut.

— Öppna kakelugnsluckorna, bad han och lät ivrig. Hon gjorde som han sa och rummet blev fullt av lekfulla skuggor och reflexer i skåpdörrarna och i kopparhinken som hon tagit in.

— Sitt inte för länge med fötterna i vattnet. Det är inte bra om det svalnar.

Hon bredde ut en handduk på golvet.

— Om det bara fortsätter att snöa, sa han. Om snön bara stiger och stiger.

— Jag ska gnida dom, sa Tora. Ta opp båda fötterna ur vattnet nu. Det är inte bra och bli kall igen.

— Om plogarna kör fast och hästarna inte kan gå längre. Och folk får inte opp dörrarna och till slut når snön över skorstenarna.

— Så illa ska det väl inte bli, sa Tora och la handduken om hans båda alldeles felfria fötter.

— Då kvävs rökarna och det blir alldeles mörkt och alldeles tyst och mycket kallt inne och det börjar knaka i tak och väggar av den oerhörda tyngden av snömassan. För nu är den ovanför hustaken och flaggstängerna och den sista trädkronan på det sista berget i Sörmland försvinner och allting är alldeles vitt och slätt när natten kommer och månskenet.

Hon vek handduken så att det blev ett litet paket av fötterna och klappade på dem med små rörelser.

— Finns det berg i Sörmland? frågade han.

— Ja, jag vet inte, det finns det väl.

— Jag ska bo här nu.

Han suckade och det lät som om han talat till någon annan så Tora svarade inte.

Nu var fötterna alldeles torra och varma. Hon tog bort handdukarna och vek ihop dem. Ännu en liten stund kunde hon göra sig några ärenden. Brasan skulle röras om och ett par trän läggas på.

— Skjut inte spjället för tidigt, sa hon.

— Nejdå, svarade han leende.

— Godnatt.

— Godnatt fröken.

Han gick och la sig i den främmande sängen och lyssnade. När han hade stängt kakelugnsluckorna och skruvat ner lampan var det alldeles mörkt i rummet bakom skåpen. Han var varm nu men när han skulle somna tyckte han sig höra ljud och de stora milda hästarna växte opp ur mörkret i hans drömmar och kämpade mot snön som bara växte. Han undrade om han skrämt kvinnan som varit inne hos honom genom att tala om hur snön skulle lägga sig över alltsammans. Husen skulle pressas samman och störta ihop av trycket och människorna skulle ligga kvävda med armarna om varandra och hundar och kanariefåglar skulle också vara döda.

— Vad är det som säger att snön verkligen slutar falla? sa han till sig själv. Vad är det som säger det?

Men det var en lek han lekte och han visste det. Han var inte alls rädd för snön. När han låg vaken och lyssnade i det stora huset vid stationen där det aldrig brukade vara tyst annars, visste han mycket väl att de andra skulle leva. Ingen skulle kvävas under snön.

Han tände ljus och steg opp, gripen av ångest för sitt liv och kunde inte finna på någonting annat att göra än att öppna kakelugnsluckorna och röra om med gaffeln i den ljumma askan.

Han hade de fort uttröttades dröm om den långa resan. Men sin första tjänstgöring fick han göra på ett Kd-lok som drog godståg till Hallsberg. Det hade en enorm tender och kunde ta fyra ton kol. F. A. Otter tyckte att det var oerhört, det var vådligt och nästan skrämmande att se så mycket kraft ligga bunden i glänsande svart kol och att kunna bära den med sig. Hans hjärta slog kraftigt som ångslagen från loket i uppförsluten när han skyfflade. Skovelskaftet var glatt av nötningen i händerna, ändå sprack skinnet och såren vattnade sig. Men han gladde sig åt den kraftiga gnistkvasten som reste sig ur skorstenen och åt skyarna av ånga och stenkolsrök. Det är kraft! det är kraft! sjöng det i hans kropp som riste i banskarvarna och i början slungades mot järnväggen när de bromsade.

— Kom ihåg att här eldar du bara helvetet hett åt dig själv, sa lokföraren. FA förstod inte vad han menade, men det var nog bara ett rent allmänt hot, en prakttirad som han brukade använda mot nya eldare. FA tvivlade inte på att det skulle bli besvärligt. Han såg hårtofsar i Malms näsa denna enda gång de stod varandra nära ansikte mot ansikte och han slog ner blicken. Han var lättäcklad.

Den förre eldaren hade fått gå för att han i upprördhet hade råkat säga du till Malm. Han hade också varit praktikant och siktat på lokförarskolan. Malm var ute efter såna, berättade man påpassligt för FA.

Sex månader skulle han gå här, det fanns inget sätt att komma undan praktiken. Blöt av svett från eldningen kröp han på vagnarna för att lägga ner bromsarna. Det kom en vinterknäpp och metallen fick isbark. I hytten stirrade han på Malms rygg — för det fanns under dessa tre veckor trots allt en och annan lugn stund i början då han hann tänka. Sex månader här och sen lokförarskolan. Sen stode han själv där med handen i död mans grepp och blicken ut mot banan medan en eldare bakom hans rygg passade på order. Men snart stirrade han bara i tom trötthet och orkade inte forma tanken.

Han hade rekvirerat mössa från Stockholm och löst ut den med fem kronor plus frakten. Men märket var inte det rätta, det var klumpigt och fult. Han beställde ett elegantare från Sporrong. FA hade den tanken — och han hade inte kommit på den själv — att lokmännen skulle ha officers rang. Malm var den gamla skolan och skulle tituleras mäster. Till lokmannaförbundets stämmor åkte han i svart cylinderhatt.

Det dröjde ett bra tag tills FA visste var han hade honom. Hade han trott att det var lättare att vara underställd någon man föraktade så misstog han sig. Förakt och rädsla vred sig om varandra inuti honom. Magen värkte.

Magen värkte på allvar. Han hade aldrig talat med någon om det. Ja, modern i Göteborg hade något hon kallade för sura besvär, det berördes mycket lätt och han visste inte riktigt vad det innebar. Små uppstötningar kanske, halsbränna. För henne hade han antytt att magen besvärade honom. Hon tog för givet att han hade samma bekymmer som hon och gav honom bikarbonat i en flaska. Om han såg bekymrad ut kom hon med en sked potatismjöl och ville att han skulle försöka svälja det. Det lindrade den brännande känslan i halsen, sa hon. Leende sköt han undan hennes sked, kramade henne om axlarna.

Nu eldade han i hettan och kröp på vagnarna i marsblåsten. Tre dygn i taget tjänstgjorde han, alltid samma tider som Malm. De var fogade samman av tjänstgöringsschemat och skulle inte skiljas på sex månader. Första natten väcktes han klockan tre och de gick till Hallsberg där de inte var färdiga med vagnsväxlingen, med kolning och askning och vattenpåfyllning förrän klockan var tolv. Han hade tolv timmars reservtjänst därborta och fick sen ligga över i ett rum som luktade snusk och kall tobaksrök.

Han hade otur med lukterna. Det var så med honom att lukten av olja på het metall alltid gjorde honom illamående. Han hade i hela sitt liv haft lätt att få kväljningar, särskilt av olja på het metall. Till detta obehag kom två nya: lukten av stenkolsrök och kreosolimpregnerade slipers. Han led av detta och av magplågorna och modern skrev ängsligt och frågade hur han hade det med sina sura besvär. Han kände sig irriterad.

Andra dagen väcktes han kockan fyra på morgonen och de gick omedelbart till Flen. De kom tillbaka hem för en kort middagsrast. Han kallade det att komma hem nu för det rum han hyrt var bättre än överliggningsrummen och han kände några personer i samhället. Stationsskrivare Finck var en släkting till hans mor. Det fanns en Clarin som arbetade på posten som han stött ihop med på järnvägsrestauranten.

Andra dagens matrast låg han hemma och åt ingenting. De fortsatte till Hallsberg igen. Han låg i tolv timmars beredskap där och gjorde reparationer. Klockan tre den tredje dagens eftermiddag for de tillbaka hem men han blev inte fri förrän klockan tio på kvällen då han askat och kolat.

Han satt med händerna i tvålvatten när han var ledig den fjärde dan. På kvällen skulle han till hotellet. Efter ett par veckor hade han börjat sjunga ihop med Clarin och hans vänner på kvällarna men händerna och halsen var hans förtvivlan. Koldammet åt sig in. Han försökte hålla undan händerna så mycket som möjligt ihop med Clarin och de andra. De hette Kasparsson och Ahlquist och de var till att börja med inte särskilt hjärtliga. Men så fick de höra hans röst när han sjöng Reissingers Nordhavet.

> Havet är skjönt naar det roligen hvaelver
> staalblanke Skjold over Vikingers grav!

Å, det var skönt! De hade sett honom hälsa på Finck, han hade stått fem minuter på stationsplanen och pratat med honom.

— Vi ses på söndag, sa de. På hotellet!

Han vinkade glatt, magen tog i att värka och han måste möda sig om att gå rak därifrån. Han trodde det var Malms fel. På något sätt hade han fått för sig att Malm drog denna borrsväng i hans mage. Nu gällde det bara att de inte fick extratjänstgöring på fjärdedan av schemat som var en söndag. Eller att Malm beslog honom med något. Tigande for de till Hallsberg och tillbaka, tigande till Flen. Han hade fortfarande drömmen om den långa resan, men han måste först klara av Malm som vaktade ut honom.

I tredje veckan på andra tjänstgöringsdan när han låg i beredskap i Hallsberg fick han kräkningar. Magen drog ihop sig i kramp och han riste och ulkade. Han tyckte det var avskyvärt. Han äcklades av allt som hans kropp avsöndrade redan när den var frisk och det här var surt och unket och sjukt. Han måste sitta på huset så länge på morgnarna också. Det var något som han aldrig behövt tänka på förr, det klarades av på några minuter. Men nu slet putsare och smörjare i dörren med de snedställda spjälorna medan han satt där och höll andan. Efter några vändor hade de lärt sig att det var F. A. Otter som var därinne och de hojtade åt honom. Det var rått och han hatade dem. Både i Flen och Hallsberg började han ta dörren som det stod Quinnor på i stället. Det gick bra om han smet in och ut försiktigt, men en morgon stod en väldig dam med hatt framför dörren när han kom ut. Han gick därifrån med knyckig gång. Hela dan var han rädd att hon skulle anmäla honom och han började tycka att Malm såg triumferande ut. Först när han sovit sin lediga natt insåg han att man inte fick avsked för att man tagit fel på skylt. Men han började gå på Män igen och han vaktade ängsligt på de små sakerna som föll ner. Hur kunde det bli så här? Och hur kunde han härda ut att titta på dem även om de var små och torra, han som aldrig förr vänt sig om på ett sånt här ställe? Nästa morgon hade han diarré. Han tyckte att han långsamt förvandlades, han blev helt och hållet mage. Han led mycket men skämdes mera.

Två gånger höll Malm på att komma på honom med kräkningar ombord. Han kämpade ett långt tredagarspass med hans misstänksamma blick och med kramperna som bara ville ha honom att fälla ihop sig som en kniv. Han var lycklig när han trodde sig ha klarat det och kom hem för att vila den fjärde dan. När han skulle stiga opp klockan tre på morgonen av ett nytt pass kände han sig plötsligt alldeles likgiltig. Han var inte ens morgonsömnig, han låg bara och stirrade förbi den tända lampan i rummets grådager. Sen gick han opp och klädde sig och utan att äta något gick han ner och sjukanmälde sig för vakthavande stationsbefäl.

Stationsskrivare Finck som var hans mors släkting och kände

en del av hans drömmar skickade bud efter honom. FA klädde sig snyggt och gick på visit och berättade vad läkaren hade sagt när han var där. Sanningen att säga hade han varit hos två läkare, för den gamle i samhället hade bara sagt att han var neurasteniker.

— Men jag har nog magsår, sa FA. Åtminstone var det vad läkaren i Hallsberg antydde.

Han kände sig utmanande, hoppfull. Det var i alla fall en väg ut ur helvetet. Han skulle nog aldrig behöva se Malm mer. Men eldarpraktiken?

— Finns det ingen annan praktik, ingen annan tjänst? Jag menar, jag gör vad som helst.

— Du måste tyvärr göra de sex månaderna. Men du behöver ju inte göra dem nu. Vänta tills du blir frisk.

— Jag är tjugosex år!

Men nu blev Finck lite otålig.

— Du behöver väl inte mer än några veckor för att läka den här katarren.

Eftersom han inte hade ekonomiska resurser att vara sjuk någon längre tid ordnade Finck så att han fick vikariera som biljettör. Han satt från sju på morgonen till åtta på kvällen och hade dessutom matrast. Först nu vågade han räkna ut att han tjänstgjort nitton och tjugo timmar per dygn när han eldade.

I början tyckte han att han vilade. Han satt och satt. Men det tröttade också att sitta. Biljettören skulle komma tillbaka så småningom men Finck lovade att försöka ordna något som extra kontorsskrivare åt honom. Han hade sett hans prydliga handstil och visste att han gått fyra klasser i läroverk.

Söndagarna på vårvintern var långa och ledsamma. FA sov så länge han förmådde, men så fort han rörde sig och famlade efter skåpdörren för att nå nattkärlet prasslade det bakom draperiet. Sen dök strax värdinnan opp med kaffebrickan och ett oerhört leende som blottade den röda kautschukmassan i hennes nya gommar. Hon var realist och brydde sig mindre om att han var efter med hyran än att han var släkt med andre stationsskrivare Finck vars mor stod i adelskalendern.

Åt gjorde han inte på förmiddagarna. Tanken på mat måste långsamt, mycket långsamt ta honom i besittning annars fick han kväljningar. Om kvällen var han ofta rödkindad och kunde äta.

På eftermiddan träffades vännerna i Wintherträdgården och för det mesta kom de så tidigt att det ännu var tomt. Clarin satte sig vid pianot och spelade Matroslyran och Kasparsson och Ahlquist tog valssteg med nytända cigarrer i mun. Men ledsamt var det. De hörde växelloken frusta och de drog för gardinerna. Invid pianot stod en neger av trä och höll fram en mässingsbricka med rökutensilier som FA använde att ackompanjera Clarin med och en stund lät det som cymbal och triangl<sub></sub>ar. Men efteråt blev det ännu tystare.

De stötte en stund inne i den tomma biljarden och markerade åt sig själva och satt sen resten av eftermiddagen i musikcaféet och grälade godmodigt om Göteborgspunschen med FA som var patriot. Sen undersökte de lättsamt möjligheterna att mot aftonen gå tvärsöver stationsplan till järnvägsrestauranten men annars talade de inte om pengar för det var trist. FA hade gjort sin första växel för en månad sen och det var lika lätt som det var sagt. Men han hade inte mycket större lön än en banvakt och han visste inte om han skulle få fast plats vid stationen där Fincks protektion nu hade gjort honom till extra kontorist.

Skymningen föll och det välsignade mörkret. Med ljuslågorna och lampskenet kom värmen tillbaka och Ahlquists kostym såg nästan svart ut igen. Med brodersax ansade han ärmkanterna innan de gick på hotellet men det var en rit för att få flickorna att skratta. Musikcaféet stängde klockan sju och samma flickor serverade supén på hotellet. Värmen steg och gjorde FA gott, musiken och rösterna livade honom. Det var bara ångslagen från loken utanför som påminde om morgonen då han skulle sitta och kratsa med stålpennan i böckerna — siffror, siffror.

Ahlquist tog opp, han intonerade dämpat med sin inte alltdeles klara men mycket varma baryton:

— I ro-o-sens doft...

och Clarin föll in:

— I blomsterlundens gömma...

— Pom-pom-pompom, kom Kasparsson så sakta och sen höjde FA blicken där han satt tillbakalutad och hans ögon mötte Ahlquists och så sjöng han med sin rena tenor som bar så vackert och hade en så delikat timbre (som baningenjören uttryckt det) att den öppnat dörrar för honom och fört honom dit han annars icke kunnat nå. De sjöng kvartett och de gjorde sken av att aldrig öva, att de bara fick infallet att sjunga samman:

Låt oss fördrömma livets vår
låt oss förglömma hjärtats sår!

Och slutligen FA ensam när inte längre en enda gaffel skramlade mot porslin och varje harskling tystnat och kassörskan i sitt bås lagt ihop händerna över blocket med notor:

— Ja, låt oss! jublade hans tenor med den hemlighetsfulla klangfärgen, låt oss världen glömma!

Ja, det var vackert! Winther själv kastade med håret och tog opp applåden. Kanske hade han varit lite oroad första gången, men de skrålade inte. De var rentav en attraktion och de fick hållas. Numera var de en tradition och sådana uppstod som svamp vid fuktig väderlek i stationssamhället.

Baningenjören var den förste som bjudit dem på vin — en flaska Niersteiner, de mindes den än. Nu hette det varje kväll att man ville ha äran skåla med herrarna och det var bra ända tills Kasparsson råkade säga några ord för mycket när det gick trögt och varken Rosens doft eller Över nejdens skönhet glimmar utlöste något substantiellt.

— Då får vi klämma Cederfalk själv på tårorganet, sa han. Afton, o hur skön, pojkar!

För det var väl känt att stationsinspektoren skattade detta vackra versstycke så högt att han önskade de första raderna inhuggna på sin gravsten. När man kom till ”varje kväll mot diktens ljusa sagovärld, flyr i toner anden med sin offergärd” trodde han nästan att han skrivit dem själv och han var bruten när han vinkade åt restauratör Winther och ordlöst gav order om champagne.

Men efter Kasparssons ord hade det varit nästan omöjligt att få FA att sjunga mer för han var stolt och ömtålig i sin medellöshet. Notan ägnade han aldrig mycket uppmärksamhet men en kväll läste Kasparsson några oförskämda verser som han plitat ihop på kontoret och då blev FA generad för även i det fallet var han lätt att stöta. Han tog då notan och låtsades studera den. Men sen blev han på bättre humör och visade de andra:

HOTELL DE WINTHER
Nota
för: postexp. Clarin m. sällskap
April 18 4 Saupé à Kr. 2 8 Kr.
*Kvitteras:* Tora Lans

Men de andra hade sett det många gånger förr och sa att det nog ytterst var Winthers olyckliga svaghet för franska som låg bakom stavningen. Ändå måste FA raljera med kassörskan, han hade ju gått nästan fyra klasser i läroverk och han var lite berusad.

— Får man kanske äran att bjuda fröken på såpé nån gång? sa han framför hennes bås och gjorde en liten bugning som höll på att bli en överhalning till Clarins och Kasparssons förtjusning. Ahlquist tog honom under armen.

— Tack! sa kassörskan. Hon satt rak, hon hade ögon som sällan blinkade.

— Jag får inte gå på hotellet när jag är ledig, sa hon. Det får ingen som är anställd här.

Då såg han till sin förskräckelse att hon var tacksam och att hon la handen över bröstet som om hon hade fått häftig hjärtklappning. Men fortfarande blinkade inte hennes ögon.

— Det var synd, hjälpte Clarin till för att rädda honom, då blir det ingen såpé, för på utskänkningsställe kan man inte gå med en dam.

— Jag beklagar, fröken.

FA bugade ironiskt, men samtidigt kände han igen henne och han blev generad.

— Å, sa han, är det inte den vackra Maria som tvådde mina fötter och lyssnade till mina ord den allra första natten?

Nu hade hon förstått att han bara drivit med henne om supén. Hon satt likadant så det var omöjligt att säga hur han visste det. Kanske andades hon annorlunda. Men nu pratade han på.

— Förvandlad till en Martha, sa han, en Martha med mångahanda bestyr.

— Jag heter Tora, sa hon. Jag har inte tvätta hans fötter.

Hon vände sig bort och hennes penna raspade mot pappret när hon kvitterade nästa nota.

— Du trasslar till det för dig, sa Clarin och lotsade honom mot utgången. Så var det glömt. Av alla utom honom själv trodde han. Han plågades mycket om han gjorde ett faux pas. Nu växte det, det var som om han sagt en grovhet åt henne och han skämdes var gång han såg det ljusa huvudet ovanför ekbåsets kant. Men det hade hon säkert glömt, det var bara han som plågades. Han undvek kassabåset och det kom som en fullständig överraskning för honom själv när han en afton i slutet av maj stod där ensam framför henne och bockade sig som en skolpojke.

— Skulle fröken Lans vilja bli min dam på utflykten till Gnesta? frågade han.

Genom att associera sig med Clarin, Kasparsson och Ahlquist hade han också vunnit inträde i sångföreningen Juno. Där talade man nu bara om Gnestaresan. Hotellet skulle leverera matkorgarna så hon visste vad det gällde.

— För mig skulle det vara en ersättning, sa han stelt och såg henne i ögonen. När hon inte svarade utan bara stirrade på honom förtydligade han:

— För supén som inte blev av.

Hon blev långsamt skär om kinderna och blinkade äntligen.

På resan till Gnesta kom hon i nysydd promenaddräkt av grålila ylle. Den hade snörmakerier på jackskörtet och ärmuppslagen. Hon hade hatt i samma färg. När kören skulle sjunga bredde hon ut en handduk på en sten och satte sig att lyssna. Det var en vacker utflykt och över Gnesta glimmade, precis som de sjöng, mild högtidlig kvällens stund.

Det gick så fort. Det var så lite tvekan.

När hon la sin arm i hans med handen på den fina borstade paletåärmen skedde det som om hon gjort det många gånger förr. Men han tycktes ständigt vara tveksam och för det tyckte hon synd om honom.

När de stod oppe vid Skyttepaviljongen förstod hon att han funderade på om de skulle ta Promenaden eller Kärleksstigen. Långt i förväg hade han börjat oroa sig för den saken. Anständiga par gick opp för ölkällarbacken förbi skolan och in i den ljusa skogen till Skyttepaviljongen. Sen fortsatte de i allén. Men där fanns nästan omärklig mellan två björkstammar, brant stupande neråt i hasseldunklet, Kärleksstigen som man använde om man ville älska bara.

Hon berättade för honom om paviljongen som förr hade hetat Lusknäppan och om Banvalls-Brita som bott där och det gjorde hon bara för att få tiden att gå och låta honom vara ifred med sitt bryderi.

— Nu fortsätter vi, sa han och så tog de allén nästan ända fram till Gertrudsborg. Hon berättade om den ensamma grosshandlarfrun därute, att hon smuttade. Han teg. De gick över gärdena och såg Wärnströms stora verkstadsbyggnader och kände sotlukt i luften. Detta var de förlovades promenad. Men åt sjön ville han inte gå. Bara han kände vattenlukten skakade han på huvudet och drog henne åt andra hållet. Ändå sa han att han inte kunde leva utan havet.

De kom fram till Malstugan där det hade blivit begravningsplats och de stannade vid hagen och köpte varsin mugg vid kvällsmjölkningen. Sen blev han kall och de gick raskt tillbaka, likadant varje gång. Han var frusen och mager. Från början hade han varit finlemmad, rak i ryggen och fyllt ut sin väst. Men hela våren hade han magrat. Det kom av förkylningen som han fått vid ankomsten sa han. Om det regnade gick de naturligtvis inte ut. Det allra svagaste dis i luften kunde få honom att stanna inne. Då satt han i musikcaféet hela eftermiddan och var förlorad för henne.

Nästa gång de stod vid paviljongen var han lika villrådig igen och det hände ofta att de tog Kärleksstigen. Hon önskade att hon i förväg hade vetat vilket för klädernas skull. På stigen fick man kjolkanten våt och det fastnade mossa i det lilafärgade tyget i hennes promenaddräkt. I Grottan fanns en mossklädd sten som liknade en bänk. Hon satte sig, trots kjolen. Dräkten var för varm också. Nu var gullviva och liljekonvalj utblommade. Luften var sötare. Mellan alarna låg ett dis av blåviolett, det var skogsnävan som höll på att ta överhanden.

— Ja, nu är det snart den tin då ormbunken ska te å blomma, sa hon. FA log åt henne.

— Vet inte Tora att ormbunken är kryptogam?

— Det låter som en som äter as, sa hon.

— Nej, det är bara en växt som saknar förmågan att fortplanta sig genom blommor och frösättning.

— Jaha, sa Tora. Men nu ska han te å blomma i alla fall.

— Vad menar Tora? frågade han allvarligt för han hade aldrig märkt att hon hade något sinne för humor. Rädsla och vidskepelse verkade också mycket främmande för henne.

— Det vet jag knappt själv, sa hon uppriktigt och så brast de båda i skratt.

Hon hade aldrig tänkt på att ta en karl med sig i rummet bakom linneförrådet tidigare, det var för riskabelt. Men nu var hon tvungen. Regnet strimmade rutorna. Det luktade bykt och nymanglat linne runt omkring dem.

— Å, vad det luktar gott, sa han.

Det var som om hon för länge sen hört talas om någon som gjort precis som hon och därför behövde hon inte tveka.

Hans värdinna hade en syster som var gift i Norrköping och dit for hon ibland om söndagarna. Då vågade han ta Tora med sig in. Till höger om dörren fanns en divan med stora kuddar. Tyget var brunt i persiskt mönster. Dit förde han henne meddetsamma, hon hade svårt att inte le. Men han blev sittande länge på kanten av bädden när hon redan låg med ryggen långt opp på den mjuka kudden. Han hade bara tagit av sig skorna och de stod bredvid varandra, nyblankade på morgonen. Deras överdel var av svart resår. Det gjorde henne ingenting hur länge han satt bara han hade tagit av sig strumporna så att hon fick titta på honom.

Alla som hon kände hade fötter som klämts och farit illa i skodon som varit för små och illa gjorda. Själv hade hon kylknölar på hälarna och stortån var klämd inåt och hade en så kraftig bulnad på utsidan att den gav form åt kängorna. Hon hade trott att naglar på tår tvunget var tjocka och gula och böjde sig inåt i växten.

Han var den enda människa hon sett med oskadade fötter. De var små. Naglarna var tunna och växte så rakt att strumporna alltid gick sönder på samma ställe redan efter ett par dar. Det var som om en liten rakkniv skårat dem.

När det var ljus eftermiddag i rummet förmådde han inte lägga sig ner bredvid henne, inte i början.

— Kom, hade hon sagt en gång. Men det lärde hon sig att låta bli.

Divanen stod på snedden och vid fötterna drog det från dörren. Framför draperiet på andra sidan stod hans säng. Där vågade de aldrig ligga, det var för nära värdinnans dörr. Hon kunde komma hem och ville hon spionera gick hon tyst.

Det fanns ett högt smalt fönster med trådgardiner. Man såg Lindhska firmans magasin. En ros av sammet var fäst i gardinsnöret. Den var mycket dammig.

Hon låg och lärde sig rummet. Framför fönstret stod skrivbordet vars skiva var klädd med konstläder. Stolen hörde till matsalsmöblemanget och hade snidade tallkottar i ryggen. Det fanns en piedestal mellan skrivbordet och divanen och på den stod en kopparkruka med en bladig liljeväxt som aldrig blommade. Mattan var av nöthår, röd och brun och sliten ända ner till varpen. Under den var skurgolvet gråvitt. Han hade nattygsbord och lampa med grön glaskupa som han ibland flyttade till skrivbordet. Det fanns ett brunt klädskåp med spegel i dörren. Kakelugnen stod till vänster när man kom in.

Varje gång hon lät ögonen vandra såg hon någonting som undgått henne förut: han hade urdyna ovanför nattygsbordet. Spjällsnöret var fullt av knutar. På den bruna tapeten med gyllene lyror hade bården av rosor mörknat som blodlevrar.

Hon kunde inte tvätta sig hos honom för kommoden stod i smatten utanför dörren. Hon skulle ändå inte ha vågat.

Var gång såg hon något nytt. Askkoppen av hamrad koppar. Hans svarta koffert under sängen. Den hopvikta Göteborgs Handels- och Sjöfartstidning. Hon byggde varaktigt opp rummet genom att titta på det. Det måste vara mycket verkligt.

— Vad tittar du på? frågade han.

— På ditt rum.

— Mitt?

Han lät blicken löpa han också.

— I hela det här rummet kan jag bara se en tidning och en reskoffert som är mina.

Hon låg kvar och tittade ändå.

Han talade inte om sin tvekan och hur han kunde kasta av sig den. Hon fick bara vänta. Sen tog han varsamt om hennes huvud och la det mot kudden, så varsamt att håret inte rubbades. Han ville att hon skulle ligga lika stilla hela tiden, det lärde hon sig snart.

Hon lärde sig att inte röra hans lem även om den inte hittade in själv. Den makade sig inåt som nosen på ett litet vänligt djur och hon fick tåligt vänta och log i hans axel.

Det var inte så förfärligt skönt men de måste komma närmare och närmare varandra. De måste hitta värmen. Men hon kände ensamhet i alla fall och visste inte vad han kände.

Då fann de på att de skulle sova hos varandra. Men då måste Tora vara ledig så att hon kunde ligga ända tills värdinnan gick till magasinet på morgonen med sin kopparhämtare.

— Ge henne dom här om du möter henne på gården, sa FA och tog en hel bunt väckelseskrifter från vedkorgen. Då blir det inga missförstånd.

Men Tora såg lika kränkt ut som om han på allvar trott att hon var läsare. Nej, skämt förstod hon inte och inte fantasier. Det var hans erfarenhet. Men ofta var hon glad och då skrattade hon åt så gott som ingenting.

— Du har så stor näsa, sa hon och drog i den. Vad ska det vara bra för å ha så stor näsa?

Sen gömde hon huvudet vid hans bröst och skrattade så att det pep i henne.

Om han hade värk i magen och rörde sig oroligt vaknade hon. Men han kunde ligga vaken ändå och det väckte underligt nog även henne. Då kunde hon nästan bli förargad på honom. Nu när de kunde få sova tillsammans!

— Vad är det?

Han svarade ingenting. Låg han och lyssnade i halvmörkret? Hon måste fråga en gång till.

— Lugna dig, sa han. Det är ingenting.

Men nu tyckte hon också att hon hörde ljud fast det var svagt, svagt.

— Hör du?

— Nej.

Han skakade på huvudet och hon kände rörelsen under sin hand. Klockan på urdynan, den var så svag. Inte kunde man väl höra den?

— Men vad är det då?

— Det kanske är den lilla tingest som finns inbyggd i klocka och människa, sa han. Men det visste hon inte vad det var.

— Oro heter den.

En natt sa hon hans namn. Hon hade velat göra det länge men inte vågat. Vännerna kallade honom FA och till att börja med visste hon inte ens vad han hette i förnamn. Deras bekantskap var så långt gången att hon skämdes för att fråga. Så fick hon en kväll syn på ett papper från järnvägen och där stod det att han hette Fredrik Adam. Det dröjde länge innan hon vågade säga det. Det kunde låta nästan tillgjort. Fredrik! Men när hon väl sagt det tyckte hon att det var alldeles naturligt. Hon blev ledsen av att han ryckte till som om hon blottat något han inte ville se eller begärt något fult.

Långt efteråt låg det ett brev på skrivbordet. Det var från

hans mamma. Det var en ledsam läsning. Åkeriet hade trätt i likvidation efter faderns död, det var bara gnäll och penningbekymmer och min käre gosse hit och dit. Hon tyckte inte om den kvinnan. Men överst på brevet stod det: Min käre Adam. Tora blev brännande röd fast hon var ensam när hon läste det.

Clarin hade fått förflyttning till poststationen i Eskilstuna. Det var ett avancemang så han kunde inte neka, men kvartetten var spräckt. De sökte en andre tenor men det var ju inte bara rösten det gällde utan som Kasparsson sa: det ska vara en homme de qualité över huvud taget och vi ska inte göra någonting förhastat.

En kväll på höstkanten satte sig Ahlquist och Kasparsson ner på järnvägsrestauranten med en isad hela punsch och beställde fram papper och skrivdon, för det hade blivit nödvändigt att skriva ett brev till Clarin. De enades om att bara göra koncept på pappret och sen skriva rent brevet på baksidan av Hotel de Winthers stora meny, en påminnelse om gamla goda tider som de trodde Clarin skulle uppskatta. De var färdiga med brevet när FA förenade sig med dem.

Tora hade hela tiden haft ögonen på dem från sitt bås och nu såg hon FA två gånger läsa det som var skrivet på menyns baksida, snabbt men uppmärksamt. Sen reste han sig och rev flera gånger itu matsedeln tills bitarna var så små att det styva pappret inte gick isär längre. Han kastade bitarna i askkoppen och i sorlet och slamret av porslin kunde hon omöjligt höra ett enda ord av vad han sa till dem. Men han var upprörd.

Han lämnade matsalen utan att se sig om och utan att nicka åt henne. Ahlquist och Kasparsson beställde notan och lämnade igen skrivdonet. Men när de gått lät Tora flickan hämta askkoppen och hon gömde pappersbitarna i kjolfickan tills hon kom in i sitt rum bakom linneförrådet på natten. Där pusslade hon ihop dem tills hon kunde läsa brevet. Början var borta.

”. . . att Du sänder Ebba 50 Kronor för året, hvilket torde vara den bästa utvägen. En gumma finns här visserligen som tar emot barn. Hon heter Strömgren och bor i finsnickare Larssons hus mittemot mejeriet. (Om Du trots allt skulle finna denna utväg bättre i något afseende.) Men förutom att det är dyrare är det vissa risker med ett sådant öfvertagande. Man hvet ej om barnen lefva. Om madam Strömgren har visserligen inte sports något ofördelaktigt, men vi råda Dig ändå att sända Ebba de 50 Kronorna! Det skall hon bli glad för och så är saken utagerad."

Efter hälsningarna följde ett PS och en liten teckning som föreställde två par ivriga fötter som stack opp ur en utdragssoffa: "Vi sjunga ingenting för vi ha ju bekymret att söka en andre tenor. Inte heller är det samma idoga knullande som på Din tid. Tempora mutantur!"

Tora sa så snart hon träffade FA ensam:

— Det var stiligt av dig att riva sönder brevet om Ebba!

Han bara stirrade på henne.

— Läser du andras brev?

Var det så förfärligt då? Förresten hade hon inte vetat att det var ett brev. På matsedeln!

— Å fy, sa han. Du passade ihop bitarna.

Han såg på henne som om hon varit oren men Tora strålade ivrig. Då gick det opp för honom att hon inte förstått att han stött sig på brevets post scriptum. Råheten tycktes hon inte fästa avseende vid. Nej, hon trodde att han menat att Ebba inte vore gottgjord med de femtio kronorna.

— Ebba är väl också människa, sa hon.

Han teg först men sa sen försiktigt:

— Clarin kommer att sluta som postmästare.

— Ja, sa Tora och suckade högt som ett barn, det förstår väl jag också att han inte kan *gifta sig* med Ebba.

— Nej, det har onekligen sina praktiska . . .

Alldeles okänslig för ironin utbrast hon:

— Men det var i alla fall stiligt av dig att *tänka* på Ebba!

Hade han tänkt på Ebba? Kanske hade han på något sätt gjort det i alla fall. Ju mer han såg in i dessa ljusblå vidöppna ögon desto mer tycktes han få veta om sig själv. Men det berörde honom mycket illa att Tora kanske läst brevets post scriptum.

— Läste du hela brevet? frågade han.

— Nej, det var mycket som fattades.

— Ja ja, sa han. Vi talar inte mer om det.

Men en månad senare la hon med stor tillit sin hand över hans och sa:

— Nu ska vi ha barn.

Han tycktes inte fatta.

— Jag är på det viset.

Hon såg nästan glad ut, ögonen blinkade inte. Han lutade huvudet tillbaka mot väggen med de gyllene lyrorna och blundade.

— Hur länge har du vetat det? frågade han.

Den sommaren hade Tora gått hem lika ofta som förr men bara en gång hade hon stannat över natten.

Stugan var sig lik, men för var gång hon såg den tyckte hon att den hade krympt under björken. Hon stannade innan hon gick opp och hon måste le. Tavlan på gaveln var borta för Lans var ju inte rotens soldat längre. Men den hade lämnat en fläck efter sig där stugtimret runtom var brynt som om tjäran krupit ut av solvärmen. Frugta Gud. Ära Konungen. Tjena trogit.

De använde inte lagårn för stället kunde inte längre föda en ko. Spegelbitarna i lagårdsfönstret var så överdragna med damm och spindelväv att de inte blixtrade när solen sken i dem. I mullbänken vid stugfoten hade Sara Sabina offrat åt fåfängligheten; där växte reseda. Den elaka libbstickan var bortriven för flugorna hade följt med kon.

På slaktbänken intill brunnen kunde man skura en matta eller hållas med annat slabb. Nu hade den stått på samma fläck så länge att klöver och rödkämpar stod som kvastar om benen på den. Inne i stugan hade de ännu inte fått järnspis men de låstades vara lika nöjda.

— Tänk på lyshåle i bakugn bara, sa knekten. Så bra det är om vintern.

— Vänta, sa Tora. Det ska bli andra tider.

Innanför dörren stod stabben som Rickard snickrat ryggstöd på och där satt Johannes Lans om dagarna och lyssnade ut i skogen efter jägarhorn och klarinetter och efter trummornas dunkande till marsch och evolution.

— Det är allt bra tyst i ensamheten, sa Tora.

— Äh, sa knekten. Det kommer nån luffare iblann och ligger

på spiselhylla.

Men det gjorde det inte mer visste Tora, för på ladan nere vid vägen stod de båda tecknen för fattig och snål som så sällan brukar ses tillsammans.

Hon la bunten med gamla tidningsnummer från samhället på bordet bredvid deras glasögon och knekten tog och satte på sig dem först. Så läste han om hur många skördemaskiner som försålts i föregående vecka och om lokomobilen Hercules och sa att vi leva i uppfinningarnas tidevarv som gumman sa när hon tog loppan med hovtång. Sara Sabina malde kaffet. Tora hade också med sig mjöl, smör och socker så att de skulle få färskt vetebröd. Hon hade satt en deg och visade mormodern hur man gjorde bullar genom att skära remsor som man först snodde och sen virade ihop som en hårknut av en fläta.

— Ska ägget lära hönan värpa? sa Sara Sabina och höll händerna under förklät när hon tittade på.

— Det går så lätt som helst, sa Tora. Titta bara.

— Jaha. Konsten är å få dom alla olika, sir jag.

Sen huckrade gumman sitt sällsynta skratt men Tora höll sig förnärmat allvarlig.

— Jag är inte van å baka, sa hon.

På natten fick hon sova i kammaren. Råttorna hade boat i kudden men det hade hon inte hjärta att säga. Hon la den på golvet bredvid sängen och rullade ihop underkjolen att ha under huvudet. Det blev aldrig riktigt tyst i köket. Knekten mumlade. Hon kunde höra deras sängkläder frasa. I övervåningen där de hade sovel och säd och gamla sängkläder tassade råttorna på golvet.

Juni natt var vaksam. Bara för ett par timmar blundade himlen.

Hon ville gå opp och ta en skopa vatten men när hon gläntade på dörren hörde hon att de båda gamla var vakna och hon blev generad som om hon varit en liten flicka igen.

— Va kan klockan va? sa knekten.

De tog inte hans gamla klocka från spiken för att titta på den framme vid fönstret utan Sara Sabina gick och lutade sig fram så att hon såg skogskanten i öster. Ljuset svek. Man såg inte vad som var suraplar eller moreller därute. Dagern blev grå som den fina spisaskan. Knekten hade somnat om på sin kudde. Han hörde inte vad Sara Sabina svarade.

I tystheten höll gräset opp att växa för ett par timmar. Snart skulle ljuset komma tillbaka. Det fanns en oro därinne bland grenarna där dagern var som gråast.

— Är det den tin nu?

— Nä, sov du.

Tora gick tillbaka till sängen och sov en stund hon också. Hon vaknade åter av deras viskande.

— Kommer han nu?

Golvet kylde lite under fötterna. I dörrspringan såg hon Sara Sabina slå en sjal om gubben och bära honom bort till köksbordet. Själv satte hon sig på andra sidan med händerna på bordsskivan. De var sysslolösa. Hon kikade i fönstret och knekten som inte kunde röra sig lika obehindrat på stolen frågade ivrigt:

— Sir du till en? Kommer han?

Tora gick till kammarfönstret och tittade. Hon kunde se det som de såg, men hon förstod inte.

Det var den tiden på dygnet då daggen löser doften ur blad och gräs. Man kunde längta ut men ändå tvekade man. Den tiden kommer de andra fram. Nu mindes hon.

Förr hade hon varit rädd för gråa skuggor som for iväg under logbotten och nätterna hade skrämt henne, också de ljusaste. Hon hade haft skräck för häxringarna som var djupt nertrampade i gräset och inte ens om dagarna hade hon vågat gå åt det hållet på ängen. Men mormodern hade talat om för henne att det var inga häxor som sprungit där. Det var råbocken och geten som gjorde dessa ringar och evighetstecken i brunsten och de gjorde dem varje år på samma ställe.

En sommarmorgon när hon kom från en dans hörde hon råbocken hosta skällande och hest därbortifrån och i stället för att gå in och lägga sig smög hon över björkbacken ner mot ängen. Sen stod hon droppstilla och frysande bakom en björk och såg dem hetsa runt i snäva ringar och hon förstod inte alls det hon såg.

Om geten inte ville att han skulle bestiga henne varför flydde hon då inte rakt opp i skogen? Och om hon ändå tänkte släppa till sig varför hetsade hon undan? Vad var det för tvång som drev henne runt? Häxringarna hade skrämt Tora ännu mer sen hon sett dem uppstå.

De andra fanns alltid därute, bara att de inte visade sig.

En hare satt i klövern vid brunnen. Han var där när ljuset kom. Nu klippte han med sina långa strutar och växlade hörhåll. Ovanför skogen blev himlen genomdragen av fina röda skiftningar tills det guldgula kom och bländade bort dem. En dimma strök källarhustaket och ångade bort. Där var koltrasten. Han hade hörts en stund, han sjöng i skugga. Men nu hoppade han jämfota ut i mullbänken och teg medan han drog mask.

— Är han där? sa knekten.

— Nä.

— En kan få vänta, sa han men lät inte otålig. Tora trampade lite och försökte maka åt sig trasmattan för fötterna hade långsamt blivit iskalla.

Därute var det nu liv överallt. Stenskvättan knyckte opp och ner på den låga muren vid källaren och blixtrade med det vita på stjärten. Haren lämnade en lång slynga av spår i klöverdaggen och försvann vid lagårdsknuten. Nu nådde solskenet fram till bron. Det värmde på Sara Sabinas händer som låg på bordsskivan. Då kom han.

Han rörde sig efter lagårdsväggen men växlade sen så snabbt över gräset att de nästan inte hann med att flytta blicken efter honom. Han tycktes rinna oppför brunnskanten. Den låg lågt under syrénskotten som sköt opp överallt; där var ingen sol. Nu gjorde han ett mjukt språng och de hade honom på slaktbänken. Det gråvita trät var uppvärmt nu, det flödade av sol kring honom och han satt opprätt. Han var liten och vacker och grym och de satt och tittade på honom. Han var lekfull. Om det föll honom in och solen var tillräckligt varm och skär gjorde han konster på bänken. Han visste inte av någon åskådare. Hans päls var så fin och brun att den gnistrade i solskenet. Längst ut på rompan hade han en svart tuss, ögat var en liten pärla. När han satt opprätt och var vaksam såg man den vita fläcken på bröstet. Då såg det ut som om han bara satt och solade den. Man måste le åt honom.

— Det är allt en liten luver, viskade knekten. Knepfull som tusan.

— Han kan va en riktig etterspik när han vill.

— Ja, man skulle inte vilja få'n i hanna. Inte när han är på det humöre.

Tora tog av sig sina byxor av skär flanell och lindade dem om fötterna när hon kröp tillbaka i sängen igen. Hon tyckte att ögonen sved som om fint grus varit i dem. Helst hade hon velat gå ut efter en skopa vatten för det smakade illa i mun, men hon ville inte störa dem. De satt kvar fast han gett sig iväg. Hon visste inte om de väntade på någonting mera, hon var så sömnig.

De andra fanns ju alltid därute. De hade väl sina lagar och ordningar de också. Men man kände dem inte. De syntes stränga och kanske vackra. Men det fanns också lek och grymhet och nycker. Man visste ingenting om dem och deras obevekliga tvång. De ringar de sprang i kände man inte mer än man kände sina egna. Vad trodde man att man skulle finna? En ordning som inte var människans? Men den var utom räckhåll för en, alltid. Den såg man efter med ögon flacka av brist.

Hon somnade fast solen sken henne i ansiktet. Men hon drömde alltsammans igen. Natten var kvar och det underliga sommarljuset, grått som spisaska. Nu gick solen opp. Lekatten kom. Han lekte och kråmade sig med den vita fläcken på bröstet. Händerna som vilade sysslolösa på bordet tog också värme av solen.

— Jag tror på opinionen, sa Winther. Opinionen är makt. Det är den nya tiden!

Han lät dela ut apelsiner åt skolbarnen och cigarrer åt deras lärare.

De sjöng för honom och han funderade på att ge dem tandborstar med anvisning om deras begagnande när han fyllde femtio år.

— Det är en förbannat bra idé! sa han. Jag ska ge dem femtio tandborstar med namnet Winther på skaften. Det är reklam! Jag tror på reklamen.

Och han satte idén i verket redan till Oscarsdagen. Han hade tre järnvägsrestauranter och aktiemajoriteten i den nya kurorten vid källorna i Åsen. Men nu funderade han i stället på att köpa en välrenommerad Stockholmsrestaurant.

— Kanske drar jag vidare, sa rojalisten och barnavännen. Kanske är Wintherpalatset snart förvandlat till hökarbod.

Den tolvrummade trävillan låg bredvid grosshandlare Levanders vars rörelse var under utvidgning. Gatan med Tingshuset och villorna kallades nu Kungsgatan ända opp i Ölkällarbacken. I den stora vita villan lyste det på nätterna och det gnolades:

— Kirri kirri bi . . .

Sällskapen stannade för hans skull och spelade sina stycken fast publiken skämde ut sig genom att skratta där ingenting fanns att skratta åt för en bildad människa. Den odlade smaken saknades, sa Winther. Han fick trösta dem, Sköna Helenor, Lyckoflickor, små hertiginnor, Ninichor, helgon och kosacktöser, han fick trösta dem alla med sina supéer. Till slut kunde han göra en lusthusplan av champagnebottnar som deras klackar fastnade i. De stora blågrå hundarna morrade svagt när de drog in i huset, men det gjorde dem ingenting. Och det gnolades:

— Kirri kirri bi, kirri bi...

Poeterna övernattade när de kom från sina turnéer, fulla som kajor men ända till slutet med Sveriges namn på sina läppar. Ibland måste de övertalas att stanna. Var pigan bra? Allihop! Här skulle ingenting fattas! Färsk brioche om morgonen, ett kaffe svart som i Paris. En morgon kom Ebba från villan med en diktbok i handen. Hon gick genom järnvägsparken där de stora hundarna rastade. De lyfte sina höga ben och pissade på gjutjärnsstolparna. Ebba gick in och visade Tora boken. Tung krysantemum prydde linnebandet.

— Titta va jag fick, sa hon

De läste i den. Det var ett skaldskap fritt från grubbel men orden var svåra.

— Du får'n av mig, sa Ebba.

Till femtioårsfesten beställde Winther ett extratåg och tog tvåhundra av sina vänner med sig till Norrköping för att förtära det bästa som kunde fås på Kneipp.

— Den dan ska jag se från hotellet, sa Tora. Sen slutar jag.

Men än hade hon inte talat med Winther. Efter festen kom det stora bakruset som låg över norra sidan i en vecka. Sen blev det jul och inventeringar. Hon flyttade ut knapparna i kjolen, kunde inte ge sig av mitt i den värsta tiden. Hennes arbete var inte bara att sitta i båset. Hon ansvarade för vissa förråd och skulle se till att de förnyades. Springa med brickor skulle hon inte ha orkat som hon var nu, mycket tyngre än första gången. Hon blev slut ändå och letade sig ut i köket där ljudet från kaffekvarnen fick de tröttkörda att spritta opp. Hon stod i jäktet mellan de heta spisarna och drack på fat för hon hade bråttom. Hon borde säga till, hon borde sluta nu men det gällde också pengar. Otter sa att allt skulle ordna sig, hon skulle bara inte oroa sig. Det gjorde hon heller inte så länge hon arbetade. Men hon hade tagit reda på vad han hade som extra kontorist och hon begrep inte hur det skulle ordna sig — sedan.

— Sluta i tid, varnade Ebba. Du såg hur det gick för mig.

Nej, missfall tänkte hon inte få. Om kvällen kunde hon ligga på rygg med båda händerna om magen.

— Du stannar, viskade hon och blev tårögd av lust att skratta i ensamheten. Nån råd får det väl alltid bli. Men du stannar. Du stannar, förstår du. Hon kröp över på sida och kurade ihop sig om magen. Hon kände svaga rörelser och när hon höll på att somna undrade hon med den sista vakna delen av sitt medvetande: sover du inte när jag sover? Så underligt.

En morgon på nyåret kallade Winther in henne. Han rafsade i papper, ringde i telefon. Men det var hon van vid. Hon väntade.

— Men för fan människa, har ni ingenting att säga!

Häpen stirrade Tora på hans röda ansikte, på virveln av papper i luften.

— Inte ett ord? Va!

— Nä, jag vet inte . . .

— Tror ni folk är blinda?

Då visste hon. Hon måste hejda händerna som ville lägga sig om magen. Det var genant och förskräckligt och hon ångrade sig djupt. Hon hade tänkt komma själv och lugnt säga att nu ska jag be att få sluta för jag ska gifta mig. Hon hade tänkt säga det även med risk att det kom till FA:s öron

— Jag ska gifta mig, stammade hon men nu övertygade hon inte ens sig själv. Jag skulle ha kommit och sagt . . .

— Gifta er! Med vem?

Men det vågade hon förstås inte svara på, hon hade ju inte hans ord på någonting.

— Har hela kvartetten friat?

Där satt det. Torrögd, gapande stirrade Tora på honom och förundrade sig över att smärtan som gick genom kroppen var en rent fysisk förnimmelse, den var då inte av det andliga slaget det allra minsta, hon nästan vek sig.

Bara en kvart senare satt hon med iskalla händer och plockade ihop sina tillhörigheter i rummet bakom linneförrådet.

— Vad ska du göra? sa Ebba.

Hon skakade på huvudet. Hon tänkte bara på Otter, att hon skulle gå till honom direkt efter hans arbete och berätta vad Winther sagt. Men det var bara den första timmen hon om och om igen talade om för sig själv att hon skulle berätta det för Otter. Sen tänkte hon klarare. Det vore kanske tröst för stunden. Men var hon klok så berättade hon inte allt vad han sagt.

— Jag måste gå nu, sa Ebba. Går du hem?

— Hem?

— Jag hinner inte stanna längre, sa Ebba. Jag måste in. Vi får träffas sen.

— Ja, herre jösses jag tror det hade varit bäst för dig om det hade gått som det gick för mig.

Nej, till Äppelrik gick hon inte. Det gjorde hon inte. Hon försökte tänka, men det gick inte bra. Gick och la sina iskalla händer på kakelugnen av gammal vana men den var oeldad så här dags, det hade hon glömt. Men hon måste tänka ut någonting även om det inte gick så bra.

När F. A. Otter slutade sitt arbete och steg ut ur stationshuset kom en av tidningspojkarna fram.

— Det är en som väntar på andra sidan.

Han gick runt i snögloppet och klev högt för han hade låga galoscher.

På en av bänkarna satt Tora med knyten och en kappsäck som om hon väntade på tåget. En liten stund kände han en alldeles orimlig lättnad, sen lyfte hon huvudet och såg honom.

— Jag har fått sluta.

Hon mödade sig inte om det finare uttal som han gillade. Ögonen tittade på honom utan en blinkning. Hon var sig lik och ändå inte.

— Men kära Tora, sa han och satte sig på bänken men den var så kall att han genast kom på fötter igen och drog opp henne också. Vart ska du nu ta vägen?

Hon sa ingenting. Han tog henne under armbågen och lotsade henne försiktigt förbi fönstret, försökte texta med läpparna: stationsinspektorerna!

— Prata du, sa Tora.

— Vad menar du att jag skulle göra? frågade han när de kommit om hörnet. Jag blir alldeles ställd.

Han bar kappsäcken, hon hade knytena.

— Det vet jag inte. Men hem går jag inte.

Han var stingslig och munter och sjuklig. Lite elegant var han — ja, han hade i alla fall snygga gångkläder. Han var oåtkomligt artig men sårbar. Han var rädd för någonting. Till slut kom hon hans hemlighet på spåren, men det var långt senare. Nu var han i alla fall tillräckligt blöthjärtad för att inte gå ifrån henne i snögloppet, smita in på hotellet, fara till Amerika. Vad visste hon om vad han tänkte? Tora pressade ihop läpparna och lärde sig ett och annat.

Tre nätter i ett privatrum hos polisänkan. Sen blev han förtvivlad, hade bara inte råd med två bostäder!

— Det räcker med en åt oss, sa Tora. Änkan har börja titta. Jag kan fråga en jag känner förresten. Valfrid Johansson hos Levanders. Han vet säkert.

— Nej nej nej.

Han var borta en hel kväll. Hotellet trodde hon och det visade sig riktigt. Så var han borta en kväll till, då samlade hon sina krafter. Men han kom tredje dans eftermiddag och sa:

— Det finns rum och kök att hyra hos målarmästare Lundholm.

— Har du hyrt det då?

De gick dit tillsammans men han sa att hon inte skulle följa med opp. Inte heller när han kom ner och det var klart ville han att hon skulle gå opp.

— Där är rumsfönstret, sa han och pekade. Det var mörkt. Och köksfönstret är åt gården.

Huset var målat i gulgrått. Det låg snett emot Wärnströms verkstad och rätt ner i backen syntes gjuteriet. Närmaste granne på höger hand var kapellet som Wärnström byggt åt sin församling.

— Här tror jag inte jag känner en enda människa, sa Tora.

Den första tiden kände hon bittert vad det är att ha tvingat sig på. Han hade blivit sjuk igen och hon kokade mjölkvällingar åt honom för att skona hans mage. Hade hon inte fått sköta om honom skulle det ha varit fullständigt tyst mellan dem. Han låg på sängen inne i rummet och tittade i väggen. Det var hans rätta sida, sa han. Han kunde inte ligga annorlunda. Men då stod sängen fel! Inte kunde han ligga och se in i en brun tapet. På motsatta väggen fanns dörren, det gick inte att få in sängen på den korta biten som var kvar. Under fönstret kunde han inte ligga och mittemot det stod kakelugnen. Så han låg och tittade in i tapeten tills Tora en dag tog och drog ut sängen mitt i rummet.

Han hade varit tvungen att låna lite pengar igen för att de skulle kunna köpa köksutrustning och lite begagnade möbler. Från hans mor i Göteborg kom också några saker med fraktgods. Det var en fotpall och en byrå, ett litet nattygsbord med pottskåp och en rakspegel som spräckts i transporten. Alltsammans var inlindat i säckväv och trasmattor. Tora tog till vara de utslitna mattorna, knöt nya fransar och la dem på golven. Han tittade på arrangemanget och sa inget men hon förstod ändå att han tyckte det var ynkligt.

Kökssoffan och bordet hade de köpt begagnade liksom utdragsjärnsängen. Tora gick i ångest för att sängen skulle vika sig som de brukade och han skulle fällas ihop med ändan i golvet och ben och armar stickande opp ur järnfällan. Han kunde ge sig iväg om något sådant hände. Det var löjligt och ynkligt kanske, men hon var rädd och kunde inte se det roliga i tanken. Den var inte rolig. Hon önskade var gång han la sig att han måtte vara mycket försiktig.

Vid sängens vänstra sida ställde hon nattygsbordet som hade skiva av marmor och nedanför det fotpallen som var broderad med rosor på svart botten. Hon fick in byrån i hörnet så att han kunde se den från sängen. Ovanpå ställde hon rakspegeln. Den hade låda med benknopp och där förvarade han breven från sin mor. På byrån la hon ”Chrysantemum” som hon hade fått av Ebba. Inuti fanns skaldens namnteckning, en våldsam krumelur, och hon önskade att han skulle titta i den.

Men när hon försökte vara honom till lags och ordna omkring honom på bästa sätt kunde hon plötsligt bli argsint och knappt svara om han frågade henne efter rakstrigeln eller tidningen. Hon förstod sig inte själv. Förra gången hon hade varit med barn mindes hon inte så mycket av, det var ju en sex sju år sen. Men nog hade hon varit jämnare till humöret. Då hade hon ingenting begripit. Nu visste hon åtminstone vad det är att tvinga sig på.

Hon blev stingslig och började märka ord, hon som aldrig riktigt trott på att ord kunde ha någon avgörande betydelse. När han låg och talade om havet, det förbannade och älskade havet vars våta dimmor han tydligen inte kunde vara utan, trodde hon att han menade henne.

— Havet drar sig tillbaka från klippstranden, sa han. Havet sjunker undan vid ebbtiden.

— Ja, have har väl nånstans att ta vägen, sa hon och förvånade honom för han väntade sig inga djupsinnigheter från henne.

— När det blir ebb i kassan, tillade hon och därmed var stämningen sönderslagen.

Efter två veckor började han arbeta igen. Först var hon lättad. Hon hade oroat sig för hyran, för pengarna till mat och lysfotogen och ved och för doktorns arvoden. Hon visste också att han måste betala av på ett av sina lån.

Nu var hon ensam om dagarna och det var som om hon först nu upptäckt vad det var för en trakt hon bodde i. Det var långt från stationen tyckte hon. Det var ovant att inte höra tågen. Om nätterna kunde hon vakna av att hon inte hörde dem längre.

På kvällarna kunde man se det elektriska ljuset hos Wärnströms. Det fanns två gatlyktor nere i hörnet, de lyste på församlingen när den kom ut ur hans kapell. Därinne hade hon varit med Ebba en gång. De hade gått dit för att få fnissa åt andeutgjutelserna, men det hände ingenting. Det var en religion nästan lika tråkig som den riktiga kyrkans och hon hade inte ägnat den en tanke sen dess. Men nu började hon begripa att de religiösa var många och mäktiga.

I magasinet hörde hon en gång att de talade om henne som Otters hushållerska. Det var en av hennes häftiga argsinta dagar och hon ställde honom till svars.

— Men snälla Tora, sa han.

— Ja, det visste jag inte! Si, det var nåt nytt. Allti får en lära sig näge när en går ut bland folk.

Hon kunde inte reta honom mer än genom att tala brett och sörmländskt.

Hon visste att munnen blev som en skopa, hon öste på.

— Det var jag tvungen att säga förstår du väl, sa han stelt. Hela trakten är frireligiös. Hyresvärden tillhör förmodligen frikyrkan.

— Lundholm relischös! Det var nyheter!

— Ja jag sa så i alla fall och jag anser att det var det bästa jag kunde säga tillsvidare.

Det sista ordet klippte av all diskussion. Tora ångrade ångestfullt sitt utbrott. Om hon någonsin kunde lära sig att sköta det här förståndigt! Hon vågade inte fråga direkt. Han var ju sjuk och irriterad och hon hade tvingat sig på tillräckligt redan. Men så kom hon i en lugnare stund på att hon kunde gå en omväg och inte behöva nämna ordet giftermål. Hon frågade om det inte var möjligt för honom att få en lägenhet i järnvägsbostäderna.

— En extra kontorist, sa han. Det tror du väl inte på allvar.

— Jamen senare då?

Han satt med tidningen framför ansiktet och det verkade som om han inte tänkte svara men till slut vek han ihop den och lät tvunget tålmodig när han började förklara.

— Jag kan inte stanna här, Tora. Du vet att jag inte kan tänka mig att leva mitt liv här.

— Nähä.

— Jag skulle aldrig kunna leva utan havet.

Hon såg stygg ut när hon tittade ut genom fönstret förbi honom för hon tänkte på det förbannade havet som hon bara sett på bilder.

— Och dessutom är jag ju inte färdig med min utbildning, sa han.

Hon visste ingenting om någon utbildning. Men rundare och rundare blev hon.

Hon blev betittad. Helst hade hon inte gått ut, men hon måste ju hämta vatten på gården. Då tog sig kvinnorna en ordentlig titt på henne. Ännu hade hon inte talat med någon av dem, men ändå visste de hur många par lakan hon hade i skåpet. Eller rättare sagt: de visste att hon hade två par och inte kunde byka höst och vår utan måste koka dem i en syltkittel på spisen och hänga ut dem och få dem torra samma dag. Hon fick köpa lite mer linne till handdukar och ytterligare två par lakan och så hade hon göra ett tag.

Hon skulle laga lite mat. Hon hade en järngryta och två små

plåtpannor. Rivjärn och träskedar och en stor kökskniv låg på nedersta skåphyllan. I en dubbellåda av trä med bärhandtag fanns järnbesticken. Hon var rädd om de sex tallrikarna som om ögat men ändå hatade hon dem liksom varenda en av de begagnade kökssakerna av trä som blivit brunsvart och alldeles lent av användning och av mörkt och fläckigt järn. Hon kom från hotellet där linnet legat i stora doftande travar, där hon öst med nysilver och dukat med tallrikar av starkt och vackert benporslin.

Hon hade just ingenting att göra heller. Laga mat. Vänta. Det var ju så tomt i lägenheten. Vitsömnaden tyckte hon var tråkig för sådant hade hon aldrig fått lära sig och det blev inte vackert. Hon måste le åt tanken på Sara Sabina Lans böjd över ett lakansbroderi.

Men grannarna var värst. Helst hade hon bara velat svepa förbi dem på utgång, på väg bort till stationen och till hotellet, och hon skulle ha varit klädd i sin lilafärgade promenaddräkt med vidd nertill i kjolen. Men hon fick inte igen den i midjan. Hon måste gå ner på gården och hämta vatten klädd i ett stort randigt förklä. Efterhand började de prata med henne. Men det kunde de lika gärna ha låtit bli tyckte hon, för nu började ettret droppa. Nu pinades och ältades och tuggades. Hon anade att det fanns ett sätt att komma undan, det vore om hon beklagade sig och gav F. A. Otter i pris. Det skulle allt sitta i gäddkäften på dig. Sådant kunde hon tänka vid pumpen medan hon stint och utan att blinka såg en grannkvinna i ögonen.

När hon satt i rumsfönstret såg hon folket komma ut ur kapellet och lyfta ansiktena för att känna efter om det duggregnade. De knäppte och byltade om sig. Aldrig hade hon hört ett ljud tränga ut från huset, aldrig sång. Hon mindes Jesus därinne i det skära och blå taket. Hans stora rena fötter stod på ett moln.

Om morgnarna såg hon arbetarna gå till Wärnströms och till gjuteriet. Det var tidigt ljust nu, hon såg dem ringla nerför backen till Bergs med matboxar i händerna. Om kvällen kom de tillbaka och hon stod i mörkret om inte Otter var hemma och såg på deras svarta ansikten under gatlyktorna när de gick förbi Wärnströms kontor. Ebon var med. Han hade fått stanna då.

Aldrig att han tittade opp mot fönstret. Ändå var hon nästan helt säker på att han visste att hon bodde där vid det här laget. Hon var rädd ibland när hon tänkte på honom och när hon såg hans ansikte under gatlyktan. Det skulle ha varit bättre om de hade gjort opp med varandra. Men nu hade de bara träffats mer och mer sällan för nästan ett år sen. När hon fick flytta in bakom linneförrådet hade hon vägrat att släppa in honom.

— Då får jag sluta, hade hon sagt. Sen hade hon med vett och vilja låtit bli att tänka på honom för det var bara svårt och obehagligt. Han hade försvunnit. Men hon visste inte vad han hade tänkt. Och hela tiden hade han funnits där, någonstans. Nu kunde hon se honom från rumsfönstret varenda kväll och morgon. Om hon ville och Otter inte var hemma.

Från köksfönstret såg hon bara kvinnorna som hängde kläder när de hade tvättat randigt. Bykte gjorde de i Dahlgrens tvättstuga vid Slaskgraven som nu hade blivit överbyggd. Ungarna lekte vid vedbon och utanför uthuslängorna. De hojtade oppåt fönstren:

— Mamma! Skicka ner dassnyckeln och en sirapssmörgås!

F. A. Otter blev blek av äckel, det var inte sällan ropet hördes så han kunde inte undgå det. Hon tyckte synd om honom för hon visste att han hade det besvärligt och måste tillbringa lång tid varje dag på det dragiga dasset. Hon trodde inte det blev bättre av att han var spänd och äcklad av vad som försiggick i avbalkningarna intill och att han aldrig kunde beklaga sig för henne. En gång hade hon full av medlidande frågat när han kom opp efter en lång sittning:

— Är det löst eller hårt?

Han blev blek och talade inte till henne medan han klädde om sig. Sen gick han hemifrån och var borta hela kvällen.

Ungarna som lekte på gården tyckte hon inte om heller. Det var henne omöjligt att förbinda den som växte i hennes mage med såna som de. Hon bad Otter att fråga sin mor när han skrev till henne om hon kunde skicka ett fotografi av honom själv som liten.

— Vet du att jag skriver till henne?

Hon teg, kunde ju inte säga att hon alltid läste de långtråkiga breven i rakspegelslådan. De var fulla av beklaganden. Av dem visste hon också att modern förmodligen inte kände till hennes existens, men det brådskade väl inte. Det fanns trots allt bittrare ting i tillvaron.

— Vad ska du ha det till? Ett fotografi av mig som liten?

Hon såg ner och plötsligt la han sin hand på hennes.

— Vill du verkligen det, lilla Tora?

— Ja, nickade hon.

Han kramade henne och sökte med läpparna i hennes hårfäste vid pannan, mumlade lågt. Hon kunde inte höra vad han sa och hon var nära att börja gråta. När hon hade stunden var hon rädd att den alltför snart skulle vara över.

— Jag ska skriva till mor och tala om att vi ska ha ett litet barn, sa han. Och så ska jag be om ett fotografi för din räkning. Är du glad då?

Hon nickade. Men inom sig blev hon plötsligt rädd för att han skulle tycka att hon varit listig. Det gjorde henne argsint och så förstörde hon själv det som hon nyss varit så rädd om. Ingenting var enkelt längre. Ingenting. Ibland kunde hon till och med tycka att det var skönt när han var ute och sjöng till sent på kvällarna så hon fick vara ensam. Men dagarna var ensamma och långtråkiga och hon stirrade på gården tills ögonen sved, stirrade utan att se.

Lundholms Mutte var den enda varelse hon tyckte om därnere. Han var smutsvit och svartfläckig med krumma halvlånga ben, knorrsvans och spetsig nos. Han var hennes vän på gården fast han aldrig hade fått en matbit av henne. Hon ville inte ens ta i hans lortiga päls. Men hon kunde prata lågt med honom.

— Skrattar du, Mutte? sa hon. Hon mindes när han grävde ner hennes hårvalkar och tyckte att hon lika gärna kunde ge honom dem som hon hade i byrålådan också. Här kunde hon inte sätta dem på sig i alla fall. Otters hushållerska.

Mutte hade fina tider när det hade kommit så mycket hundar i samhället, inte minst herrskapshundar, riktiga rastikar. Krumbent men spänstig for han omkring och vädrade efter löpande hyndor på gårdarna, parade sig med dem om han fick tillfälle och drog ner dem i diken om de var för långbenta så att han inte nådde opp. De kom hem eller hittades på gärdena utanför Wärnströms och de var smutsiga, flämtande och skämda. Mutte hässjade av allt sitt trägna springande. Han drog opp läpparna över sina gula kindtänder.

— Du skrattar, du Mutte, sa Tora för det såg nästan så ut.

Fotografiet kom med posten från Göteborg och hon visste också att ett brev följt med och att det låg i spegellådan. Nu vet hon att jag finns, tänkte hon. Men hon läste aldrig brevet. Hon hade fingrarna på det gråvioletta pappret men tänkte: det en inte vet har en inge ont av. Men det var inte riktigt sant.

Hon ställde fotografiet på byrån men när han gick hemifrån på kvällarna för att öva i kör eller kvartett tog hon det med sig till köket. Sen ställde hon det i rumsfönstret där hon satte sig med handarbetet när hon var färdig med disken. Pojken som var FA hade ingen likhet med ungarna på gården. Det var ett rent barn i en vacker veckrik klänning med stor brodyrkrage som hade åkt en smula på sned. Han hade säkert nyss gråtit och kämpat emot för att slippa bli ställd på stolen framför en stor svart kamera. Han hade långa ljusa lockar. Det var underligt för FA:s hår var alldeles rakt. Men kanske var det för att det var så kortklippt nu. Hans stora kupiga ögon var lätt igenkännliga och näsan var redan böjd på den lille pojken, så nog var det han. Annars kunde hon lätt ha misstänkt den vimsiga Göteborgskvinnan med alla sina ängsliga brev för att ha blandat ihop honom med någon bror.

Hon tittade på hans fötter i små kängor som var knäppta med en hel liten rad benknappar på ena sidan. Hon undrade om modern hade haft dessa små fötter inneslutna i sina händer.

Ungarna på gården skulle han inte bli lik, det var hon alldeles lugn för. Hon trodde det var en pojke, han sparkade så kraftigt. Han skulle inte bli en av dessa lortiga magertassar med revormar kring mun. Han skulle inte få mask i ändan och ständigt hålla på och klå sig och han skulle inte få engelska sjukan. Ännu när han var fem år skulle han ha hela tänder, små blanka risgryn och inga brunfrätta taggar.

— Han ska aldrig få vara ful i mun heller, sa hon åt FA en

söndagsmorgon med blicken på fotografiet. Då brast han i skratt.

— Det där är ju jag, Tora. Och mig vart det ingenting särskilt av.

Det förstummade henne. Hon stod och såg på honom, blinklöst. Du som är den finaste, du är ju ... Hon kände att hon stod och gapade och han blev irriterad.

— Vad är det? sa han.

— Det är så underligt, svarade hon.

Modern hade också skickat en lång broderad remsa att hänga på kakelugnsspjället. Kanske hade den kommit samtidigt som fotografiet men i alla händelser fick hon inte sen den förrän lördagen därpå. Hon blev totalt förstummad och la försiktigt ut den på köksbordet sen hon hade torkat av.

— Den skulle vara till hemmet, sa FA.

— Stod det så?

— Ja.

Hon var nästan glad när han gick till sången (som han sa, fast hon var ganska övertygad om att han gick för att träffa Ahlquist och Kasparsson på hotellet). Nu blev hon ensam hela kvällen med linneremsan.

Den var en och en halv decimeter bred och nästan lika lång som hon. På baksidan var den fodrad med tunt japonsiden. Modern hade broderat en enda lång ranka av blommor i skärt och vitt med ljusgrönt bladverk utefter hela bandet. Hon trodde de skulle föreställa kaprifoler. Det var ett vackert arbete och det måste ha tagit en orimlig tid. Det var gjort i plattsöm och små fina stjälkstygn.

Inte kunde hon ha gjort allt det här på den korta tid som gått sen han skrev och berättade? Eller hade hon? Så många timmars arbete och så fint linne, så tunt siden.

Vilken kossa han måtte tycka att en annan är!

Hon gick och knöt opp bandet i spjället med silkessnoddarna som var fästa vid tyget. Men hon tog ner det igen efter en stund för att ha det med sig i fönstret och titta på stygnen.

Vad hade hon själv gjort? Fållat något dussin blöjor och sytt tre småbarnsskjortor. Om hon bara haft trasor skulle hon ha satt opp en väv! Veckorna bara gick. Nu greps hon av ett rastlöst begär att vara verksam. Jag kunde ha tagit hem skjortsömnad om jag bara hade fått lära mig, tänkte hon. Det skulle jag. Jag ska gå och tala med mamsell. Hon kanske vet nånting.

Men när hon gick vägen opp till mamsell Winlöfs stora villa med trätornet började modet svikta. Fast hon kom så nära att hon kunde se pigan valla den lilla hyndan utanför på den vårskräpiga gräsmattan vågade hon inte gå in. Hon hade börjat bli så stor. Hon hade en grå sjal om sig och snibbarna lagda i kors över sin tjocka mage. Nej, hon gick inte in.

Man kunde få se prydliga frackar och svarta låga lackskor på perrongen vid samhällets järnvägsstation redan klockan elva på förmiddagen. Det var brådska kring dem, brådska och sång och stora blombuketter.

Änkepostmästarinnan Lagerlöf fick alltid blommor och halvkilospåsar med choklad av vinkande vänner när hon reste någonstans. Påsarna avhände hon sig irriterad till konduktören innan innehållet smälte på den heta plyschsoffan och blommorna var vissna vid Sparreholm. Men det hörde till att hon skulle uppvaktas en smula. Ändå saknade den elaka gamla damen naturligtvis den betydelse hon en gång haft i samhället, för skärningspunkterna gick inte längre genom hennes salong.

Hon skulle ha blivit verkligt häpen om det hade stått en manskör eller ens en kvartett och hälsat henne med Ack, kom du ljuva hjärtevän när hon kom tillbaka från sina besök hos barnbarnen i Stockholm. Men de unga fruarna till framtidsmännen hos Alexander Lindh och till de nya tjänstemännen i samhället fick lov att spela sin häpnad, för nu hörde uppvaktningar i den stilen till en förtjusande ordning som hade införts i opposition mot allvarsandan och den förfärliga samhälleliga gråheten som Mandelstam kallade den. Sen tio år tillbaka blåste ju Järnvägsmannaorkestern när Alexander Lindh anlände från resor och grosshandlaren lyssnade med generalsuppsyn. Men det unga gardet som visserligen stod uppställt i välkomstkommittén log bakom de hektograferade programmen. Kvartettsången var bra mycket mera chic. Den kunde vara ironisk och lekfull och den var alltid smältande vacker. Den hade allt som en tutande bleckorkester inte hade.

Kasparssons kvartett var den mest anlitade. Clarin hade fått en värdig efterföljare och nu sjöng man på apotekarens och Winthers namnsdagar och på Oscarsdagen i december. Från Valborg och till Sofiadagen då björkarna sprack ut hälsade man våren i friska natur'n på beställning av männen till de unga damerna av vilka ett par var vackra, alla sades vara det.

På bolagsstämmorna hade förr den samhälleliga gråheten firat sina största striumfer. Unga lejon i bakrus hade gjort halvskandal genom att somna när avsättningarna till tjänstemännens pensionsfond gjordes. När utdelningen bestämdes höll de sig väl i allmänhet vakna, men nu hade de smugglat in den nya tidsandan även på bolagsstämmorna som alltid avslutades med middag. Till kaffet kom kvartetten. Till och med de gamle uppskattade den. Det var inte säkert att aktieägarna själva kunde tolka de känslor som besjälade dem när utdelningsprocenten avgjordes. Men sången kunde.

Det fanns också känslor som hotade att grumla samvaron och tillfälligt stoppa samhällsbyggandet. Men sången ädla känslor föder eller fick åtminstone de grumliga att avsätta sig på botten. Därifrån skulle de icke uppstiga förrän nästa gång fria mäns rätt att skapa, leda, fördela, prissätta och äga hotades av nedbrytande krafter. Sången dämpar harm och plåga. Den dränker lätt var jordisk smärta, stillar stormen i ett mänskohjärta. Den kan rentav stanna livets strid.

För allt skränigare röster höjde förvirrade rop på upplösning och hotade att förvandla samhället till ett slagfält.

— Men, sa förre stationsinspektoren och friherren Gustaf Adolf Cederfalk, blommande sköna dalar, hem för mitt hjärtas ro kommer det alltid att finnas.

Han fick en hjärtattack. Det var den mest besynnerliga och skräckfyllda händelsen i hans liv. Med värkande arm och kväljningar av rädsla låg han och lyssnade efter jungfruns steg i trappan. Hon såg sträng ut.

Doktorn Hubendick hade sagt att han måste ligga orörlig och skötas. Hon tvättade honom. Hjälplös såg han henne dra opp nattskjortan och blotta hans skrynkliga blygd. Han vågade inte kämpa emot för då trodde han att han skulle dö.

Man kom och gav honom nyskurna narcisser ur trädgårdarna och sa att han snart skulle vara på benen och att det skulle bli en stor köruppvaktning på hans födelsedag den sjätte juni.

Vi svepa kring oss Sveriges fana, i döden hon brudtäcket är, mindes Cederfalk och ryste åt narcissdoften. Han var inte alls så tacksam som han skulle vara, han var torr som aska i munnen. Om det vore möjligt, funderade han, och om han finge leva, skulle han i stället varje år vilja fira årsdagen av sin hjärtattack. För först från den dagen hade han sett vad ett människoliv är.

Det var egendomligt att han inte förr frågat sig vad han hade gjort och vad det blivit av honom. Han tänkte på Wärnström och på Alexander Lindh. De måtte kunna dö utan ångest. Ja, han kunde inte ens förbinda tanken på ångest med Alexander. Han skulle avsluta sitt livs stora bok med två prydliga dubbelstreck och läska dem torra innan han gav opp andan. Han var en rik man. Han hade själv skapat sin ställning.

Wärnström skulle väl gå till Jesus. Där skulle det göras avräkning och hans synder, om han hade några, skulle befinnas både nödvändiga och ursäktliga för skapandet av en position som hans. Han är också en rik man, tänkte Cederfalk. Han började som min hovslagare.

Men vad är jag?

När Kasparssons kvartett var ute och sjöng vid uppvaktningar och märkesdagar bar den frack. F. A. Otter måste hyra sin, men en dag alldeles i slutet av april hittade Tora ett brev från ett beställningsskrädderi i Eskilstuna i hans rockficka. Hon läste det och det stod att han skulle prova en beställd frack i slutet av samma vecka. Man ville inte binda sig för priset som han efterfrågat i sitt ärade av den tjugonde dennes, men tordes ändå säga att de hundrafyrtio kronor som man från början talat om som en riktpunkt för de slutliga beräkningarna inte skulle komma att i någon högre grad behöva överskridas om den sista avprovningen visade sig göra båda parter tillfreds.

Tora läste igen. Till slut förstod hon att det var hundrafyrtio kronor. Hundrafyrtio.

Hon vek ihop brevet, la det på köksbordet. När han kom hem satt hon med händerna i knät och var ganska stirrig i ögonen. Han hade brått. Var inte maten färdig? Nå, då struntade han i den. Han var sannerligen inte hungrig. Det gjorde ingenting. Denna glada vårbrådska gjorde att han glömde magen, nästan glömde magen i alla fall.

— Ska du till Eskilstuna?

Han hejdade sig i rumsdörren. Så såg han brevet på köksbordet. Hon blinkade inte en enda gång under hela den tid han såg henne i ögonen och han blev långsamt vit kring näsan av vrede. Han försökte samla sin röst och tala lugnt.

— Jag vet att du läser mina brev, sa han. Var det ingenting annat du hade att säga?

— Jovars, sa hon. Att du tjänar niohundra kronor på året.

— Vad vet du om det? for han ut.

— Jag vet det.

Då gick han in och slog igen dörren hårt efter sig. Men han måste ut och hämta rakvattnet som hon värmt och strigla kniven och då gjorde han den dumheten att han började parlamentera.

— Snälla Tora, sa han. Du måste förstå att i längden blir det inte billigare att hyra en frack. Dessutom är det mycket obehagligt att ha klädesplagg som andra burit. Du tror väl inte att de tvättas emellan. Men Tora satte händerna i sidorna som en torgmadam och påminde honom om att de skulle ha barn i början på juni och att de mesta som barnet behövde fattades.

— Men jag ska gå opp till mamsell Winlöf! Det ska jag. Jag ska fråga henne efter utslitna servietter från hotellet för det är di bästa barnblöjer en kan få. Och billigt blir det!

— Tora!

— Vad är det för fel på det? Vi är fattiga. Du ska ju sjunga på soaré på Societetsföreningen snart — var det inte till förmån för en fattig familj? Be å få recett du!

— Vet du vad det är, du?

— Jag vet en hel del. Jag har varit hos Winther. Jag vet en hel del om växlar och lån också. Och jag har sett hur det går!

— Skrik för guds skull inte.

Han vände henne ryggen och började strigla kniven mot lädret. Efter en stund sa han med så låg röst att hon måste anstränga sig för att uppfatta den:

— Kom ihåg lilla Tora att när du tar till den där rösten, då är det nånting som för alltid går sönder mellan dig och mig. Och för övrigt begriper jag inte vad jag kan göra åt saken nu.

— Du behöver aldrig lösa ut fracken, det är enkelt.

— Nej, det är inte så enkelt. Man syr inte en frack. Man bygger den. Den sys inte ihop som vilken klänning eller kavaj som helst. Den är byggd kring en enda människa och kan inte säljas till det priset åt någon annan. Det här är saker som du inte förstår och nu ber jag dig sluta.

Hon var fortfarande ursinnig och hade inte en tanke på att sluta för att han var kall och överlägsen på rösten. Det skrämde henne inte längre, hon hade gått över den gränsen. Men när han kom fram med rakvattensskålen och handduken såg hon bara ängslan i hans ansikte. Då förstod hon, häpen över sig själv, att hon kunde tvinga honom men inte vågade för den rädsla hon såg hos honom.

Han hälsade våren i den nya fracken. Hon såg honom bara när han gav sig av, för så tjock som hon var nu ville hon inte följa med när de sjöng offentligt i järnvägsparken eller oppe vid Skyttepaviljongen. Han ville det inte heller. Tora hade varit nästan vacker förra året i sin grålila promenaddräkt. Hon hade i varje fall varit statuarisk tyckte han, dekorativ på håll. Men det var ju otänkbart att ta hem vännerna. Alla skulle bli generade, Tora inte minst trodde han. Men han tyckte synd om henne för att hon var så ensam i grannskapet och han gjorde inga invändningar när Valfrid Johansson hos Levanders kom och hälsade på henne.

— Men du borde vara försiktigare, sa han när han fick höra att Valfrid varit där när hon var ensam hemma.

— Äsch, sa Tora. Skulle jag rätta mig efter marerna här så vart jag tvungen å bli relischös.

Men inför Valfrid gjorde hon något som hon ångrade djupt efteråt och som förvånade henne själv. Hon klagade över Otter. Hon berättade inte om fracken men hon sa att han var ute mycket och att han satt på hotellet och att de blev dyrt i längden även om han inte söp. Men Valfrid missförstod alldeles hennes oro och försökte lugna henne med att det ingenting var att bry sig om att han sprang ute.

— Det gör alla unga karlar en period. Det är bara flirtationsdriften!

— Äsch, sa Tora som aldrig tänkt en tanke åt det hållet. Men sen blev hon alldeles kall om hjärtat av ängslan och tyckte att hon varit en idiot. Hon kunde inte längre somna förrän han kom hem. När hon borstade hans frack och tog i hans underkläder på morgonen var hon stel av oro för att finna främmande dofter.

Hon bad Valfrid att inte komma annat än när Otter var hemma. Den harmynte Valentin brukade titta opp ibland men honom sa hon nu alldeles ifrån åt. Sen satt hon ensam med handarbetet i knät utan att sy och tänkte om FA att han förmenade henne att träffa enda människa.

Ibland kunde hon börja gråta när hon satt rätt opp och ner vid fönstret. Det kom lite tårar och korta snyftningar högt oppe i halsgropen. Men hon kunde sluta när hon ville och kände sig kall invärtes och besynnerligt främmande för sig själv.

Nu var magen alldeles rund och hon bar den framför sig med lätt svankig rygg. Hon var mycket större än sist. Skinnet var alldeles vitt på magen och så utspänt att det skimrade.

En kväll i skymningen stod mormodern i köket. Hon hade kommit in så tyst att Tora inte märkte henne förrän hon själv var på väg ut i farstun till vedlåren. Då stod hon där i sin gråa sjal och huvudduken hade hon så långt framme i pannan att ansiktet blev skuggat och litet. I den nya omgivningen såg hela gumman liten ut tyckte Tora. Hon hade en mattrulle under armen.

— Ja, I vill väl se hur jag bor, sa Tora och bjöd henne stiga på. Men hon stannade på tröskeln till rummet och tittade.

— Det är Otters byrå. Och nattygsbordet.

De gick ut i köket igen.

— Nu ska jag sätta på kaffe, sa Tora. Ingen cikoria. Tycker I inte att det är riktigt bra här?

Hon såg sig själv omkring. Hon hade nya gardiner och det stod två balsaminer i fönstret.

— Jodå, sa Sara Sabina. Det är det visst det.

Hon tassade runt i köket och fingrade på gardinerna och kände på handdukarna som hängde bredvid bleckbaljan.

— Men det drar i sathåle, sa hon.

— Ja, det är en stor springa ve skafferidörrn.

— Kan inte Otter spika igen den då?

— Kanske det, sa Tora. Men nu sätter jag på panna.

Hon såg att mormodern tittade på trasmattorna på köksgolvet och skyndade sig att förklara att det bara var någonting tillfälligt.

— Det är gamla matter som låg om möblerna som Otter fick opp från Göteborg.

— Är han från Göteborg?

— Ja.

Gumman satte sig och tittade på när hon tände opp i spisen med lite kaffeved för att det skulle gå fort. Det var alltid svårt att ställa in dragen så att det inte rykte in för mycket.

— Är inte spisen bra? frågade Sara Sabina.

— Han är nog utbränd, medgav Tora. Så det har sina fördelar med lite extra draghål i köke.

Då skrattade gumman och huckrade precis som förr i världen. De drack kaffet hett på fat och doppade först till påtåren. Efteråt tog Sara Sabina fram mattrullen och gav den till Tora. Hon rullade ut längden. Var hade gumman fått trasor ifrån? Det var som om hon hade hört henne tänka för hon sa:

— Ja, jag har sparat traser ett bra tag. Så nu så.

Det var en matta i dunkla färger. Det var aska och jord, det var blått och en skiftning av brunlila.

— Ja, det är bara enträtt förstås, sa Sara Sabina. Rosengång har jag allri vävi.

Nej. Hon hade aldrig vävt annat än tuskaft och aldrig haft lattor utan skaft hade varit bundet i trampa med grova knutiga snören. Tora trodde att knekten en gång hade gjort vävstolen åt henne.

— Tycker du att ho är mörk? frågade mormodern.

Tora skakade på huvudet.

— Ja, det håller med lorten i alla fall, sa Sara Sabina.

Vita traser fick hon aldrig några. Man såg bara de dunkla klänningstygerna i rutigt och randigt och de blå arbetsblusarna i mattans ränder. Det var nog en svart kjol som hade gått åt också eller Toras färgade konfirmationsklänning. Själv hade hon numera underkjolar av rödrandig flanell men till fint hade hon vita. Men bland mormoderns trasor fanns inte ens de bjärta västgötatygerna.

— Ja, det är mycke en kommer ihåg när en börjar titta, sa Tora. Jag minns när jag satt och klippte traser under morellen hemma. Det var när I skulle väva åt prostinnan i Vallmsta. Tänk så mycke fint en klippte sönder då.

Hon tyckte att hon kände igen de randiga förklästygerna men de måste vara gamla. Hon mindes hur det kunde lukta surt diskvatten eller sot från hällen när hon borrade in huvudet nedanför mormoderns mage. Men hur fint det luktade om förklät var rent och hon skulle till och baka.

— Är det morfars skjorta?

— Det kan nog hända.

— En kommer ihåg mycke när en ser inslagena, sa Tora. Och när en klipper.

— Roligare kan en fälle ha än å hålls och rota i gamla traser, sa gumman. Men varpen är bra. Han är ny. Och det är starka traser.

Tora la nu ut mattan mellan köksbordet och fönstret och slog i en tretår åt dem. Hon gick bredbent med magen framför sig och var generad för att mormodern inte frågade när hon skulle ha barnet. Hon blev ängslig också. Kanske tänkte inte gumman komma till förlossningen. Kanske tänkte hon att Tora bara ville ha ackuschörskan nu när hon bodde i samhället. Inte visste hon om det gick att gå ifrån morfar heller.

— Det blir första veckan i juni, sa hon tvärt.

— Jaha, jag sir att det snart är dags. Det har sjunki.

— Det har det väl inte? sa Tora ängsligt.

Mormodern doppade sin skorpa och höll den så länge i det sista kaffet att den löste opp sig. Tora satt och tittade på henne men hon åt bara opp skorpan med skeden och sa inget.

— Om I ville komma mor, sa hon till slut.

— Jo för allan delar, sa Sara Sabina. Det ska jag visst det.

Men hon frågade inte mer och nu fick Tora för sig att gumman tyckte synd om henne. Hon visste att hon var alldeles för misstänksam och stingslig den här gången hon gick med barn och att hon hade lika lätt för att gråta som att bli arg. Men det var svårt att avvisa tanken att mormodern satt och tyckte synd om henne. Kanske trodde hon inte att Otter skulle göra rätt för sig.

— Jag ska gifta mig med Otter, sa hon häftigt.

Sara Sabina teg. Det tolkade Tora som att hon inte trodde henne och hon tog i ännu häftigare. Men då sa gumman att det kunde vara detsamma. Hon reste sig för hon var färdig med kaffet.

— Bättre å ingen oxe ha, än å ha en som inte går vägen, sa hon.

Menade hon att trösta henne? Gumman sopade skorpsmulor från köksbordet ner i sin kupade hand och gick bort och gjorde sig av med dem i spisen. Hennes ansikte gav ingen ledtråd. Men det var kanske i stället ett råd hon gav henne, ett råd eller en varning. Vad visste hon om Otter? Tora kände samma kalla ängslan som hon fått vänja sig vid sen ett tag tillbaka, men hon ville inte fråga.

— Vad menar I egentligen? sa hon bara och tårarna steg i ögonen så att hon måste blinka och blinka.

— Jag sa bara att det var bättre å ingen oxe ha, än å ha en som inte går vägen.

— Jag hörde det!

Att sitta och säga sånt när hon visste hur omöjligt det vore!

— En får nog ha en som drar lasset, sa Tora. Det klarar en inte ensam.

— Å, det är nog inte bara det som det gäller för dig, sa Sara Sabina och sökte Toras blick. Då slog Tora ner ögonen och tittade på sina händer i knät men hon böjde huvudet och gumman som gav akt på hennes ansikte nickade också sakta en gång.

— Men nu ska jag gi mig å. Lans väntar.

— Är han ensammen?

— Ja, jag har lagt'en och han har potta och klocka breve sig. Men nu ska jag gå hem.

— Jag säger åt en grabb att springa över när det är dags för mig, sa Tora.

— Det ska du göra. Men dröj inte tess vattne har gått.

— Tack för mattan, sa Tora och tog hennes hand.

När gumman hade gått var hon ledsen och började gråta den sortens lättgråtna tårar som hon nästan kunde locka fram själv under det här långa och ledsamma havandeskapet. Hon satt i fönstret och hulkade. Men efter en stund skämdes hon för sig själv och snöt sig kraftigt.

Mattan såg riktigt mörk ut innan hon hade tänt lampan och skymningen kom färgerna att tätna i köket. Det var fem randiga fält som upprepades sex gånger på längden. Det hade fordrat mycken eftertanke att få trasorna att räcka så att upprepningen blev regelbunden. Det första fältet var grått som askan i spisen och sen kom det bruna. Det liknade den sura myrjorden som Johannes Lans haft så svårt att dra någonting ätbart ur. Det svarta skiftade som kyrkkläder när de kommer ut i solen. Sen kom de dunkelt blåa från arbetsblusarna och de stora förklädena. Sist fanns där en brunlila skiftning som Tora inte visste var den hade sitt ursprung men som liknade marsvinterns björkar i backen nedanför Äppelrik. Hon såg att det var ny varp och visste att Sara Sabina klippt bort alla nötta och trasiga ställen på kläderna. Det var starka trasor.

I långfarstun mötte FA en gumma när han var på väg in. Hon var grå som jord. När de stötte ihop vek hon inte åt sidan utan stannade framför honom. Hon hade duk om huvudet och det var svårt att se hennes ansikte.

— Är det Otter? frågade hon.

Hon skärskådade honom oblygt. Han hade inte uniformsmössan utan en rundkullig svart hatt och han bar sin rock på armen. Hon tittade honom också rakt i ansiktet och han kom inte opp i trappan när han försökte skruva sig förbi.

— Ja, sa hon till slut och nickade kraftigt och inte ovänligt. Tora är en rejäl och bra arbetsmänniska.

Han var för häpen att svara och när hon inte fick någon bekräftelse tillade hon:

— Det blir han nog varse.

Det lät vasst och hon lämnade honom genom farstudörren och kilade iväg utmed husväggen.

När han kom opp stod Tora mitt på köksgolvet med det stora randiga förklät på sig. Hon hade ännu inte tänt lampan på bordet.

— Vet du vad! sa han men så såg han att hon höll foten på en liten matta och makade den åt honom.

— Mamma har vari här, sa hon. Ho hade e matta med sig.

Han brukade inte tycka om när hon talade för brett men nu måste han skratta och han gick fram till henne och la armarna om henne och försökte lyfta henne ett par tum från golvet.

— Är du en reell och bra arbetsmänniska, Tora? frågade han.

— Det vill jag sannerligen hoppas, sa hon och lät riktigt vass.

— Ja, den var inte blyg! skrattade FA. Den var inte blyg!

När han hade sett på mattan som Sara Sabina kommit med funderade hon en stund och så sa hon:

— Det är inte min mamma egentligen. Det är mormor.

Hon fick lust att gå efter fotografiet av Edla och visa det för honom. Hon gick till och med in i rummet och letade i halvmörkret fram bilden i andra byrålådan och vek opp silkespappret. Hon kunde ingenting se, lampan var inte tänd här heller. Men hon var så väl förtrogen med ansiktet som höll på att utplånas från pappbiten och med det uttryck av allvar som alltid fanns kvar att hon trodde sig se på bilden när hon höll i den.

Hon ångrade sig och vek ihop pappret igen om barnet Edla och la fotografiet under de två vita blusarna där det hade sin plats.

Han stod en kväll när han skulle iväg och visslade en vals av Widerström medan han knöt rosetten under kragen. Hon kände så väl igen den att hon kunde ha visslat med själv. Han var glad. Hon kunde inte tänka sig annat än att han mådde mycket bättre än han gjort på länge. Det sista hon hörde av honom var klackarnas smällar i trappan och valsen ur Matroslyran.

Han kom tillbaka vid tiotiden och Kasparsson följde honom hem. Då var han så dålig att han inte kunde gå oppför trappan själv och han orkade inte visa sig generad inför vännen. Tora bad Kasparsson hämta doktor Hubendick på hemvägen. Hon började klä av FA men han blev häftigt sjuk och kräktes på skjortbröstet. Han var alldeles stel av äckel och skräck efteråt och det var nästan omöjligt för henne att få av honom skjortan utan att ta sönder den. Doktor Hubendick frågade om han hade druckit mycket.

— Det gör han aldrig! sa Tora.

Han bad att få se hans uppkastning och FA vände bort huvudet. Tora visade den gamle doktorn skjortan ute i köket och den gryniga svarta kräkningen. Han skakade på huvudet men sa ingenting som hon kunde bli lugnare av. Nu slog också hennes hjärta fortare, det slog tungt och hårt så att hon kände det. Hon satt hos honom på natten och han somnade snart av Hubendicks medicin men pulsen fladdrade oroligt och hans andning var stöttig och ojämn. Om morgonen var han i alla fall bättre men hon vågade inte lämna honom utan skickade bud till apoteket och till magasinet.

Doktor Hubendick sa att han fick bli sängliggande minst två veckor. Efter de första dagarna blev han snabbt mycket bättre och fann sin hjälplöshet pinsam. Han tillät inte längre att hon tvättade honom och att hon kom med nattkärlet. Hon måste börja tömma kärlet medan han sov och inte låtsas om att hon hade gjort det.

— Stackars Tora, sa han. Du måste få någon att bära opp vattnet åt dig nu när du är så tung. Skona dig lite.

Men även i sin omsorg om henne lät han frånvarande och besynnerlig. Han hade förändrats så snabbt att hon inte visste hur det hade gått till. Hans sjuklighet hade hon hela tiden vetat om. Men mest hade hon förnummit den som en ytterlig ömtålighet, en ständigt stegrad irritation Hon kunde inte tänka sig honom annorlunda, inte ens långt tillbaka i tiden då han måste ha varit alldeles frisk. Det trodde hon inte riktigt på.

Men nu var han mycket rädd. Hon kunde höra det på hans röst och till och med på hans sätt att skämta när han började bli bättre igen. Även rädslan hade hon vetat om, den gick heller inte att skilja från hans väsen. Men nu smittade den. En enda gång talade han rent ut och då lät han nästan nonchalant på rösten.

— Jag tror jag har nånting som växer i magen.

— Inte!

Hon frågade doktor Hubendick nästa gång han kom, stängde rumsdörren ordentligt och frågade med låg röst medan han tvättade händerna i fatet med ljummet vatten som hon satt fram på köksbordet.

— Otter har magsår, sa Hubendick.

— Men han tror det är nånting annat. Han är rädd.

— Ja, det kan vara lika bra. Då sköter han sig i fortsättningen. Och gör han det har han ingenting att vara rädd för.

Hon vågade inte säga mer. Ordet som både hon och FA tänkte skulle hon ändå aldrig ha vågat uttala.

— Han är bara tjugosju år!

— Ja, sa doktorn. Det händer att man får magsår tidigt. Det beror på läggningen. Han får sköta sig.

Han kom på benen igen i slutet av maj och började arbeta. Så fort han gått blev det samma hopplösa värld omkring henne igen. Folk strömmade ut och in i kapellet. Arbetarna kom från gjuteriet och Wärnströms, hon tyckte att de gick hasande långsamt och mindes brådskan vid stationen, de snabba klackarna på golvet i stora matsalen. Dit kunde hon inte gå nu och världen därborta blev overkligare och overkligare för henne. Det var knappt att hon längre trodde att hon sett Cléo de Merode och att hon rest sig ur kassabåset för att hälsa på henne när hon drog in så nära att de stora plymerna nästan vispat Toras kind. Kungen av Portugal, Holger Drachmann och grevinnan Casa di Miranda! Hon trodde inte längre att de existerade.

När FA kom hem om kvällarna satt Tora ofta och stirrade i fönstret. Hon hade gjort i ordning mat i så god tid att den hunnit kallna och måste värmas på. Det var skymning och han tyckte inte det var så roligt att alltid behöva tända lampan själv.

— Vad är det med dig då? frågade han.

— Ingenting.

Var hon inte nöjd? Äsch. Var det fortfarande fracken som spökade?

— Tora!

— Jag sitter ju bara och ljussar!

Det visste han inte vad det var. Nu tände han lampan, sotade ner fingrarna på veken och luktade på dem sen han tvättat sig.

— Ja, nu är det slut med det roliga, sa Tora.

— Jaså. Vad var det som var så roligt då? Att springa med brickor hos Winther?

— Jag sprang inte med bricker. Jag satt i kassan.

— Jaja.

Hon teg en stund och tittade fortfarande i skymningen ut på gården. Men nu log hon lite.

— Vet du vad jag trodde det roliga var när jag var liten?

— Nej?

Äsch. Hon kunde inte berätta för honom om gubben som spöa kärringen. Det skulle han inte tycka var roligt. Det var ju inte roligt heller. Om hon någon gång tänkte på de tre figurerna som yxats till av barnsliga tankar kramade det om hjärtat. Där var gubben som ville dansa och hade käringen under käppen. Där gick den kutige halvherrn och log och menade. Han var skammen, en gammal bekant. Och nöden, den var bara barnet än.

— Adam!

Hon hade aldrig sagt det förr. Det låg bara färdigt i munnen och inte brydde hon sig om att han stirrade heller.

— Adam, vad ska vi göra?

— Vad menar du?

— Om du blir sämre.

Men han teg och hon förstod ju att hon gjort honom illa.

— Jag menar bara tills du blir bra, sa hon. Jag vet inte vad det är med mig förresten. En kan bli sån när en är på det här viset. Och sitta här och inte ha nåt för händerna. Och den här gårn!

— Jag tycker inte heller om det här, sa han. Men det är ju bara ett provisorium. Här kan jag inte leva.

— Men var ska vi bo då?

Tordes hon säga vi? Då skrek han häftigt:

— Jag kan inte leva utan havet!

Men sanningen var: han kunde inte leva. Hon reste sig och började ordna med pannorna i spisen för att värma opp hans kallnade mat.

— Sätt dig nu, sa hon. Så här kan vi inte prata.

De hade otur att han blev sjuk igen just när hon skulle föda barnet. Ackuschörskan kom och klädde sig i en väldig vit rock som knäpptes i ryggen och hon gav myndiga order åt Sara Sabina som kurade och sprang men som inte såg särskilt tillmötesgående ut i ansiktet. Det blev inte heller så mycket bättre än första gången för Tora trots ackuschörskans närvaro. Hon var både utbildad och hade lång praktik men fordrade mycken passning och mycket kaffe och hon spred sina instrument och skålar omkring sig och plockade inte opp någonting själv. Innanför den stängda rumsdörren låg FA och kunde höra allt som försiggick. Tora försökte tänka på honom men det var en tung och långdragen förlossning. Hon skrek inte förrän på slutet men gång på gång kom hon på sig med att stöna utdraget för att hjälpa till i värkarbetet och lindra trycket och smärtan. Hon såg på dörren och till det allra sista slutet var hon medveten om den och rädd att den skulle öppnas och FA komma ut mitt i det elände som var omkring henne med vattenpytsar, nersölade lakan och halvtömda kaffekoppar.

Hon var hela tiden klart medveten, till och med efter den sista sönderslitande smärtan och den lättnad och tomhet hon ett ögonblick kände. Ackuschörskan hade lagt en stor handduk över hennes knän men hon hade låtit den falla och hon kunde se när kvinnan med den vita rocken tog barnet som glänste av fett och vatten och blod.

— Det är en pojke. En kraftig en!

— Ge mig honom!

Men ackuschörskan skrattade och bar honom bort till köksbordet där vattnet stod.

— Ge mig honom, sa Tora. Sara Sabina stod hela tiden bredvid när hon tvättade barnet och förband naveln och när hon tänkte lägga honom på skötfilten som var täckt med ett bomullslakan och börja klä på honom hela uppsättningen av navelbinda, blöja, mantel, skjorta och filt, tog gumman om hans kropp med händer som såg mycket magra och mörka ut bredvid den andras. Hon lyfte honom naken och utan att bry sig om ackuschörskans protester till Tora i sängen.

— Han är stor, sa Tora otydligt för hon hade mycket torra och spruckna läppar. Huvet var stort, det kände jag.

Han låg innanför hennes arm och munnen rörde sig fast han inte skrek. Försiktigt kände hon med den andra handen på hjässan och den var fortfarande fuktig. Han hade inget hår och det bultade under det tunna skinnet över fontanellen. I öronen och vecken på halsen satt lite fett kvar. Hon undrade vad det var. Han hade haft det över hela kroppen. Hon tog i de små händerna och försökte bre ut fingrar och handflata. Tårna var lika hopkurade, det såg ut som om de sov för sig själva fast kroppen rörde sig sökande. Låren var tunna och röda och mellan dem vilade pungen och lemmen och verkade nästan onaturligt stora. Han spratt till och drog opp benen.

— Det är då inget fel på'n, sa Tora.

Hon tyckte att magen verkade stor och kunde känna hans revben under huden. De var späda som om de ännu bara var av brosk. Hon hade ont nu och det gick mycket tungt att åka ner så mycket i sängen att hon kunde närma sitt ansikte till hans. Ögonlocken var svullna och rödprickiga men det gick att öppna hans ögon och hon såg att de var alldeles mörka och av en underlig violbrun färg som hon aldrig hade sett, inte hos någon människa.

— Det är inte värt han blir kall, sa hon och mormodern tog honom och gav honom till ackuschörskan som började klä honom.

— Nu är du fälle trötter, sa Sara Sabina.

Pojken började skrika kraftigt och ackuschörskan försäkrade att han lät som ett tvåveckors barn.

— Det är en kraftig bit, det är säkert det.

Tora fick lite kaffe som hon drack så hett hon kunde men sen brydde hon sig inte mera om vad de gjorde med henne. Hon hade eftervärkar och fast de var mycket lindrigare kände hon sig intill döden trött och led på allt som slet i henne och gjorde henne illa och önskade att hon finge vara ifred och sova. De bytte under stjärten på henne och det fann hon onödigt eftersom efterbörden skulle komma snart. Men det gjorde detsamma, de ordnade som de tyckte. Hon ville bara så gärna sova.

Genom fönstret såg hon junikvällshimlen och ett ögonblick längtade hon efter att gå fram och luta sig ut så att hon kunde se mera av den. Det var ingenting annat än tröttheten som hindrade henne och att de två andra kvinnornas röster skulle bli högljudda i beskäftig omtanke. Så var det skönt att längta, när inte mer hindrade en från att nå det man ville ha.

De la barnet intill henne och nu var han ett stort paket med ett litet ansikte som var alldeles mörkrött av underliga ansträngningar. Hon måste vika ner kragen med den virkade kanten för att kunna se hans mun och torka bort lite dregel med pekfingret. Det verkade som om det försiggick något inom honom. Han kämpade och hade det svårt. Men vad det var kunde hon inte längre veta något om. Hans ansikte bar ett på en gång självförsjunket och bekymrat uttryck. Han snörvlade när han andades och ibland kom en hickning. Hon stödde honom lite under ryggen så att det lilla mörkröda ansiktet med svullna ögonlock kom opp och saliven rann klar och fin efter hakan. De besvärliga och hemlighetsfulla skeendena fortsatte. Men hon hörde ju att han andades riktigt och om hon sökte med fingrarna under bomullsfilten och det tunna skjorttyget kunde hon känna hans hjärta slå.

På Backe kyrkogård vilade benen efter den man som en gång hittades död i ett sopstup nedanför Gubbgränd med en oblat i munnen. Det hade aldrig blivit klart vem han var och varifrån han hade kommit men klockaren i Backe hade fängslats av hans öde och bett kyrkoherde Borgström att få tillverka ett enkelt träkors att resa på graven. Detta medgav kyrkoherden. Men han tog aldrig reda på vad klockaren tänkte skära in i korset och fylla med svart färg. Nu stod där:

EN JÄRNVÄGSPASSAGERARE
DÖD 1877

Ännu tjugo år framåt fick denna kyrkogård ta emot folk som inte var födda i socknen och en del som inte ens varit bosatta där utan kommit resande med järnvägen. Men sen skakade inte längre de döda på gropiga vägar till Backe när de skulle begravas. Man hade anlagt begravningsplats i samhället och det var bra att gamle Malstugen inte levde när detta gjordes för fideikommissarien lät stycka av arrendets bästa åkerjord för detta ändamål. Det var ett område som låg ovanför de sanka gärdena som brukade stå under vatten när Vallmaren fylldes och svämmade över på våren. En del folk från Vallmsta köpte också gravplats i samhället för att känna sig tryggare. För Vallmsta kyrkogård, sas det, genomkorsades av underjordiska källdrag och strömmar som förde bort de döda eller löste opp dem.

Hovpredikanten som invigde begravningsplatsen kanske visste om att Malstugen skurit sitt bästa vete häroppe för han sa:

— Så är platsen vorden ett Guds åkerland.

Man hade väl inte heller trott att marken skulle bära något mer före den Yttersta Dagen men man misstog sig. En stilla och kylig lördagseftermiddag i september 1902 höll några släktingar på att ansa förre stationsinspektoren och friherren Gustaf Adolf Cederfalks grav och gjorde då ett fynd. Systerdottern Gerda skulle gräva ner narcisslökar och rätt vad det var gick spaden genom något mjukt och Gerda blev rädd. Hon ville att man snabbt skulle skyffla över hålet men hennes man böjde sig fram och tittade och sen petade han med den spetsiga planterspaden.

Det växte tryffel i Cederfalks grav. Snart stod man där med en svamp stor som ett litet barnhuvud i händerna och den var mjäll och doftande som den ska vara och alldeles fast i köttet där spaden gått igenom. Man blev både generad och upprymd. Även om den var lika fin som den bästa tryffeln från Périgord måste man ju av pietet avstå från dess obeskrivliga arom; man kunde inte äta något som växt där den gamle stinsen och morbrodern sakta förintades. Man enades till och med om att ingenting säga om fyndet, men det var svårare att hålla och snart var det ute. Det fanns människor så respektlösa att de frågade Gerda var hon gjort av den.

Så kom det postmästarinnan Lagerlöfs öron och hon som varit så berömd för sin ironiska talang skulle säga något om saken. Men nu hade hon blivit gammal och ödlelik och så avtrubbad att hon för det mesta bara förmådde säga som det var.

— Så många goda middagar som den käre Gustaf Adolf åt i sin livstid, så är det ju inte så underligt om det växer tryffel ur hans lik, sammanfattade hon nu och andedräkten kom precis som förr i världen i små puffar ur näsan på henne.

Hovpredikanten hade med fin hänsyftning på den kamp mellan klasser som försiggick i samhället sagt att på denna plats, begravningsplatsen nämligen, upphörde alla strider. Den som eljest litet eller intet hade i världen som han kunde kalla sitt, finge dock här en plats som ingen kunde beröva honom.

En brinnande röd oktoberdag 1902 invigdes också Arbetarföreningens likvagn som det tagit fyra år att samla medel till. Invigningen hade gång på gång blivit uppskjuten. Först blev det förseningar både på snickerier och tapetseriarbete. Sedan bestämde man på ett möte att föreningen borde anskaffa ett nytt standar till högtiden och gjutaren och fanbäraren John Lundell som kallades Store John åkte som föreningens ombud till Norrköping och beställde den nya fanan på en ateljé. Han utförde uppdraget till punkt och pricka.

— Ho ska vara rö, sa han. Men inte för rö och ho ska vara av siden.

Detta var på vårkanten. Det blev strejkhot och omgrupperingar och arbetarkommunen bildades. Store John gick ur Arbetarföreningen och bar i stället det socialdemokratiska standaret till Sváltas Äng där Branting talade. Inte förrän till hösten var den i sina grundvalar skakade Arbetarföreningen i stånd att på nytt börja förbereda invigningen av likvagnen. Men nu uppstod andra svårigheter som man förut inte tänkt på. Man skulle ha ett lämpligt invigningslik.

Det var visserligen meningen att i denna svarta ståt skulle dväljas obetydligheter — de förbrukade, de ännu knappt avhörda, de fåkunniga och röstlösa. Men man blev tveksam när den förste som dog efter iordningställandet var en målargesäll som gick och gjorde av med sig. Tidningen refererade som vanligt händelsen ganska ingående så det gick inte att hålla hemligt. Man beslöt sig för att vänta, men man väntade med välgrundad oro för självmord var efter Amerikaresa en vanlig utväg. Och man hade otur även nästa gång då en halvvuxen yngling som kallades Döve Lund omkom i en brand. Det påstods att han inte hade hört signalen från brandbefälet och det blev en tre veckor lång diskussion i tidningen om det överhuvudtaget hade givits någon signal och om brandcorpset hade varit väl förberedd och gjort sitt yttersta. Brandchefen anförde att han hade åtnjutit förtroende ända tills ett par personer inflyttat i samhället och börjat utså smädesgift och tvedräktsfrö, förhånande allt bestående och syftande till dess nedrivande utan att själva vara i stånd att sätta någonting bättre i dess ställe. Men hans huvudfiende som var strålförare i corpset fick sista ordet eftersom han var redaktör för tidningen och två gånger i veckan personligen åkte med sina manuskript till Eskilstuna för att få dem uppsatta och tryckta.

Hursomhelst blev det för mycket diskussion kring detta dödsfall. Det blev i stället Hjalmar Eriksson som de sista tio åren av sitt liv hade malt sot på Wärnströms Verkstäder för 30 öre i timman som fick inviga vagnen. Visserligen var han dels något för lätt, dels något för ung (han vägde 41 kilo och var 35 år gammal), men man kan inte hålla på och väga lik och deras värdighet så det fick bli han.

Nu vaggade hans lätta kropp iväg innesluten i svart bårkläde med silverfransar. Man hade börjat färden på Norra Sidan vid ett hus bakom apoteket där han bott med sin gamla mamma. När man for förbi Alexander Lindhs Försäljnings Aktiebolag stod grosshandlaren själv och hela kontorspersonalen på trottoaren utanför huset och Lindh höll sin svarta cylinderhatt i handen. Även på järnvägshotellet och vid posthuset hyllade man processionen genom att personalen gick ut och ställde sig på gatan. Vid järnvägsövergången satt småpojkar på bommarna och nedanför backen skällde mamsell Winlöfs lilla hynda hysteriskt när det stora ekipaget gungade förbi.

Man korsade Adolfs- och Carolinegatorna och därmed de sista gator som var döpta efter grosshandlarens familj och for över områden på Södra Sidan som Wärnström hade satt namn på och förbi hans tegelvilla på höjden. Där syntes Wärnströms äldste son hålla in sin ridhäst på gräsmattan bland tujabuskarna och sitta i stram givakt medan tåget passerade.

Den sista delen av färden gick på den knaggliga och spåriga Vanstorpsvägen och sen var man framme vid begravningsplatsen där Store Johns efterträdare steg in först med det laxfärgade standaret som stod bukigt som ett råsegel i vinden.

Så var sotmalare Eriksson framme vid sin bestämmelse där hans lätta torra kropp som invigt vagnen aldrig skulle bilda jordmån för sällsamma svampar.

Det var en söndagseftermiddag i juni 1903 och det var Toras bröllopsdag. Hon stod i köket och pressade sin svarta klänning och hon hade önskat att Fredrik inte hela tiden krupit omkring på golvet och snott till mattorna för henne när hon gick fram och tillbaka och bytte ut det svalnande järnet mot det heta som stod på spisen. Det luktade svett ylle och fuktiga presstrasor.

Sist hon använde klänningen var strax efter Fredriks födelse för ett år sen då hennes gamle morfar dött. Det första Tora varit med om sen hon ätit Sara Sabinas opphjälparvälling och stigit ur sängen var hans begravning. Det tyckte hon inte om.

Hon hade inte behövt skaffa något att ha på sig för hon hade fortfarande kvar den svarta serveringsklänning som hon använt på mamsell Winlöfs tid. Den gången hade hon inte haft tid att ändra den men nu hade hon köpt en bit svart duchessesiden hos Elfvenbergs Manufaktur & Trikå och sytt nya och ganska stora puffärmar av sidenet som hon sen förlängt med nederdelen av den gamla ärmarna av ylle. Hon hade också gjort två infällningar av svart siden i livet och släppt ut det i sidsömmarna.

Under många månader efter Fredriks födelse hade hon inte brytt sig om att föra något giftermål på tal för allting hade, precis som hon räknat med, blivit bättre sen han var född. Otter gav sig inte av. Ett tag hade hon varit mycket rädd för hon visste att de skvallrade i kvarteret om hennes första barn och hon trodde att det skulle nå hans öron.

Hon visste också att en del av lättnaden berodde på att hon inte längre fällde några tårar varken av hat eller av självömkan och att hon lät folk prata. Hon hade kommit på att stolthet var en klenod som kunde putsas opp på många olika sätt och ofta tänkte hon på Sara Sabinas ord om att det var bättre att ingen oxe ha. Men i april hade hon börjat förstå att hon var med barn igen.

Hon hade ammat länge och därför trott sig absolut säker. När hon till slut var tvungen att tala om för FA hur det stod till blev hon så rädd att hon först funderade i timmar på hur hon skulle säga det och sen bara tvärt och korthugget fick det ur sig medan de satt och åt. Han gjorde som hon instinktivt väntat, släppte skeden i tallriken och gick sen in och la sig med ryggen vänd åt köksdörren.

Tora gick därute och diskade och plockade undan fylld av hat. Det räckte bara tills hon kom in i rummet och gick runt sängen så att hon fick se hans ansikte. Han måste ha gråtit.

— Jag vet inte vad jag ska göra, sa han.

Nästan hela våren hade han varit sjukledig. Hon trodde att han betalade hyran med handlån och hoppades att det inte var växlar som hon hade skräck för. Själv hade hon tagit inackorderingar i maten fast det hade betytt stora olägenheter för FA som nu var så mycket hemma.

Det bodde fyra gjutare i ett rum hos Lundholm. De brukade ha mat i blecklådor som de hämtade från en snickaränka i grannhuset som inte hade plats att ha dem i köket. Tora visste att hon var lortaktig och hon tyckte också det var ynkligt att se gjutarna som all var goda vänner till Valentin sitta och röra i blecklådorna som de värmde i kakelugnen. Men de var besatta av tanken att spara för de skulle alla fyra skaffa sig Amerikabiljett och åka tillsammans.

När de började äta hos Tora vägrade FA att sitta till bords samtidigt. Hon serverade honom i rummet men påpekade att gjutarna betalade hans mat. Hon hade blivit vass och hon fick ofta ångra sig när hon sagt någonting i hastigt mod. Egentligen tyckte hon efteråt att hon förstod honom för gjutarna hade förfärliga bordsvanor. De använde sina fällknivar och rörde sällan besticken som hon lagt fram. De brukade sitta kvar efter maten och tända sina pipor och i början gjorde det henne nervös. Men hon tyckte om att prata med dem och när de gått vädrade hon efter dem och ställde i ordning stolar och tog bort skynket hon lagt ut på kökssoffans överdrag med en känsla av saknad, för kvällarna var långa och tysta den vintern.

I slutet av april var FA lite bättre och hon fick honom med

ut på en promenad åt Norra Sidan. De mötte stationsskrivare Finck och FA måste stanna för Finck ville höra hur det var med hans hälsa. Då presenterade han Tora som sin fästmö. Hon hade inte sagt mer än god dag åt Finck och nu blev hon totalt stum och stod och såg ner i marken och kände hur kinderna brände så att de måste vara mörkröda. Hon var arg på sig själv för detta men kunde inte någonstans inom sig hitta den stolthet hon levt på hela vintern.

Finck frågade efter FA:s mor och efter några släktingar som hon inte hade hört talas om. Först efteråt tänkte hon på att Fredrik hade ingen nämnt, men det var helt naturligt. För vad skulle han ha sagt? Hur står det till med din fästmös barn, min bäste Otter?

Han bad att få bjuda dem på en förfriskning i Wintherträdgården och de steg in tillsammans men ingen av dem var vid gott mod även om Finck pratade hela tiden. De väckte en del uppmärksamhet och pratet gick efteråt långa och krokiga omvägar tills det kom tillbaka till Tora via målarmästar Lundholms fru som hette Emma. Hon ville först ingenting avslöja utan skulle trugas. När Tora inte gjorde det bekände hon ändå som om hon varit under hård press att Finck hade sagt att det var en mycket enkel flicka som Otter hade förlovat sig med för hon kunde inte ens dricka ett glas vin.

— Dricka ett glas vin? sa Tora dumt.

— Ja, på det rätta sättet förstår hon väl.

Tora kunde inte erinra sig mer än ett sätt att dricka ett glas vin. Hon trodde inte målarmästarens fru mer än jämnt. Finck var en mycket vänlig människa. Men de hade säkert haft andra ögon på sig.

De hade tagit ut lysning. FA hade kanske känt sig tvingad, det visste hon inte och ville inte veta. Han hade talat om det i lätt ton. Det lät som någonting tillfälligt, som om han var övertygad om att de tillsammans skulle komma på en bättre lösning innan de tre veckorna gått till ända. Han var nästan lite tröstande mot henne när de gick hem från pastorsexpeditionen och sen nämnde de inte saken.

Nu var det söndagseftermiddag och hon undrade om han glömt

bort att de skulle vara på expeditionen klockan fem. Det trodde hon egentligen inte. Men han kanske inte tänkte låtsas om det förrän hon påminde. Hon beslöt sig för att inte säga någonting. När hon hade pressat klänningen satte hon sig i kökssoffan och monterade en liten vit spetskrage i halslinningen. I en ask i andra byrålådan hade hon en bit tyll som hon ännu inte kunde bestämma sig för om hon skulle ta fram. Hon hade också köpt ett ganska långt vitt sidenband.

Fredrik lekte med tomma trådrullar på golvet. Han var inte lik gossen på fotografiet. När han tittade på en såg det ut som om han höll ögonen öppna utan att blinka. Men det var en synvilla visste Tora. Hon brukade gå fram och se sig i rakspegeln på byrån och då mötte hon samma oförfärat uppspärrade blick. Hennes egna ögon hade blivit blackare i färgen, nästan grå under den här tredje graviditeten. Hon kom att tänka på gamla hyndor som valpat ofta och deras ljusgula ögon och hon blev förfärad.

Hon skulle ge pojken mat och sen skulle hon lämnat ner honom till Emma Lundholm.

— Vill du ha lite välling när Fredrik äter? frågade hon inåt rummet.

Han tackade ja, men sa ingenting om att middagsmålet sköts opp. Hon fylldes av en grumlig förbittring. Men en sak kunde hon lita på. Det var hans punktlighet och hans omsorg om sin klädsel. Förr eller senare skulle han fråga henne om hon borstat hans frack och om stärksakerna var i ordning. Hon kunde vänta.

När hon diskat vällingtallrikarna lämnade hon ner Fredrik till Emma Lundholm fast det var gott och väl tre timmar kvar. Hon satte sig i kökssoffan och började omsorgsfullt kasta sömmarna på den svarta klänningen för att få tiden att gå. Hon hade lite mat i ordning i skafferiet. Det var en kalvsylta och små pannbiffar på ett fat. Hon hade lagt in sill på lördagskvällen. Hos Levanders hade hon köpt en hela sherry av ett märke som de sagt var ganska fint. Om inte annat måste han ha sett flaskan för den stod på byrån bredvid rakspegeln tillsammans med en hårt bunden bukett tusensköna.

Hon tyckte att de vaktade på varandra som katt och råtta på varsin sida om väggen. Det vämjdes hon åt men kunde inte förmå sig att säga någonting. Han prasslade med sina tidskrifter därinne och ibland hörde hon honom stöta ut luft genom näsan som om han hade skrattat för sig själv. Han läste Lokomotivmanna- och Maskinisttidningen som han hade lånat hem hela årgångar av sist han låg sjuk.

— Tora! ropade han. Rösten var glad och ljus och det högg i henne att han lät så obekymrad. Vad gör du därute?

— Jag syr.

— Kan du inte komma in hit?

Hon tvekade men tog med sig klänningen in i rummet och satte sig på sängen. Trådrulle, sax och fingerborg radade hon opp på nattygsbordets skiva och hon aktade sig för att titta opp. Sen trädde hon på en ny tråd och höll nålsögat mot hans örngott för att se bättre. De använde inte överkast. Han behövde ofta lägga sig mitt på dan och det hade blivit hopvikt och lagt i nedersta byrålådan.

— Nu ska du få höra, sa han och hon förstod att han tänkte läsa högt för henne igen.

— Hur gammal lokomotivman man än må vara, hur noga man än satt sig in i såväl det praktiska som det teoretiska av sin vetenskap —

Han satt i gungstolen vid fönstret och lät medarna vagga kort och häftigt varje gång han tittade opp från tidningen för att se om hon följde med.

— är det dock inte möjligt att se ett blixttåg utan en känsla av fruktan och vördnad, då man på ett enda ögonblick från en mörk tyst punkt i fjärran ser fenomenet med en cyklons hastighet och som ett tjutande vidunder, som får jorden att darra under ens fötter och träden utmed järnvägslinjen att böja sig som för en plötslig storm —

Tora nickade att hon fortfarande hörde på.

— varpå det efter ett ögonblick av idel oväsen och larm, inom ett fåtal sekunder återigen är intet annat än en mörk punkt i fjärran!

Han slog ihop tidningen och klappade på den i knät.

— Tora!

— Ja.

— Hur länge dröjer det innan Fredrik är stor nog att begripa detta?

— Aldrig, sa Tora.

— Va?

— Han kommer aldrig att begripa det där.

Som vanligt trodde han först att hon var allvarlig eftersom hennes ansikte var det. Sen brast han i skratt.

— Begrep gossens mamma vad jag läste då?

— Jo någorlunda, sa hon och blev varm inombords och ångrade sin förbittring och förmiddans trista vaktande på honom.

— Jag har borsta och vädra fracken åt dig, sa hon.

— Då ska jag titta över skjorta och krage.

Han reste sig och gick över golvet med steg som tycktes lätta och sviktande av den munterhet han ännu härbärgerade inombords. När han var sjuk var Tora alltid torrögd och praktisk. Men det blev svårare och svårare för henne att se honom så livaktig och snabb som han var dessemellan. Han rörde sig som om ingen sjukdom fanns.

Hon la fram hans frack på sängen och han plockade själv opp den styva skjortan och en lös krage ur lådan. Han hörde inte till dem som letade efter krag- och manschettknappar i sista minuten. Allt som hörde till fanns i en liten skål av pressat glas på byrån. Hon tänkte fråga honom om han tyckte hon skulle försöka arrangera tyllbiten som en liten slöja eller om hon skulle låta bli. Så blev hon generad och vågade inte.

— Mina skor, sa han.

Hon trodde att hon tänkt på allting in i minsta detalj men inte förrän nu mindes hon att hon lånat ut dem åt Valentin. De stod visst i ett paket i farstuskrubben. Hela vårvintern kom tillbaka till henne. Hennes förtvivlan när FA hade lagt sig sjuk. Hon hade känt sig fientlig, först mot honom och sen mot sin egen kropp som gav henne signaler. Hon fick inte vara med barn igen. Men hon var det. Samtidigt blev hon mer och mer övertygad om att han aldrig mer skulle stiga opp.

Valentin hade kommit och hälsat på. Hans mor var död. Det skulle inte komma många på Banvalls-Britas begravning sa han bittert och själv kunde han inte gå dit för han hade inte skor som dög att sätta på sig. Det trodde hon inte var så farligt men han sträckte benen ifrån sig och visade fötterna. Hon hade måst hålla med honom.

Då lånade hon honom FA:s svarta finskor. De var otänkbart att han någonsin skulle komma ut på kvartettsång igen. Ingen av dem saknade skorna fast det hade dröjt över en månad tills Valentin lämnade tillbaka dem. FA visste inte om att de var borta.

— Jag ska borsta dom åt dig, sa Tora och gick ut i farstuskrubben. Valentin hade lindat in dem i två tidningar och slagit om ett sockertoppssnöre. När hon fått opp pappret trodde hon först att han försökt lura henne. Men det var ju inte precis likt Valentin. Skorna var alldeles förstörda. Han måtte ha använt dem varenda dag under en månads tid. Hans långa hälar och kylknölar hade spänt ut dem, de hade fått underliga former. Inte ens om hon putsade dem skulle de bli bra. De var fläckiga och skavda. Han hade skämt dem.

Han gifter sig inte i dom här skorna, tänkte hon och fick kvävningskänslor i den trånga skrubben för hon hade stängt dörren om sig när hon fick opp paketet.

Det gör han inte. Han är för noga.

Hon tänkte på Valentin, harmynt och välvillig, slarvig och ovetande. Men det tjänade ingenting till.

— Det är en fläck på fracken, sa han när hon kom in. Kan du ta bort den?

— Det såg jag inte.

Han visade henne ärmen. När hon skrapade med pekfingernageln blev det vitt.

— Punsch, sa hon.

Hon tog bort den med varmt vatten.

— Vill du ha rakvatten så finns det nu.

Så tittade hon på väckarklockan som stod på hyllan ovanför spisen. Hon var lite över tre. Hastigt tog hon av sig i underkjolen och kröp i den svarta klänningen. Hon hade tänkt värma en kittel med vatten och tvätta sig noga först, men nu fick det vara. Hon hade brått.

— Jag går ett ärende, sa hon inåt rummet och gick med den grå sjalen över armen. Hon stängde köksdörren innan hon hörde honom svara.

Det var naturligt för henne att gå över spåren till Norra Sidan om hon behövde hjälp. Hon gick till Levanders och knackade på och frågade om Valfrid var inne. Han var fortfarande ungkarl och han hade två rum på övervåningen i villan. Levanders piga sa att han var utgången och hon blev torr i mun.

— Det gör inget, sa hon. Jag skulle bara hämta ett par skor.

Han skulle förstå. Det spelade ingen roll om hon krånglade till det nu, det var bråttom.

— Vadå för skor? sa pigan.

— Jag kan visa, sa Tora och så gick hon med opp. Hon hade varit där förr och visste att han hade nyckeln under mattstumpen framför dörren. Men det ville hon inte visa pigan att hon visste för då kunde det bli elakt prat. Därför stod de och mätte varandra med ögonen.

— Ja, det är ju låst förstås.

— Han kanske har nyckeln oppe i dörrfodret, sa Tora. Men flickan visste var den var, det syntes på hennes ögon.

— Under mattan då, sa Tora och fick henne i alla fall att böja sig ner och lyfta opp mattstumpen. Tora låste själv opp. Den andra korsade armarna och stod och tittade på henne medan hon rev i Valfrids garderob. När hon fick fram skorna såg hon genast att de var omöjliga. Hur kunde Valfrid ha så löjligt stora fötter? Att hon aldrig hade tänkt på det! Men han var lång, det kanske villade bort intrycket.

— Det är inte rätt skor, sa hon otydligt.

— Han har väl inga andra än dom här och så dom han har på sig, sa flickan.

Tora halvsprang därifrån och försökte tänka ut någon mer som hade ett par svarta finskor. FA:s egna vänner, kvartettsångarna? Men det var åtminstone omöjligt för henne. Halvvägs över spåren vände hon igen och började springa tillbaka mot Lindhska huset och ölkällarbacken. Det bodde en skomakare däroppe som hon brukade gå till.

Hon blev insläppt i köket där de satt och åt. Hon undrade varför de åt så tidigt och om hustrun var sjuk eftersom hon satt kvar och lät honom hämta mat i spisen åt sig. Det luktade surt.

I verkstan ville han inte släppa in henne. Det var hustrun som gjort honom misstänksam.

— Vad ska ho med skor te?

— Ho vill låna ett par för di ska gifta sig säger ho.

Hon var tvungen att berätta om Valentin. Men de tittade lika misstänksamt på henne och blinkade tätt.

— Si det kan jag inte göra, sa skomakaren. Det är ju inte mina skor. Det kan jag inte ta på mitt ansvar.

— Han behöver ju inte gå med dom ens, sa Tora. Bara ha dom den stunden! Men då teg de båda. De hade bestämt sig.

När hon sprang vidare tänkte hon att de skulle prata om det här. Det skulle bli en historia. När Tora Lans skulle gifta sig och sprang och försökte låna skor åt brudgummen, det har ni väl hört? Men hon brydde sig inte om det, åtminstone inte just nu när hon halvsprang längs gatstumparna i samhället och letade efter någon att knacka på hos. Det var en varm söndagseftermiddag. Det luktade sopor och syrener på gårdarna. En och annan hade tagit ut en köksstol och satt på bron och tittade. Tora blev svettig i sin svarta klänning. Hon hade frågat på ett par ställen till om de hade ett par snygga svarta mansskor att låna henne. Men det var inte så lätt. De var så stora. FA hade ju så små och vackra fötter. Det var nästan svårt att förklara för en välvillig människa som kom med ett par finkängor inlindade i omslagspapper. Och var de inte för stora så var de slitna och nergångna eller snedtrampade med stora hål under sulan som ofelbart skulle komma att synas när han låg på knä i vigselrummet. Det var ännu svårare att förklara hur noga han var.

Tiden rann undan, det förstod hon men hon vågade inte ta reda på vad klockan var. Hon tänkte med hat på skomakaren och trodde att han var religiös. Och tiden, tiden. Hon måste snart vara hemma med skorna om de överhuvudtaget skulle hinna.

Det var så elakt att det inte var verkligt. Hon var dömd att springa gata opp och gata ner i det söndagstysta samhället och leta efter skor som var fina nog åt honom. Hon kom att tänka på auktionisten och sprang dit. Han förstod inte vad hon ville men han släppte in henne i sitt magasin.

— Skor, sa hon. Åt en karl. Svarta finskor.

Han hade högvis. Hon rev bland döda mäns tillhörigheter, men nu hade det blivit alldeles omöjligt fast hon hade drivor av skor att välja mellan. Omöjliga skor, otänkbara skor med tåpartier långa som snablar, breda hopplösa skor.

— Det går inte, sa hon.

Han bara stirrade på henne och stod kvar i magasinsdörren när hon gick ifrån honom. När hon skulle över spåren fick hon vänta för ett tåg kom in från stockholmshållet. Om det är 4,58 så är det för sent redan, tänkte hon men vände sig inte om och tittade på stationsklockan. Hon hade gett opp och gick lugnare över torget tillbaka. Han hade nog inte hittat skorna själv för hon hade stoppat ner dem i vedlåren. Men hon skulle visa honom dem. Det var lika bra att få det undan.

Han skulle antagligen bli ursinnig och han skulle säga något. Hon visste vad han skulle säga, det låg åtminstone nära till hands.

— Har du haft dom själv?

Men hur ond han än blev och vad han än hittade på för att såra och förödmjuka henne skulle det inte i längden kunna hålla sanningen dold för hoom. Och den var för grym. Hon hade inte trott att han skulle komma på benen mer när hon lånade ut hans skor.

Hon gick långsamt oppför trappan och hörde genom de tunna väggarna hur Fredrik gurglade av skratt inne hos Lundholms. Hon skulle hämta tillbaka honom men ville först ha det undanstökat med FA. Han satt väl med sina tidskrifter och väntade, fullt påklädd i frack och stärksaker men i svarta bara strumpfötter.

Klockan tickade högt och hårt på hyllan när hon steg in. Hon tvang sig att inte se på den. Det var eftermiddagssol inne i rummet. Den föll i ett brett stråk över sängen och brukade plåga honom när han låg sjuk så att hon fick dra ner rullgardinen. Den bländande solgatan över bädden gjorde först att hon inte upptäckte honom.

Han låg på sida och skjortbröstet hade bucklat ihop sig. Hon såg inga spår av kräkningar men hans ansikte var grått och fuktigt.

— Vad är det? sa hon. Är du sjuker?

Han nickade med slutna ögon. Hon gick och drog ner rullgardinen så att det blev en blå dager i rummet. Om hon var rädd eller kände ursinne visste hon inte längre.

— Vi kan inte gå, mumlade han och letade efter hennes hand. Men hon ville inte att han skulle ta i henne just nu.

— Har du kräkts?

— Nej.

— Gör det ont?

— Ja mycket. Jag är så matt.

Hon började försiktigt ta av honom fracken och stödde honom med ena armen.

— Vi kanske inte kommer iväg, mumlade han.

— Det hade vi inte gjort ändå.

När hon fått honom i säng gick hon ner till Lundholms och bad att deras äldste pojke skulle hämta doktor Hubendick. Hon hade varit beredd på att han skulle vara på sjukbesök och låta vänta på sig för allt tycktes obönhörligt gå fel denna dag. Men han var där redan efter en kvart och han undersökte FA och tog försiktigt på hans tunna kropp. Tora vek ihop kläderna och hängde in fracken. Doktorn blängde på henne. Men det kunde inte hjälpas, hon måste ha något att lägga händerna på.

— Är det allvarligt?

— Det har varit allvarligt hela tiden. Han har förmodlingen fått en ny blödning. Spara hans uppkastningar.

Hon nickade.

— Spara avföringen också.

Tora höll på att hyssja men han hade stängt dörren noga innan han började prata med henne.

— Hur allvarligt är det? sa Tora. Han svarade inte.

— Vi skulle ha gift oss.

— Ja ja, sa han.

— Vi skulle ha gift oss idag.

— Han kan ju inte stiga opp nu, det förstår ni väl, mumlade doktor Hubendick och han såg ut att vara mycket illa berörd. Det förvånade henne. Hon kände sig alldeles kall och klar för första gången på flera timmar. Vad hade hon spillt bort tiden med? Leta efter skor. Hitta på nya hinder. Hon undrade om den FA hon hade målat ut för sig verkligen fanns. Skulle han ha satt sig barfota med tidningen framför ansiktet och vägrat befatta sig med de förstörda skorna? Kanske. Men hon hade inte prövat, inte vågat pröva.

Nu hade hon inte tid med sånt längre. Nu måste hon besluta sig och vara klar i huvudet.

— Jag ska hämta prästen, sa hon. Hon brydde sig inte om att doktorn stirrade efter henne när hon gick in i rummet. Försiktigt satte hon sig på sängkanten och tog FA:s hand.

— Nu går jag efter prästen, sa hon lågt. Vi får gör'at härhemma.

Hans ögon var slutna, ögonlocken skimrade som om det blå i ögonen lyst igenom. När han tittade opp såg han mörk och allvarlig ut, men inte häpen och illa berörd som doktorn.

— Det förstår du väl? viskade hon. Inte för min skull, men för Fredriks. Och för det andra barnets skull.

— Ja, sa han. Det förstår jag.

Men du vill inte? hade hon på tungan att säga men tog sig samman för hon hade inte råd med sånt nu. Hon la tillbaka hans hand och stoppade täcket över den.

— Jag går och hämtar honom, sa hon åt Hubendick. Gå inte ifrån Otter.

Hon tänkte att det var första och säkert enda gången i sitt liv som hon kommenderade en doktor och så tog hon sjalen om sig och gick. Klockan var halv sex när hon gick över spårområdet igen.

Kyrkoherden satt och förde böcker och var ursinnig över förseningen. Han lugnade sig lite när hon berättade att Otter blivit svårt sjuk. Vittnena satt och väntade under tystnad. Det var Kasparsson och en biljettör som hette Engquist. Hon sa till dem att de kunde gå hem. De tittade på henne utan att kunna få fram ett ord till beklagande. Hon fick för sig att de var skrämda men satte det inte i samband med sin egen röst och sina häftiga kantiga rörelser.

Gamle Hörlin var en elak präst, det visste hon. Han hade visat henne sitt förakt redan när de tog ut lysning. Han hade frågat om FA var far till Fredrik.

— Javisst!

— Till båda barnen?

Men då hade Tora svarat mycket snabbt:

— Det står i kyrkboken, det är bara att titta.

FA förstod inte.

— Hur kunde han se att du ska ha barn igen? hade han frågat.

Nu vill Hörlin skjuta opp vigseln.

— Nej, sa Tora. Hon såg honom rakt i ögonen. Det susade för hennes öron, blodet gick från ansiktet. Jag måtte väl inte svimma, tänkte hon.

— Det är hans sista önskan, sa hon.

— Jag ska gå med, sa Hörlin då. Jag ska fråga honom själv.

— Gör det.

Hon gick tre steg bakom honom på vägen tillbaka. Jag gör det jag inte vill göra, tänkte hon. För att jag är tvungen. Det mesta en gör sker på det sättet. En har inget val.

Det är som att springa i häxringar tänkte hon och hatade prästen framför sig. Hon hatade honom för att hon bett honom komma, för att hon ljugit för honom och för att hon halvsprang över torget så att hon kom i jämnbredd med honom och kunde skynda på hans steg.

Hon bad Emma Lundholm komma opp och vara vittne. Doktor Hubendick stannade kvar. Han var förvirrad och illa berörd, men fogade sig brummande och han höll hela tiden ögonen på den sjuke. FA var matt och Tora undrade om han skulle klara av det. Han verkade likgiltig.

— Är detta er önskan? frågade Hörlin.

FA nickade. Han såg nästan otålig ut. Det tog inte många minuter att viga dem.

Han mindes att det hade varit kväll och att ljuset blev grått och flackt inne i rummet. Hon hade inte ens tänt en lampa. Hon hade mycket bråttom, tänkte han. Men hon kunde ha tänt ett ljus. Det skulle ha blivit lite vackrare då.

Morgontimmarna mindes han ingenting av. Han låg plötsligt och såg på tusenskönorna och den svartblanka sherrybuteljen på byrån. Tora var svartklädd fortfarande och kärrorna hade börjat skramla på gatan. Hon blir änka med ett barn som nyss lärt sig gå, tänkte han, och ett på väg. Hon hade bråttom men det kommer man att förstå.

På måndagsförmiddagen var det mycket lättare att andas. Doktor Hubendick var där igen och han hade en annan röst. Tora var likblek nu. Han hade aldrig sett henne sådan.

— Ta av dig den där klänningen, bad han. Sätt på dig nånting ljust.

Han sov mycket. Fredrik måste vara någon annanstans för det var alldeles tyst i köket. Hon sa att det var tisdag och att han var mycket bättre. Långsamt blev försommaren kall och regnig utanför. Han önskade att han hade haft något annat att titta på än det regnstrimmiga fönstret.

Jag kommer inte att dö, tänkte han och kände mest häpnad. Inte den här gången. Det var som om han suttit bredvid sin egen säng och tittat.

Det tog dagar innan han flyttade in i sig själv igen. Han började känna sin gamla irritation. Tora sa inte mycket. Han tog hennes hand och försökte lägga den på sin mage. Lätt och försiktigt skulle den vila på nattskjortans tunna tyg, men hon blev förskräckt och så blev handen klumpig.

— Var inte rädd, sa han. Det finns ingenting otäckt därinne.

Jag trodde det. Men det är bara ett sår.

Hon drog undan sin stela tunga hand som om hon varit mycket rädd.

— Det sitter inte utanpå! Och längst in, Tora finns det en friskhet — härinne. Jag har den bara så djupt inne i mig. Ändå kan jag känna liksmaken i mun. Är det inte underligt?

Han låg stilla och glömde bort henne, kände sig nästan tankspridd.

— Du borde inte prata så där, fick hon fram.

Han hade glömt att han inte kunde prata om sådant förr, fullständigt glömt.

Tora var annorlunda än förut. Munnen var ett streck när hon sysslade med sitt, ögonen stirrade utan att se. Han trodde att man skulle kunna vifta med en hand framför dem utan att hon såg. Det dröjde innan han förstod att hon skämdes.

Det var förvirrande och ställde allting på huvudet för honom. Tora kände han ju, med alla hennes brister och med hennes sveklösa ögon och — som han hade trott — absoluta brist på stolthet. Han hade ofta varit bitter när han tänkt på henne och funnit henne jordbunden och materialistisk. Ja, torftig! Det var något djupt oandligt över Tora och hennes sätt att se på livet. Han trodde inte att det i grunden gick att ändra på. Hon var inte bara obildad. Det måste vara något som fattas hade han ofta tänkt.

Nu fick han vänja sig vid en Tora som han inte känt. Hon skämdes för den där söndagseftermiddan, för att hon hade haft brått att gifta sig. Men alla skulle förstå henne! Han förstod henne ju.

Han trodde inte att det skulle tjäna någonting till att prata med henne. Det var inte ens säkert att han skulle ha vågat. Tora skämdes inför sig själv och det var besynnerligt att tänka sig att hon verkligen var sådan. Det hade varit bättre om jag hade dött, tänkte han. Hon skulle ha haft lättare att förlåta sig själv då. Han mindes de långa svåra nattimmarna och Tora i sin svarta klänning med de klumpigt sydda blanka ärmarna. Han började känna sin gamla otålighet, den pirrade i honom.

— Gråt inte över mig!

Hon tog fatt i vedkorgen och började plocka opp stickor.

— Vad säger du för nånting? mumlade hon med bortvänt huvud.

— Jag säger: gråt inte över mig.

Nu bar hon ut Fredrik i köket, stängde dörren och rättade till mattorna. Hennes mun var smal av motvilja.

— Men jag menar det inte, sa han. Kan du överhuvudtaget gråta, Tora?

Det svarade hon inte på, men hon tittade i alla fall opp på honom och blicken var inte längre oseende och stirrig.

— En sak ska jag säga dig, sa hon lågt. Du får en gång för alla låta bli att prata sånt där när Fredrik hör på!

— Gossen är för liten att förstå. Men inga hårda ord nu, Tora. Det är snart slut med mig.

Hon föll på knä på den hårda plåten framför kakelugnen och började sopa ihop boss som ramlat ur vedkorgen och föra ihop det till en liten hög som hon meningslöst förde fram och tillbaka. Han höll ögonen på henne.

— Sluta prata så där, mumlade hon.

— Men jag ljuger i alla fall inte för mig själv!

— Jo, sa hon och reste sig och snubblade iväg mot köksdörren. På nåt vis gör du det i alla fall.

Så snart hon stängt dörren låg han och glömde bort alltsammans. Han kände sig tankspridd och lite trött.

Solen var utan slöja. Man såg havet som genom klart glas för kylan gjorde luften förnimbar som något mer än tomhet. Långt ute hade vattnet en annan och mörkare färg och det hördes ett tungt sorl därutifrån. Men vid stranden hörde man mest rösterna och skratten, de oroliga måsarna, klackarnas klapper på trätrapporna och klirret från stora kaffekorgar. En liten båt rundade udden. De flesta trodde att den skulle gå förbi och några vinkade upprymt som man gör åt människor man aldrig ska se mera. Det var en liten vit båt med överbyggt däck och solen glittrade i alla glasrutorna. Maskinen dunkade och det stod en doft av biffstek omkring den, inte i verkligheten men i minnet, och alla log. Den hette Hebe II och nu såg de att den gick in mot bryggan och den gav kraftig signal. De flesta blev förvånade och trodde att den skulle gå på grund eller köra opp på land och bli stående som en lutande veranda med solkatter i fönstren.

— Det är ingen fara, sa värden. Det är tre famnar invid bryggan.

Då förstod de att det var en överraskning och att det skulle bli båtutflykt. Hastigt samlade dirigenten ihop hela kören framför huset och drog sen omilt och muntert opp värden på verandan under vildvinet som redan skiftat färg denna första oktobervecka.

— Vår sångarhälsning tag! sjöng de. Vår sångarhälsning ta-ag! Hurra! Hurra! Hurra!

Tora stod vid sidan och höll FA under armen. Det var bland annat såna här infall hon hade varit rädd för när hon envisats att följa med. Men hon kände inte minsta dragning i armen. Han stod alldeles stilla och han var lika blek som någonsin. Han såg road och lite sträng ut. Hon kom att tänka på en äldre farbror och det gjorde henne illa att tänka så.

Hon hade följt med för att skydda honom mot hans egen iver

och begeistring, men han kände ingenting som kunde vara farligt för honom. Han gick sakta med lätt framåtlutad överkropp och trevade ibland lite som om han varit osäker på var han satte fötterna. Vännerna var förlägna, antagligen av förskräckelse när de såg hans bleka ansikte som alltför lätt blev svettfuktigt och händerna som hade magrat och inte var alldeles stilla när han höll i en kopp eller ett glas. Han drack bara silverté och vichyvatten och det gjorde dem också generade. De visste inte hur de skulle uppföra sig och vad de skulle erbjuda honom. Deras unga släta ansikten blev som ledsna hundars tyckte Tora. Det var alltför avslöjande. Hon var glad att hon var med.

Hon undrade lite om han skämdes för henne för hon var i väldig grocess nu. Det kunde inte vara mer än ett par veckor kvar. Ingen kappa gick igen om henne och magen liknade en tunna. Hon blev bistert full i skratt när hon tänkte på hur de måste se ut, hon och FA. De gick sist av alla ner mot båten. Han satte försiktigt fötterna framför varandra som en gammal man. Hon vaggade som en anka.

— Ja, nu fick du se havet i alla fall, viskade hon och kramade hans hand. Han log som om han också varit generad.

De hade åkt tåg till Flen, bytt till TGOJ:s bana och kommit till Oxelösund sent på förmiddan. Så långa sångarutflykter brukade man göra bara mitt i sommaren annars, men brittsommarvädret hade lockat styrelsen i Juno att i hast ordna en resa till havsbandet. Fruar och fästmör hade tagit fram sina sommarhattar igen. Tora hade svart lackerad stråhatt med röd sammetsblomma fram. Hon visste att blomman slokade av ålder, men det gjorde varken till eller ifrån när hon måste ha sjal om sig istället för kappa och när hon hade fått en präktig brun käringgrimma.

— Jag sir ut som fasen, hade hon sagt till sin spegelbild på morgonen. Men det stundar väl andra tider! Nu far vi till Oxelösund i alla fall. Måtte jag kunna hålla mig tess vi kommer hem.

Man kunde bara lägga till vid den lilla bryggan i mycket gott väder. Även nu låg dyningen på och hävde sakta båten i sidled. Skepparen var orolig för hävningen och för den branta bergssidan där bryggan slutade. Han skyndade på dem och ville komma iväg. Kasparsson och ett par andra vinkade ivrigt akterifrån. De hade en stol åt FA. De kunde gott vara lite mindre tjänstvilliga och ivriga tänkte Tora. FA var riktigt blek igen när han satte sig.

— Hur är det? frågade hon lågt.

Han skakade på huvudet.

— Inte bra?

— Nej.

Han satt lite framåtlutad ett tag och hon såg att de andra växlade blickar omkring honom. Det började krypa i henne av rädsla och irritation. Då reste sig FA plötsligt med handen på hennes arm.

— Jag tror det får vara, Tora.

De började sakta gå förut mot landgången. Kasparsson frågade oroligt hur det stod till med honom.

— Det är säkert ingen fara, sa han. Men jag tror jag gör klokast i att vila en stund.

De fick nyckeln till huset av värden och FA lät Tora ta den. Han såg stelt framför sig som om ingenting angick honom. Hon hade inte sett den färgen i hans ansikte sen tidigt på sommaren.

Hon trodde att de skulle skynda sig så gott de kunde opp mot huset, men han stannade på bryggan och såg båten lägga ut. Nu var Kasparsson oppe och talade med skepparen, han gestikulerade mot stranden. Båten gick ut en bit, sen la den sig och höll opp mot dyningen med kraftigt dunkande maskin. Nu kom Kasparsson nerspringande och ställde sig bland andrabasarna för hela kören hade nu samlats på den sida som vette mot bryggan.

— Sätt maskinen igång, herr kapten! sjöng de. Sätt maskinen i gång!

Tora såg på FA. Han log, det var ett leende som kom hastigt som om det hade överraskat honom själv och han fick plötsligt lite bättre färg på kinderna.

— Sätt maskinen i gång!

— Herr kapten, brummade basarna.

Nu såg hon att hans ögon stod fulla av tårar och hon fick själv kramp i strupen.

— Hälsning vi sända från to- - -nernas värld, slingrade melodin lekfullt efter det första barska anslaget. Vänner på stranden, som vifta med handen...

— Fina pojkar, mumlade FA och så vinkade både han och Tora. Hon tyckte nästan att det var riktigt bra att de varit tvungna att gå i land. Det var som det vore uppgjort att de skulle stå här. I det sista slutet gnolade han med själv för nu hade båten svängt ut och maskinen överröstade dem. Man kunde se Liljeström som var F.A. Otters efterträdare bland första tenorerna. Han arbetade våldsamt när han sjöng, hela hans kropp vibrerade. Tora kom att tänka på ett uppburrat fågelbröst, en bofink som hänfördes och gav ut allt vad han hade i vårens tid.

Troget som böljan kysser stranden
så vill jag älska
ja, jag vill älska tro- - - get,
så jag ju älska får!

— Men det var vådligt stiligt gjort! sa Tora och viftade med näsduken så länge hon kunde se Hebe II. Han nickade.

— Fina pojkar, sa han igen och de började gå inåt land. Tora trodde att han ville gå in i huset och lägga sig, men han tog av utåt klipporna.

Han hade ansiktet upplyftat nu och tycktes inte bry sig om att gå så försiktigt längre. Det låg en svag vind från havet över deras ansikten och Tora ville också gå. Men samtidigt var hon orolig.

— Vi ska väl inte gå så långt, varnade hon försiktigt. Hon försökte låta bli att läsa i hans ansikte, hon visste att han inte tyckte om det. Men det vore otäckt om de gick för långt ut och någonting skulle hända.

Karlarna som hade kört ut dem till sommarvillan var borta och hade tagit hästarna med sig. Bara flakvagnarna stod kvar med sin bänkar. De var lövade i rött och gult och under hela färden ut hade oktobers löv snöat efter dem. Nu när sällskapet hade gett sig av syntes det tydligt att sommarvillan egentligen hade blivit stängd och tillbommad för länge sen. Det låg en tung sten på brunnslocket. Trädgårdsmöblerna var bortburna, gångarna sopade men björklöven singlade ner och la sig på stenplattorna. Tora blev lite rädd när vindflöjeln vred sig och gnisslade.

— Hörs då, sa hon.

Det var åratal sen hon var så långt borta från folk och hon undrade vad hon skulle ta sig till om det hände någonting med FA. Det flög för henne att Kasparsson kunde ha tagit sig någonting bättre före än att ordna köruppvisning. Nu var de alldeles ensamma.

— Vi går väl in, sa hon

— Nej, nu går vi en promenad. När vi ändå är här och får se havet!

— Är du bättre då?

— Ja.

Hon var fortfarande tveksam och blev lite efter. Han vände sig om och drog henne opp på en klipphäll.

— Hur kunde det gå så fort över då? frågade hon.

— Jag var inte sjuk, sa han nästan muntert men hon tyckte det lät otäckt på något sätt.

— Kom så går vi, Tora!

Hällarna var släta och det var inte svårt att gå annat än där man skulle kliva över sprickorna som var emellan dem. Nu var det han som stödde henne och hon gick bredbent och försiktigt.

— Ta av dig skorna, sa han.

— Hörs! Du är tokig.

— Jo, det är alldeles varmt på klipporna. Du går bättre utan skor för då halkar du inte.

Han hade redan satt sig och snörde av sig sina egna. Han stoppade strumporna i fickan. Tora satt och såg på hans vackra fötter. De var vita nu och senorna och de blå ådrorna syntes tydligt. Över vristen var huden spänd och slät utan ett veck eller en rynka.

— Du blir väl inte kall, sa hon och böjde sig fram för att lägga händerna över dem, men magen tog emot och hon kom inte ner.

Han började snöra opp hennes kängor. Först ville hon dra sig undan för hon skämdes för sina egna missformade och fula fötter. Men han vet ju hur jag ser ut, tänkte hon och blev sittande. Det var varmt på hällen. Hon kände det redan genom strumporna. Nu vände han sig bort medan hon lyfte opp kjolen och underkjolen och drog ner strumpebandet. Så rullade hon ner strumporna tills de gick att dra av och stoppade dem i kängorna. Den släta klippan värmde som hud, men det var kallt i luften. Efter en liten stund reste han sig och hjälpte henne opp och de började sakta gå utefter stranden och undvek alla sprickor och alla håligheter där det hade samlats träbitar och trasiga flöten och fågellik.

Långt ute till havs hördes det dova sorlandet hela tiden och inifrån land kunde man lyssna sig till en vind som gick i trädkronorna. Men det var allt mycket avlägset. Vinden kylde mot huden men solen stod lika obeslöjad som förut. Hon undrade hur länge de skulle våga gå så här och måste ha gett honom en hastig sidoblick för han frågade:

— Är du trött? Vill du sitta?

Tora nickade och de satte sig på en häll igen. Hon kände barnet röra sig just som hon satte sig ner och hon smålog. Hon fick för sig att det vände sig helt och hållet som om det hade legat för länge på samma sida och blivit otåligt. Jag undrar om dom kan lyssna, tänkte hon. Det var ju bara en tunn vägg ut till yttervärlden, en hud. Det föreföll inte otroligt att barnet skulle höra sorlet från havet och vinden som rörde trädkronorna. Kanske hörde det deras röster som man hör saker om man är under vatten, dova klingande ljud långt borta.

Så här skulle vi ha suttit om han hade varit frisk, tänkte hon. Sen blev hon förvirrad. Han var fortfarande orolig för henne och la armen om hennes axlar.

— Du kanske vill gå tillbaka?

— Inte än, sa hon och låtsades inte om att hon tänkt fråga honom samma sak.

— Vet du varför jag inte ville följa med i båten? frågade han. Hon tyckte nästan han såg elak ut.

— Du blev ju sjuk.

— Nej.

Nu ville hon inte fråga, men det hjälpte inte.

— Jag är sjösjuk, sa han. Bara jag kom ombord kände jag den där sugningen. Till och med i den där lilla båten. I den allra svagaste dyning.

Hon nickade att hon förstått utan att se på honom. Men nu tycktes han drivas av en underlig lust att plåga sig själv och berättade för henne att han varit sjösjuk så länge han kunde minnas tillbaka. Han hade börjat som aspirant i flottan och försökt vänja sig. Han hade alltid drömt om sjön. Det var därför han slutade läroverket, han var orolig och längtade ut. Nog visste han att han hade svårt att tåla sjön, men han skulle kämpa och arbeta bort det! Han hade försökt ignorera kväljningarna och den förfärliga sugningen inombords som han fick fast det inte blåste. Men denna sjösjuka var ingenting att göra åt. Den riste honom och manglade hans kropp. Han hade velat ta livet av sig. Den försatte honom i svåra tillstånd av modlöshet och förändrade både hans inre och hans yttre. Han hade kämpat. Trodde hon honom inte?

— Jo. Jovisst!

Så måste han ge opp. Han ville bli lokomotivförare i stället. Navigationsexamen hade han. Han började på Lindholmens i Göteborg. Sex månader måste han arbeta i bänken som filare. Sen fattades bara sex månader som eldare för att han skulle komma in vid utbildningsskolan för lokförare.

Tora kunde inte föreställa sig detta.

— Skulle du ha gått som eldare?

— Ja.

De tystnade och satt och såg på klipporna och de slipade bitarna av grått trä som låg vid deras fötter. Havet bländade av sol. Det var svårt att se på det. Då skulle jag ha blivit lokförarfru, tänkte Tora. Men det verkade ofattbart. Hon såg på honom från sidan.

— Tror du inte att jag kämpade?

— Jo, sa Tora. Det tror jag nog.

— Men min sjukdom, ser du. Jag trodde jag var i helvetet. Men jag var bara i Hallsberg och satt och . . . o Tora, Tora!

Hon tog med händerna om hans huvud och makade sig närmare så att han kunde luta sig mot henne. Hon försökte stoppa ner hans huvud mellan brösten och den stora tunnlika magen som bara var i vägen och så slog hon armarna om hans rygg som blivit så vass och tunn och försökte hålla honom intill sig. Han grät inte. Hon tyckte att han kändes stel av rädsla och antagligen var han rädd. Men då vore det bättre om han kunde gråta åt eländet, tänkte hon. Spar dina tårar tess du bättre behöver dom, brukade mormodern säga förr i tiden. Men när kunde man bättre behöva dom? Efter en stund gjorde han sig stelt fri och satt bredvid henne med ansiktet till hälften bortvänt.

— Nu känner du väl bara förakt för mig, sa han och tittade ner på sina bara fötter.

— Nä!

Du som är den vackraste, tänkte hon förstummad. Men hur skulle hon kunna säga något sådant?

Du som är den vackraste i denna nedriga värld. I denna skamliga — ja! Du är ju världen. Det fina man knappt kan ta i. Hon böjde sig fram så gott hon kunde för magen och gömde ansiktet i armarna. Ljuset från solen och vattnet ville ändå bända sig in i ögonen. Jag skäms, jag skäms. Jag är ju bara jag. Men om jag finge ge dig av min värme så vore det kanske en liten hjälp. Om en bara kunde säga det. Om en bara visste hur.

Långt borta hörde hon vinden gå i trädkronorna. Det var en sorl av oro. Oro, ständiga oro, tänkte Tora och försökte se hans bortvända ansikte. Det var ord som han själv hade sagt utan att hon förstått dem och nu kom de tillbaka till henne. Det är det enda en har att ge varandra. Rus och oro. Hon lutade huvudet framåt igen med armarna på knäna och snuddade med sina kalla fingertoppar vid kinderna som brände och vid sin stumma mun.

— Nu ska vi väl gå hem, sa han.

Hon tänkte på hur långt det var hem. Först flakvagnen till stationen. Det skulle guppa och skaka så att hon fick sitta och hålla sig om magen. Sen TGOJ:s vagnar där plyschen var glödhet sen solen legat på hela dan. De skulle byta i Flen och vänta nästan en timma innan de kom på det rätta tåget. Det var orimligt långt hem, men hon rättade honom inte.

Det brann så att det sjöng innanför järnluckan. Tora kikade i lyshålet och ströp draget när hon tyckte att hettan blev för vit. Det gick åt mycket björkved. Hon måste långelda för att få bakugnen genomvarm till fram på morgontimmarna men kanske hade hon börjat onödigt tidigt. Man visste inte första gången. Hon kastade en blick på traven med långved och tyckte att den hade sjunkit förskräckligt. Den var dyr.

Det luktade skomakeri i källaren. Skomakaren hade sin verkstad i rummet åt gatan och en liten stentrappa på hörnet av huset ledde ner till honom. Från början var det mjölk- och brödmagasin men det hade inte gått bra sas det. Det låg för långt bort.

Huset hade nummer 60 och gatan hade Wärnström döpt till Carl Fredriksgatan efter sonen, men den kallades aldrig annat än Hovlundavägen efter den gamla vägstumpen som lett opp till torpet på kullen. Men nu var både Hovlunda och Gillets lada rivna och Wärnström hade byggt sitt Carlsborg däroppe. Han hade låtit göra park kring villan och planterat idegran och tuja.

Först hade nummer 60 legat ganska ensamt på gatan, men nu var nya bryggeriet färdigt och det ena huset efter det andra kom till. Skomakaren fick mycket att göra.

Tora hade flyttat in alldeles efter nyår 1904 i ett järnspisrum på andra våningen. Eftersom hon mindes att ägarinnan till magasinet hade bakat brödet som hon sålde själv gick hon i källaren och letade efter bageriet. Men det var bara ett källarrum med bakugn. Hon bad gårdskarlen att hon skulle få provelda.

Rummet var fullt av sulläder som skomakaren hade travat opp. Men när Tora frågade visade det sig att han bara hyrde det första rummet. Hon bad att få hyra bakrummet. Skomakaren fick maka åt sig och så blev hon osams med honom tack vare detta sulläder som han inte fick plats med i verkstan. Hon tyckte att det var onödigt, men han var då underlig också.

— Den enes bröd, den andres död, hade han sagt och låtit uppgiven när han drog i väg med sullädersbuntarna. Först blev hon häpen och sårad. Men så förstod hon att hon fattat fel. Hon hade trott att han syftade på FA:s död och hennes limpor.

Men sur var han. Det var knappt att han lyfte blicken när hon var inne med ett par skor till halvsulning. Ändå gjorde hon det bara för att blidka honom för hålen i sulorna var inte större än hon kunde ha slitit på dem ett tag till.

Det var synd att hon inte skulle vara kontant med sin närmaste granne, men det kunde inte hjälpas. Annars hade folk varit hyggliga mot henne. Hon hade köpt mjöl från grosshandlare Levanders och Valfrid hade sett till att hon fått ett bra pris. Hans bror Wilhelm var nu förman på snickeriet och han hade tagit spillvirke och gjort bockar av. Bakskivan hade hon köpt på auktion.

Men när hon räknade över allting var det ändå fruktansvärt dyrt. Och värst var veden — där eldade man bokstavligen opp pengarna och det så att det dånade i skorstenspipan. Men det dög inte att vara småsnål och ängslig nu. Det hade mamsell Winlöf sagt åt henne.

Tora hade gått dit sorgklädd. Men hon hade väntat tills yngsta pojken var född så att hon fick om sig en kappa. Hon hade känt sig högtidlig och fin i det långa svarta doket av tyll kantat med sidenband och hade inte tvekat att gå in till mamsell. Hon hade känt igen hennes klänning och sagt att den var riktigt bra ändrad.

— Riktigt nätt, Tora.

Så hade hon bett att få bjuda på kakao i sitt förmak. Hon hade ordagrant sagt: jag ska be att få bjuda Tora.

— Sätt på sjucklan! ropade hon ut i köket åt jungfrun och Tora måste le för det var så välbekant. Hon satt och avundades den långskankade och ovetande varelse som var jungfru hos mamsell.

Hon förhörde sig noga om Toras planer och godkände dem. Hade man en fin gammal beskrivning så hade man i själva verket ett litet kapital, sa hon Det enda felet med de där råg- och potatislimporna som Tora kunde baka var att hon kallade dem potatislimpor. Det lät nödårsaktigt tyckte mamsell. De var ju finare än vanliga råglimpor och det borde man helst förstå av namnet.

Hon ville inte låna Tora hundrafemtio kronor utan trehundra.

— Nu ska inte Tora vara för ängslig och snåla på allting för det är inte alls säkert att det lönar sig bäst i längden.

Tora kände sig lättad. Hon hade haft skräck för att sätta sig i för stor skuld, men hundrafemtio kronor var för lite och det visste hon.

Visst var mamsell Winlöf rik och inte tog hon sig för när. Man behövde bara se sig om i villan där man fick kryssa försiktigt på väg in mot en stol för att inte välta något av den prakt som omgav före detta restauratrisen. Tora hade lust att fingra på det tjocka aprikosfärgade sidenet i gardinerna och lägga handflatan mot bordets valnöt, men hon höll sig stilla och rak. Alldeles nyligen hade mamsell skänkt en äldre fastighet och fullständig säng- och köksutrustning till ett hem för lindrigt rubbade personer. Man undrade hur det skulle gå att hålla dem inomhus, för det var just den lilla grupp av tokar och fjollor, mest äldre, med Fia Femton i spetsen som alltid tycktes ha hållit till på gatorna och torget.

Enligt Toras erfarenhet var det ovanligt att rika människor lånade ut någonting om de inte finge råda fullständigt i hur pengarna skulle användas. Men här fick hon låna trehundra och behövde inte betala någon ränta och inte uppfylla några villkor. När de hade talat färdigt om pengarna hade mamsell Winlöf korsat sina knubbiga vita händer i knät och sagt:

— Ja, Tora och gossarna har gjort en ofattbart stor förlust. Jag har hört att Otter var en mycket behaglig och fin människa.

Nu förstod Tora att hon fick gråta om hon ville. Mamsell Winlöfs ansikte låg i ljuset från fönstret. Det var mycket blekt och lugnt. Hon var sig alldeles lik, hon tycktes bara långsamt bli fetare. På den vänstra handen som vilade på klänningens svarta moaré syntes hennes stora granatring. Den var matt och mörkt brunröd som bröstsocker.

Tora satt i soffan och ljuset kom bakifrån. Hennes ansikte var skyddat och hon kände mamsells omtanke. Men hon kunde inte gråta.

— Fick Otter nånsin se den yngste? frågade mamsell och Tora skakade på huvudet.

— Han är född i november, sa hon och hörde själv att hon lät sträv. Nej, hon kunde inte gråta och efter en liten stunds tystnad böjde mamsell på huvudet. Hon började åter tala om Toras planer på att baka potatislimpor till försäljning.

En sak kan låta förnuftig och praktisk, den kan till och med låta enkel så länge man bara talar om den. Men när Tora stod ensam i källaren med den dånande bakugnen, mjölsäcken och tråget med kall kokt potatis greps hon nästan av panik. Hon hade suttit och skalat potatis nästan hela förmiddan. Nu började hon stampa sönder den med en trästötel. Men det var inte samma sak när man hade så här mycket. Det fick inte bli klumpar, men hon kunde inte hålla på i evighet heller. Hon kände försiktigt på det gråaktiga moset med fingrarna. Om en käring får en potatisklump i en tugga då har jag sålt min sista limpa, tänkte hon. Jag känner dom.

Nu tog hon vattnet och den första skopan med rågmjöl. Det var ganska grovt sammalet mjöl. Hon undrade om det rentav var för grovt och om degen skulle få svårt att jäsa opp. Den blev tung och kladdig. Hon måste arbeta i omgångar för att rå med, piskade degen med rodret i det långa tråget och kände en muskel i underarmen som började stelna. Arbeta med role, mindes hon Sara Sabinas röst. Arbeta med role flicka. Men nu ska en väl rå på en sån här deg när en är så pass gammal, tänkte hon. Hon skulle fylla tjugosju i mars. Efter den andra pojkens födelse hade hon blivit mycket kraftigare, men ansiktet var inte så fylligt och slätt som förut. Håret hade mörknat också och den här gången tycktes det inte gå tillbaka. Men vänta tess sommarn, tänkte hon och piskade den grå degen med långa jämna tag.

Nu underhöll hon bara elden i bakugnen med så lite som möjligt för att spara ved. Den skulle bli genomvarm ändå, hon var säker på att hon hade börjat elda för tidigt. Då och då blängde hon på lyshålet och fienden, vedslukaren därinne.

Det tog henne två timmar att slå till degen. Gå opp och slå te mens jag tar rätt på mjölken, mindes hon. Men det var inte på tjugofem liter det. Hon var svettig på ryggen och iskall om fötterna. Det här var ingen rolig källare, sa hon till sig själv. Skomakarn kunde gärna ha stått på sig. Hon la ett lakan över degen och tänkte gå opp i rummet och koka sig lite kaffe och se om barnen och flickan som såg efter dem sov. Men så blev hon rädd att det inte skulle gå att färska opp jästen när hon kom ner. Det var vanlig surdeg som hade torkat fast i ett tråg sen sist och nu blötte hon den med lite vatten, ängslig att hon kanske var för sent ute så att den inte skulle hinna ta sig. Men man oroar sig för en massa strunt, tänkte hon. Jästen färskar du opp på efterminatta om du ska ha bakat te moron, mindes hon och det måste ju vara riktigt.

Fötterna hade svällt i filttofflorna kände hon när hon gick oppför trappan. Om hon inte fick på sig skorna när hon skulle stå på torget? De var förresten dumt att sälja limporna när de var nybakade för de blev bättre av att stå. Men folk var nu en gång såna att de ville känna värmen i brödet för att få lust att köpa.

Flickan hade förstås låtit spisen slockna och somnat ifrån. Det var kallt i rummet. Hon kunde inte tända på glöden, det var alldeles svart. Såna där flickungar är inte mer än ungar själva, tänkte hon när hon stoppade i några stickor och lite tidningspapper och tände på. Hon sov i järnsängen med oflätat hår. Fredrik hade strött knappar och trådrullar på täcket omkring henne. Ingeborg var liten för sina tretton år och hade insjunket bröst. Tora trodde att hon hade haft engelska sjukan och egentligen tyckte hon inte om henne. Hon blev orolig för Fredrik och Adam bara hon såg den där varelsen. Men hon var i alla fall snäll och tålig med Fredrik som var i en ålder då ungar är påklådiga och svåra att hålla stilla.

Hon hörde de lugna susningarna från kökssoffan. Hon hade delat av den med en skiva så att barnen sov i varsin avbalkning. Det såg roligt ut med de små huvudena vända åt varsitt håll tyckte hon. Adam var mörkhårig. Hon trodde att han skulle få behålla den färgen eftersom han fortfarande hade den vid tre månaders ålder. Trots att han var så liten hade han böjd näsa och mycket kupiga ögonlock. Han liknade en liten herre.

Det var riktigt kyligt därinne och hon kände försiktigt på

Adams hjässa om han var kall. Hennes händer var mjöliga och det fastnade mjöl i det tunna håret. Sakta strök hon bort det och blåste lite när det inte ville ge sig iväg. Han började göra sugrörelser med munnen och hon var rädd att väcka honom, men ändå kunde hon inte låta bli att hålla handen alldeles lätt på hjässan som var varm och fjunig och mjölig. Att det finns nåt så fint i världen, tänkte hon. Måtte han inte vakna. Men vaknar han ska han få mat. Här ska inte skrikas en enda vers i natt.

Hon stoppade om Fredrik täcket som var dubbelvikt och verkade alldeles för tungt. Han sov med knutna händer och det bubblade spott ur hans mun. Han var så ivrig. Till och med när han sov var han ivrig.

Tora makade på Ingeborg så att hon kom längst in mot väggen och kröp sen opp på järnsängen med en sjal omkring sig. Hon blundade till ett tag. Det fick inte gå mer än en halvtimme. Men hon var så spänd och orolig för surdegen därnere att hon inte kunde ligga still. Efter en stund var hon oppe igen och gick gäspande och med stela armar ner för att skrapa ihop den och arbeta in den.

Hon sov ett par timmar omkring midnatt och gick sen ner igen och såg efter att det hade jäst ordentligt. När hon gjorde ner degen var den lös och besvärlig och kladdade på underarmarna. Hon arbetade ner mer mjöl med rodret och tänkte förargat att det kletade som om hon aldrig hade bakat förr. Men hon var inte så ängslig längre, det var nästan högtidligt att lägga deg på bordet och arbeta den med oppslagsmjöl. Den kändes varm och full av kraft under händerna. Nu börjar det äntligen likna nånting, tänkte hon och täckte över tråg och skiva.

Hon gick opp och värmde lite på pannan medan degen jäste opp på skivan. Hon drack kaffet på bit och vilade fötterna på en pall. Det var alldeles tyst och mörkt omkring henne. Genom fönstret oppe på källarväggen såg hon ingenting. Hon fick en känsla av att hon var den enda människan som var vaken i världen. Men jösses, det finns nog mycket folk i världen, tänkte hon. Fast hela samhället kanske sover. Men så mindes hon spårområdet och tågen som hade hörts varje natt på den tiden hon bodde på Järnvägshotellet. Ännu längre tillbaks, på Svinefrids tid, hade dörrar slagit och trappor knarrat hela nätterna igenom. Jag skulle vilja bo därborta, tänkte hon. På Norra Sidan. Det här är i alla fall bra långt bort och bakom det här huset börjar gärdena. Hon gäspade och kände sig tung i huvudet trots kaffet men hon förstod att det här var den allra värsta tiden på natten. Snart skulle hon bli vaknare.

Hon slog opp mer mjöl och började arbeta degen och skära opp ämnen. Till varje limpa vägde hon opp ett och ett halvt kilo precis som hon fått lära sig men hon tyckte de kändes tunga och omöjliga. När hon började forma dem gick undersidorna inte ihop. Det gick an att få översidorna släta och runda men hur hon makade ihop degen undertill fick hon en massa veck och fåror. Det skulle jäsa opp och bli stora hål och blåsor i brödet. Av en sån limpa skulle man inte kunna skära en enda snygg och hel skiva.

Nu blev händerna nervösa och hon visste plötsligt inte hur hon brukade göra. Det var ju inte precis nånting man tänkte på annars, händerna brukade arbeta av sig själva. Till slut slängde hon ämnet ifrån sig för det var som förgjort. Hon strök av mjölet mot förklät och drack lite uppvärmt kaffe. Hon mindes mjölnarkäringen i Vallmsta som hade varit så argsint av sig och som bakade så fina limpor. När det inte gick bra blev hon sån att mjölnarn själv var rädd för henne. Han brukade försiktigt sticka in huvudet för att utröna hennes stämning innan han steg in.

— Jäser limpo, Fia? frågade han.

Tora mindes morfaderns röst när han härmade den ängsliga mjölnarn. Hon log och händerna började arbeta av sig själva. Högerhanden lät ämnet rotera och vänsterhanden stödde degen. Den gick ihop i botten. Det blev runda höga limpor och fort gick det. Hon la ut dem att jäsa på flockkuddar och kände sig upprymd när hon såg dem. Nu hann hon opp och ge Adam mat medan de jäste. Det hade gått bra, men hon önskade att hon inte kommit att tänka på det för ännu hade hon gräddningen kvar. Hon knackade lätt med pekfingerknogen i bakskivans trä för att vara på den säkra sidan.

Adam sov men hon tog opp honom och la honom snabbt till bröstet så att han inte skulle hinna väcka Fredrik. Han var så sömnig att han bara sög ett par tag, sen gled bröstvårtan ur munnen på honom och han låg och bubblade spott och mjölk utan att Tora märkte det på en stund för hon satt och räknade ut hur många limpor hon skulle behöva sälja för att ha betalt mjölet. Hon klappade honom lite i stjärten när hon märkte att han tröttnat och han började om igen och efter en stund åt han hungrigt och fort. Tora hade tänt lampan nu och satt och såg sig omkring i rummet. Fredrik hade dragit fram en massa saker som han inte fick hållas med. Ingeborg var nog för snäll, men det var bättre än motsatsen. På byrån fick hon syn på sorgbrevet. Hon hade sparat två stycken så att pojkarna skulle få varsitt när de blev stora. Fredrik måtte ha klättrat opp på byrån och dragit ut lådan till rakspegeln. Hon såg förargat på Ingeborg som snörvlade och sov med öppen mun.

När Adam hade ätit färdigt och hon bytt på honom la hon tillbaka honom i soffan och gick och plockade opp brevet och några knappar som han dragit ut på byrån. En vas var vält men den hade inte gått sönder. Det var underligt att han inte hade rivit sönder pappret i sorgbrevet. Han hade starka knubbiga fingrar. Det hade varit lika bra, tänkte hon plötsligt för hon skämdes efteråt för det mycket påkostade tjocka pappret med en tre centimeter bred svart kant som glänste som siden och där sörjande änglar avtecknade sig och lutade pannorna i handen bland palmblad, kors och strålar. Denna härlighet hade kostat pengar.

Nu efteråt visste hon att hon hade beställt så dyrt sorgbrev bara för det enda som skulle skickas ner till hans gamla mamma i Göteborg. Det var vansinne när man tänkte på det efteråt. Men då kändes det nödvändigt och riktigt. Det var likadant med alla utgifter den där tiden. Efteråt var det vansinne.

Valfrid hade hjälpt henne med texten. Där var han riktigt i sitt esse. Han hade velat att hon skulle låta trycka: Min älskling, min dyre make. Men Tora hade fått honom att nyktra till och de hade nöjt sig med Tillkännagives att min älskade och trofaste make Fredrik Adam Otter. Versen hade också Valfrid skrivit. Han hade varit mycket ivrig. Ja, se jag förstår mig inte på poesi, hade Tora sagt. Men det gjorde Otter! utbrast Valfrid och så tog hon versen. Men nu hade hon läst den många gånger och började förstå sig på den. Hon tyckte att den var mycket vacker.

Långsamt slätade hon ut det styva pappret som blivit tillknycklat av Fredriks fingrar. Hon la ner brevet i byrålådan i stället, under blusarna. Den lådan skulle han aldrig få opp, den var för tung och trög. Hon stod ett ögonblick och tittade på lådan sen hon hade stängt den. Hon visste att sorgen var ett tungt arbete. Men det låg framför henne. Än hade hon inte tid. Än hade hon inte krafter.

Hon var lite högtidlig till mods när hon gick ner i källaren igen. Det var mycket bröd, det var det största bak hon hade sett. Nu måste det ha jäst opp. Limporna vilade tunga och runda i sina fördjupningar i kuddarna. De hade börjat spricka lite ovanpå. Det var precis rätta tiden att börja grädda. Hon la in lite ved, sopade ugnen och satte för luckan. Sen tog hon naggen. Nu skulle jag ha haft en flicka, tänkte hon. Som mormor. Nagga limpo du mens ja sopar ugn, brukade Sara Sabina säga.

Limporna fick grädda en timma innan hon tog ut dem på brödgrässlan och smorde med en trasa doppad i varmvatten. Det började bli hett kring ugnen men golvet var fortfarande kallt och det drog utmed väggarna. Hon var glad att hon haft kuddar under. Det skulle aldrig ha jäst opp i draget annars.

Det skar i fötterna när hon rörde sig fram och tillbaka över golvet. När den här dan är slut, tänkte hon men bestämde sig för att inte tänka på det än. Om en finge kunder, stadiga kunder som en kunde lita på. Då kunde en tala om att limporna blev bättre om de fick mogna en dag. Då kunde en baka dan innan och slapp vara oppe på natten. Det skulle väl inte vara så svårt för folk att förstå. När det var sant dessutom.

Det hade börjat ljusna i fönstret och skomakaren bultade på andra sidan väggen. Vore han inte så dum skulle han få kaffe, tänkte Tora. Hon hade kokat starkt gott kaffe och nu smorde hon de första färdiga limporna med kaffe både på den runda översidan och i botten. De blev blanka och bruna.

Hon satt sig och drack det hett på fatet medan hon väntade på gräddningen. Solen hade kommit. I källarfönstret såg man bara snön som räckte halvvägs opp på rutan och en strimma himmel, blek av köld. Ryggen och axlarna var stela och värkte. Hon kände på underarmarna och följde den ömmande muskeln opp till armbågen. Huden var skorvig av deg hela vägen opp. Hon fick inte glömma att tvätta sig innan hon gjorde sig i ordning för torget.

Kaffet värmde hela vägen ner i magen. Hon tyckte att det klarnade opp bakom ögonen också. Det skulle inte bli nån huvudvärk. Det har gått bra, tänkte hon och såg på de blanka limporna. Nu törs man faktiskt påstå att det har gått riktigt bra.

När Sara Sabina Lans skulle dö skickade hon efter Tora från samhället för att hon skulle vara hos henne. Det var andra veckan i maj, den vecka då gökarna börjar ropa i skogarna och då lövsprickningen håller opp endast för ett par timmar i de kyliga och fuktiga nätterna.

Tora förstod genast att det var allvar för hon hade aldrig bett om hjälp förut. Hon visste inte riktigt vad mormodern hade för fel för hon hade inte låtsats om någon sjukdom. Men ibland sa hon att hon var trött och måste ligga till sängs och det sista året hade hon blivit mycket magrare. Tora visste att hon hade smärtor för hon kunde inte ha kjollinningarna knäppta utan att se spänd och plågad ut. Då for en underlig grå skugga över hennes ansikte och hon satte sig försiktigt och lossade linningen i midjan genom att knäppa opp ett par knappar.

En gång när Tora kom till Äppelrik på våren såg hon hennes ansikte i fönstret. Det var grått och otydligt och såg inte välkomnande ut. Men även om gumman inte brukade ge sig hän åt känslor var det alldeles främmande för henne att vara avvisande och likgiltig. Tora blev generad och slog ner ögonen. När hon tittade opp igen var ansiktet borta men hon mindes uttrycket lika väl som om det suttit kvar och speglat i det tunna fönsterglaset som var fullt av regnbågsfärgade blåsor.

När hon kom in i stugan var mormodern inte inne. Hon kom en stund senare med en liten säck tallkott som hon varit och plockat till kaffebränsle. Tora förstod då att hon hade haft ett varsel. Hon tolkade dess innebörd så att Sara Sabina inte hade långt kvar att leva.

Tora beslöt sig för att ta ledigt från bakningen och torget när mormodern kallade på henne och hon bad Emma Lundholm att ta hand om pojkarna. Adam var sex månader och redan avvand för mjölken hade tagit slut för henne. Förut hade hon varit ledsen och besviken på sig själv för den sakens skull men nu när hon skulle lämna bort honom gjorde det onekligen saker och ting enklare. Hon lämnade honom åt Emma men tyckte att han såg liten och tunn ut när hon gick ifrån honom. Den stadige och knubbige Fredrik som snart var två år tittade inte ens efter henne när hon gick. Han var van vid att Emma tog hand om dem varje torgdag.

Hon kom till Äppelrik på söndag eftermiddag och hade nästan hela vägen huvudet fullt av tankar på barnen och den uppskjutna torgningen. Men den sista biten fick hon bråttom och hon sneddade i stor ängslan genom björkbacken nedanför torpet. Där stod det fortfarande blåsippor i det fuktiga norrläget, men de var förväxta och utblommade och kronbladen rasade över hennes skor.

Allt såg ut att vara i sin ordning på torpet. Toras oroliga ögon for över gården och hon såg att bron var sopad och en diskad mjölkhämtare stod stjälpt till torkning på bänken. Men sen fick hon syn på en hink i gräset. Sara Sabina måste ha ställt den ifrån sig på väg från brunnen för att hon inte orkat bära den längre. Ändå var det en så liten vattenskvätt i den. Full av oro sprang Tora de sista stegen över grässvålen fram till stugdörren.

Hon låg. Den lilla kroppen vilade djupt nere i utdragssoffan med ett styvt och fläckigt täcke över sig. Hon var fullt påklädd under. I första ögonblicket såg Tora att ansiktet var grått och strängt av smärta och blicken mörk när hon tittade opp. Men den blev livlig när hon fick se Tora och det nöp i den tunna munnen som om hon ville le.

Det första Tora gjorde var att springa efter vatten för att ge henne. Hon tyckte att hon såg torr ut kring munnen och att tungan rörde sig styvt när hon försökte hälsa. Men brunnsvattnet var så isande kallt att hon tände opp i spisen för att ljumma det först. Det var en enkel sak att tända nuförtiden. Rickard hade skickat pengar till en spis och nu hade hon sen nästan ett år tillbaka en liten Norrahammar inmurad under den stora kåpan.

Tora fuktade hennes läppar som det var så svårt att finna. Munnen hade sjunkit in över gommarna och huden var torr och hård. Men det var liv i hennes ögon och de var mörka. Det hade

Tora aldrig tänkt på förr att hon hade så mörka ögon.

— Har I ont, mor?

Gumman skakade på huvudet. Hon såg redan mycket bättre ut. Nu tog Tora fram rena linnelakan som hon hade haft med sig och bäddade med dem i järnsängen. Det var hennes finaste lakan. FA:s mor hade skickat fyra par när hon fått veta att han hade gift sig. Det var broderade med hålsöm och med bokstäverna FAO i plattsöm slingrade om varandra.

Sen tog hon av mormodern tröjan och kjolen och särken av grått ylle. Hon frös nog lite och tittade mörkt på henne men sa ingenting och Tora började försiktigt tvätta henne med en lapp doppad i det värmda vattnet och ordentligt urvriden.

— Säj te om det blir kallt, sa hon.

Hon hade torkat ihop. Det var bara veckigt skinn på magen och brösten. Bruna vårtor och fläckar täckte bålen och handryggarna. På armar och ben såg man senorna genom skinnet och ledknotorna tycktes förstorade. Det var svårt för Tora att hantera den sköra kroppen. Hon gjorde det utan motvilja men med en ängslan som gjorde hennes rörelser tafatta. Hon klädde på henne och hjälpte henne över till järnsängen. Där blev hon ännu mindre och hon rös för lakanen kylde till att börja med. Särken var Toras egen som hon haft med sig. Det var av gulaktig flanell och la sig i stora veck kring hennes kropp. Hon tog en kam och drog den försiktigt för att inte skrapa huvudsvålen genom det glesa gråbruna håret. Slingorna samlade hon ihop därbak och gjorde en fläta av som blev tunn som en liten grässträng och snodde den och fäste med ett band. Hårnålar tordes hon inte använda när Sara Sabina skulle ligga ner för de kunde göra henne illa.

Till slut tog Tora bort det tunga lapptäcket och tog fram ett täcke ur kistan virkat av restgarner i många färger. Hon la sin egen grå sjal överst och kände att det blev både lätt och varmt.

— Det är licksta täcket, sa gumman förebrående men Tora teg och stoppade om henne.

Hon var inte säker på hur ont mormodern hade. Ibland såg det ut som om en grå skugga flög över hennes ansikte men varifrån det mörkret kom visste Tora inte. Nu halvsov hon, fingrarna plockade frånvarande på lakanskanten. Hon hade för länge sen förlorat förmågan till djup sömn. Under ögonlocken rörde det sig alltid oroligt och vid minsta ljud vaknade hon till och dåsade sen bort igen när hon inte förmådde göra någonting åt det som oroat henne.

Tora hade vetebröd med sig i korgen och hon tog nu och skar bort kanterna och blötte opp det i färsk ljummad mjölk och sockrade lite på. Mormodern tog emot när hon blev matad men svalde inte riktigt. Det rann lite mjölk i mungipan.

— Försök och svälj, sa Tora och stödde henne så att hon skulle komma högt opp på kudden. Hon kände panik och tyckte att hon hanterade henne ovarligt.

— I måste svälja, bad hon. Sen låter vi det vara.

Det arbetade i den tunna kroppen. Till slut fick hon vila och andades jämnare. Hon öppnade ögonen och tittade på Tora som inte kunde minnas att hon hade så mörk och klar blick. En ser så lite av varann, tänkte hon. Det är sällan en kommer så nära att en riktigt ser varann.

Sara Sabina somnade. Nu hade hon inte svårt med andningen. Tora tog försiktigt om hennes handled och kände pulsen innanför det torra skinnet. Den kändes som ett fågelhjärta.

Söndagskvällen var varm när Tora gick till källaren och hon måste stanna och lyssna på koltrasten som hade satt sig i björken. Han sjöng övertalande och mjukt jollrande som om han velat be henne om någonting. Omsorgsfullt, ja eftertänksamt flätade han drillarna till melodier liksom ingen upprördhet och ingen brådska funnes i denna världen. Han skymtade högt oppe i stugbjörken som hade lövats tidigt och redan fått flikar på bladen. Det var en hängbjörk och om sommaren skulle grenarna röra sig tungt som gräs under vatten när vinden tog i. Den skulle stå grön till långt fram på senhösten för det var en underlig björk. Men den vita ormen som bodde under dess rot hade ingen talat om på många år.

När hon kom tillbaka ur källaren skymde det redan och ett pinnso kom ut ur stugfoten. Fladdermöss vinglade under taknocken men vågade sig inte ut kring träden. Majkvällen var ännu för ljus. Pinnsot bökade och fnassade med något vid stenhällen framför dörren och visade ingen rädsla. Tora förstod att mormodern brukade ge henne en mjölkskvätt om kvällarna och hade så när gått tillbaka till källaren. Men så kom hon att tänka på att det snart skulle vara tomt i stugan och att det var lika bra att hon fick vänja sig vid att ingen mjölk få. Hon gick in och stängde dörren om koltrastens långa och eftertänksamma flöjttoner.

Nu kände hon sig trött. Först satt hon en stund vid Sara Sabinas sida men hon sov och andades utan stor möda så Tora beslöt sig för att lägga sig i soffan. Hon kunde slumra lite och ändå hålla ett öga på mormodern då och då. Hon sov längre och längre stunder och på morgonsidan somnade hon slutligen djupt och vaknade av att solen sken henne i ansiktet. Gumman verkade återhämtad och tittade på henne från sängen med mörk och riktigt klar blick.

— Känner I er bättre? frågade Tora.

— Det går ingen nöd på mig, svarade Sara Sabina.

Tora vispade till en vetemjölsvälling åt henne och försökte få den riktigt skummig och lätt. Till sist la hon i ett stort smöröga. Men mormodern ville ingenting ha.

— Det åmägnar mig, sa hon. Hon drack bara lite vatten. När Tora bäddade opp i utdragssoffan efter sig låg Sara Sabina och tittade på henne en stund och sen sa hon:

— Det kanske kommer å ta sin tid det här.

— I ska inte tänka på det, sa Tora. Tänk bara på å vila, vi har ingen brådska nån av oss.

— Jag tänker på att du ska baka te torge.

— Det får vara.

Mormodern teg en stund och hade lite tungt att andas. Sen frågade hon efter pojkarna.

— Di är hos Emma, svarade Tora. Hon har dom så länge det behövs. Men nu ska jag ta och röja opp lite här.

— Ja, har du tid så är det bra, sa Sara Sabina. En vill ju gärna ha snyggt etter sig fast en inte orkar själv.

Tora började med att gå ut i lagårn och titta om det låg någon bråte där. Det var en låg byggnad som hade grävts ner under en stor stenfot så att de två korna som knekten haft som mest praktiskt taget hade bott under jord med stora stenbumlingar intill båsen. Golvet var bara trampad jord men korna hade stått på trä och fått ströat under sig när de skulle kalva. De hade varit klavade i mörkbrunt blanknött trä som Tora nu stod och höll i och hon mindes tidiga mornar långt tillbaka då hon och Rickard hade burit dit små höfång och lagt framför dem, ängsliga att något skulle gå till spillo.

Nu var det kallt i lagårn och en underlig sträng lukt av gammalt. Det var längesen det hade osat av färsk dynga och varma djurkroppar härinne. Versnäten hängde i stora sjok i fönstergluggen. Tora ville därifrån.

På skullen låg några räfsor och en liten pinnharv av trä, ärjkroken som han hade kört med i den tunna bruna jorden. Det fanns en bleckspann med trasig botten som hon skulle kasta bort men egentligen var det ingenting som behövde göras. Det var slut för länge sen.

Sara Sabina hade fått hjälp med ved till vintern men nu var det ingenting kvar i vedbon annat än krokiga pinnar som hon plockat i skogen och en säck med kottar. Tora tog in en korg med bränsle och beslöt sig för att gå i skogen på eftermiddan och samla ihop mer.

Hon tyckte att mormodern blev lite piggare när hon kom in och började se efter vad som behövde röjas opp och göras rent inne. I vanliga fall brukade Tora arbeta snabbt men nu ville hon ta god tid på sig för att sysslorna skulle räcka. Men det gick bara till att börja med. Snart var hon röd om kinderna och kände humöret stiga av brådskan och glädjen att få någonting uträttat. Fast Sara Sabina låg till sängs och bara följde henne med ögonen var det ändå nästan som förr då de gjorde någonting tillsammans. De resonerade om vad som skulle kastas bort och vad som skulle tas till vara.

Hon tittade på kläderna i kistan. Av det som var kvar efter knekten fanns bara släpmunderingen hemma. Paraduniformen hade alltid legat i rotekistan hos bonden i Skebo. Det fanns också en svart kjol, en tunnsliten svart sidensjalett och en grå stickad tröja som Tora kände igen. Det hade stickade hopsnodda tutar i stället för knappar och de skulle dras genom en virkad ögla. Hon la ut kläderna på slaktbänken framför dörren. Det var inte soligt längre som på morgonen.

— Men det blir luft i dom i alla fall, sa hon till Sara Sabina.

— Jag ska hålla ögona på fönstre om det skulle bli regn, lovade gumman men hon var trött och somnade ideligen ifrån och när hon vaknade till blev hon ängslig för att hon hade glömt bort sig.

På tisdagsmorgonen var dagern silvergrå när Tora steg opp och versnäten var tunga av dagg. Flugsnapparen som hade börjat ta holken på vedbogaveln i besittning kom av sig i gråvädret och blev tyst och durrig.

Tora skurade kammaren. Dörren stod öppen och Sara Sabinas mörka ögon såg henne. Hon sa ingenting men Tora tog ändå en spik och drog i springorna. I köket var golvet gropigt av nötning och framför spisen var trät nerslitet ända till dymlingarna.

— Ska jag ta fönstrena nu?

— Nä, jag tror det blir regn.

Både på onsdagen och torsdagen var det dis och duggregn i luften och utanför höll sommaren opp, marken andades i vila genom det fuktiga gräset och koltrasten teg. Men grönfinkarna som hade byggt bo i unggranarna vid vedbodknuten slogs och drillade och brydde sig inte om diset.

På köksgolvet hade Tora ställt en säck som hon la gammalt skräp i. Hur lite Sara Sabina än hade fanns det ändå något som var för trasigt eller nött och det ville hon att Tora skulle kasta bort. Det var ett par järngafflar med krökta klor, en trasig bleckmugg, ett gammalt täcke som legat opp på vinden och varit råttbo så länge att det nästan multnat. Det var utslitna kängor och de var literflaskor efter knekten.

— Sånt vill en inte ha etter sig, sa gumman.

Säcken blev full och Tora gick bort för att sänka den i kärret. Hon gick sakta på stigen och hittade också ett par murklor på ett ställe där hon visste att de brukade växa. Vitsipporna blommade fortfarande men de var förväxta och rödskiftande. Genom fjolårets nätverk av nervissnade ormbunksblad sköt nu de nya opp sina kräklor fjälliga och ludna av brunt dun. Skogen var syrlig av den nya växtligheten men från det vintergröna, mossorna och lingonriset, luktade det kryddstarkt och mörkt. När hon kom tillbaka till torpet med murklorna i handen såg hon att den första ladusvalan hade kommit.

Sara Sabina låg oföränderligt stilla med händerna på lakanets hålsömskant. Tiden hade saktats för henne. Nu var de ensamma och det verkade långt till människor. Fast egentligen hade det varit snart gjort att gå efter en kruka mjölk, tänkte Tora. Men gumman ville ingenting ha och Tora åt smörgås och drack kaffe som hon ideligen värmde på.

Hon hade tagit med sig en rökt skinkbit och den skar hon av och la på smörgås av limpa. Men fast hon klippte av den första gräslöken som hade skjutit opp en kvast invid stenhällen och la på smakade det henne inte. Hon kände att hon blev tyngre och tyngre till sinnes ju mindre hon fick att göra och hon satt ibland och tittade på det lilla grå ansiktet på kudden där dragen började försvinna och sjunka in.

Tidigt på fredagsmorgonen vaknade Tora av att ett fönster skallrade hårt och sen låg hon och lyssnade till blåsten som hade börjat på morgontimmarna. Sara Sabina var vaken och låg och tittade på henne. Nu var köket och kammaren städade och det fanns inte så mycket att göra längre. På gården hade hon burit undan slaktbänken och en trasig hink vid brunnen. Så långt man såg var det ordning och reda men Sara Sabinas blick var grund och orolig när hon tittade sig omkring.

— Det är i ordning alltihop, sa hon

— Ja, jag ska ta fönstrena bara. Det blir nog bättre väder nu.

— Du har allti vari en bra arbetsmänniska, det kan en inte säga annat.

Hon hade plågans skuggor runt mun igen. Fingrarna nöp och nöp i lakanet.

— Ja, du får fälle säja te di andra sen. När det blir den tin.

Tora teg och funderade, men sen förstod hon att mormodern talade om sina andra barn, de som var mycket äldre än Tora och som hon sällan hade träffat. De var ju egentligen hennes mostrar och morbröder.

— Di har ju arbete, sa Sara Sabina. Di har så di reder sig. En kan inte säga annat. Allihop.

Tora nickade bara.

— Ja, Frans dog, fortsatte mormodern. Och Edla.

— Ja, sa Tora.

— Rickard kan väl fö sig. Han har ju fått gå i lära. Det är nog inte farligt. Men en vet ju inte i Amerika. Om det är samma där.

— Det går nog bra.

— En vet inte vad det var för människa han fick tag i heller.

— Nu borde I lägga er, sa Tora. Det blir tröttsamt å sitta opp på kudden.

— Jag tänkte på pojken, sa mormodern och hennes blick var orolig och ville inte stanna på Toras ansikte. Hon försökte hjälpa henne ner i sängen men då fick hon svårare att andas. Och hon ville sitta opp och tala färdigt nu.

— Din pojke, sa hon. Jag tänkte på'n i går också. Ja, han har det bra. Han har födan. Och det är bra folk.

Tora ville fråga om honom, men det låste sig. Hon fick inte fram ett ljud.

— Han är nie år nu, sa Sara Sabina.

— Vad kallar di honom? fick Tora äntligen fram men hon var så torr i strupen att hon måste säga om det innan det hördes.

— Han heter Erik. Själva heter di ju Johansson. Men han heter Erik Lans. Prästen skrev in det.

Hon var tyst en stund och de oroliga ögonlocken var slutna så länge att Tora nästan trodde att hon hade somnat. Men så började hon prata igen och Tora måste luta sig fram för att höra vad hon sa.

— Du får det drygt med två pojkar. Det får du. Ensammen.

— Det får lov å gå, sa Tora.

— Det gör det fälle allti, mumlade Sara Sabina. På någe vis.

Nu sov hon nog lite. Tora kände på hennes hand och tyckte att den var så kall att hon stoppade ner den under täcket. Hon kände bedrövelsen växa inuti sig när hon såg på det torra och rynkiga ansiktet som vilade utan uttryck och utan rörelse. Det var bara ögongloberna bakom de tunna och veckiga ögonlocken som ännu inte kunde vara stilla. Om hon inte vaknar någe mer, tänkte Tora och hon kände sig tung av förstämning och smärta och fick lov att göra en riktig ansträngning för att komma opp från stolen och inte bli sittande med sysslolösa händer.

Det blåste hela fredagen men det var en varm sydlig vind och solen kom fram ur molnen. I skogsbrynet slog häggen ut och fjärilarna virvlade i gräset som om kronblad av blåsippa och svalört hade rivits loss av vinden. Det var gula citronfjärilar och små snabba blåvingar. Den stora sorgmanteln satte sig darrande på brunnsstången och Tora ville inte lyfta handen utan blev stående med hinken tills den lyfte och flög bort.

När hon kom utifrån det starka ljuset såg Sara Sabina grå och tunn ut i sängen. Hon var som aska, solen kunde skina igenom henne. Tora måste känna efter om täcket och sjalen var för tunga. Hon hade tappat intresset för Toras städning och vänd inåt mot sin plåga andades hon mödosamt och hörbart med ett ljud som följde Tora var hon gick i köket och kammaren.

Om kvällen stillnade blåsten och luften kändes varm och aromatisk av allt som nu började blomma men mest av den stora häggen i skogsbrynet. Grönsångaren satt i dess topp och la huvudet tillbaka när han sjöng och lät den gula hakfläcken vibrera. Men inne i köket fick Sara Sabina alltmera arbete när hon skulle andas och Tora flyttade henne försiktigt opp på kudden utan att det hjälpte. Hon sov just ingenting den natten utan satt bredvid henne och en gång måste hon byta både särk och lakan.

De var varmt och stilla på lördagsmorgonen och Tora gick ut och tittade på de nytvättade fönstren och tyckte att de hade blivit bra. Mormodern andades lite lugnare och svarade med en liten rörelse när Tora tryckte hennes hand. Men hon tittade inte opp. Hon beslöt sig för att våga gå ifrån henne en stund när hon sov för hon ville hämta färskt granris till bron. Men hon gick bara till vedbodknuten där unggranarna hade börjat smyga opp nu när ingen längre röjde kring torpet.

Det sista hon gjorde på eftermiddagen var att krita spiskåpan men nu hade mormodern legat orörlig så länge och inte tittat opp och Tora plötsligt bara ville strunta i alltsammans. Hon måste övertala sig själv att krita färdigt, men sen satte hon sig och tårarna brände innanför ögonlocken. När hon suttit en stund blev hon lugnare till mods och hon tyckte nästan att hon stod bättre ut med att höra ljudet av hennes tunga andning när hon satt bredvid henne och såg på hennes ansikte. Hon tittade inte alls opp längre men Tora trodde att hon lyssnade för det fanns en skiftning i hennes ansikte som kom och gick vid ljudet av Toras röst.

Dörren stod öppen och Tora hörde helgsmålsringningen från Vallmsta. En hel arbetsvecka hade gått och det var helgstädat och färdigt. Vart hon än tittade fanns det ingenting att lägga händerna på. Något handarbete hade hon inte tagit med sig. Genom den öppna kammardörren fick hon syn på knektens bibel på byrån. Ingen av dem hade tänkt på den under veckan, men hon mindes att mormodern sagt att hon hade fått läsa för Johannes Lans när han låg sjuk och dog.

Själv ville hon nog ingenting höra. Förresten var det för sent. Nu var varje andetag ett stort arbete som hon hade framför sig. Tora tog hennes hand och satt stilla tills det började dra kallt från dörren och bli skymning ute. Då gick hon opp och stängde. Men sen lämnade hon inte stolen mera förrän de långa arbetssamma andetagen hade upphört. Då var det redan natt och mörkt.

Hon höll handen i sin så länge den hade någon värme kvar. Nu var det för sent att gå ner till Vallmsta och ordna med det som hörde till. Hon kunde ändå inte väcka opp någon. Hon kände sig trött. Hon visste att hon borde bädda åt mormodern inne i kammaren och bära henne dit och sen vaka i köket. Men de hade legat tillsammans i köket hela veckan för att hon skulle ha nära till henne och nu tyckte hon inte att det var så stor skillnad. Hon nästan övermannades av tröttheten och hon beslöt att bara lägga sig som förut. Hon var inte rädd. Det kändes bara lite ensammare för det var alldeles tyst borta i den andra sängen, men Tora somnade så småningom.

I förgryningen vaknade hon och tyckte att hon hade gjort fel. Det var ingen sol än och köket kändes utkylt. När hon rörde vid Sara Sabinas händer var de styva som horn och alldeles iskalla. Tora huttrade och klädde sig fort. Nu ångrade hon att hon inte hade gjort som hon borde. Det kändes underligt att ha sovit så nära den orörliga kroppen. Hon satte sig vid bordet och väntade att tiden skulle gå och folk skulle vakna nere i Vallmsta. Men nu steg solen opp och la ett stråk över gräset fram till den plats där den gamla slaktbänken hade stått. Solskenet föll in genom fönstret och värmde Toras händer på köksbordet. Hon kände tårarna stiga och bränna under ögonlocken och till slut börja rinna över kinderna men då var de varma och smärtan och iskylan lossnade sakta inom henne. Hon reste sig och öppnade ut mot morgonen och när hon stod med handen på klinkan kom vinden från väster och förde med sig en alldeles ny doft. Den var ljuv och mandelliknande, ett svalt nästan ingenting mot kinden som var borta i samma ögonblick man försökte lukta på det. Då visste hon meddetsamma att det var morellen som blommade.

Hon vände sig om. Allt var oppdiskat och iordningställt. Kaffe ville hon inget ha. Sara Sabinas kropp låg under lakanet och det fanns ingenting mer hon kunde göra. Det var lika bra att gå på en gång.

Hon såg att tornsvalorna hade kommit. De skar som tunna svarta liar genom luften och då var det riktig sommar. Innan hon gick bort från torpet stannade hon under morellen. Den hade en krona som ett riktigt skatbo, risig och förvildad. Men nu hade den på ett par morgontimmar förvandlats. På kvist efter kvist sprack klasar av vit blom ut. Det var tusentals klotformade knoppar kvar som i den stigande morgonsolen slog ut fem blad tunnare än flagor av aska, vitare än den första snön som brukade lägga sig i yviga flockar ett halvår senare och göra en svag och frusen härmning av deras ljuvhet. När Tora såg denna stjärnhimmel mot lagårdsväggens gråa timmer mindes hon hur hon sett opp i den när hon var en liten flicka och hur den vita blommen snöat ner när vinden rörde den. Hon önskade att hon kunnat stanna de timmar hon visste att det varade för skuggmorellens vackraste blomning var mycket kort. Men det var ju alldeles omöjligt.

Hon gick raskt och hon såg maskrosor och kabbeleka i dikena, mörkgula som färska våräggulor. Åkerviolen stod i gärdeskanterna och skyar av vit sandtrav hade växt sig hög och överblommad i stenbackarna. Nu vällde sommaren fram som en bred grön flod och skogen blommade. Vattnet i Vallmaren var blankt som olja och där flöt det gula mjölet från granarna, bildade ringar och öar och drivade sig vid stränderna. Rosenröda och knubbiga svällde kottanlagen och grönsångare som inte syntes bland de mörka grenarna sjöng i kapp. Men när hon gick ut ur skogen ner mot Vallmsta gärden hörde hon hackspetten trumma. Det var ett nyktert ljud som vore det vardag igen och en ny arbetsvecka skulle börja.